別冊 the Quintessence ザ・クインテッセンス

JN244082

マイクロデンティストリー YEARBOOK 2020

チームで取り組む令和時代のマイクロスコープ活用法

～ハイジーン＆アシスタントワークから精密補綴治療まで～

日本顕微鏡歯科学会／編

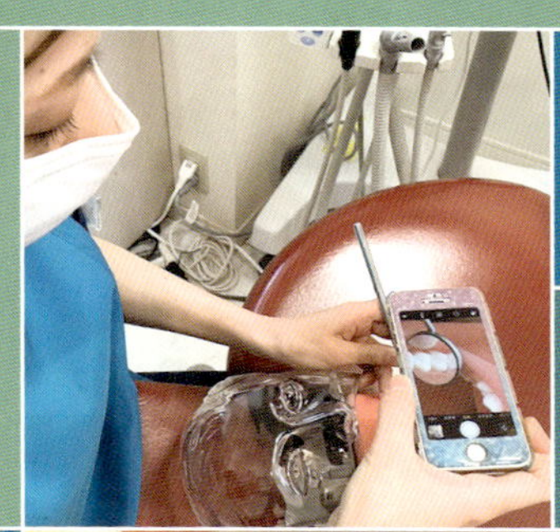

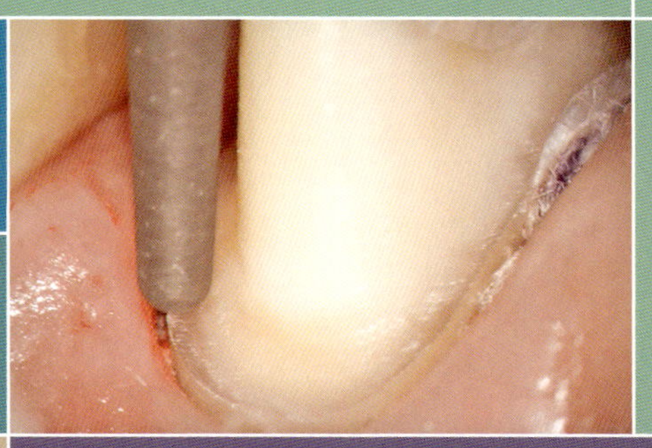

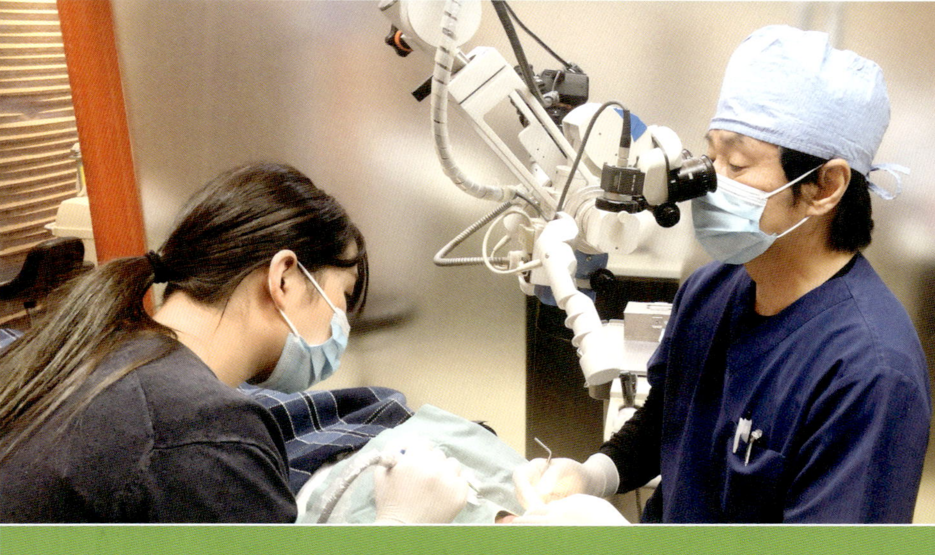

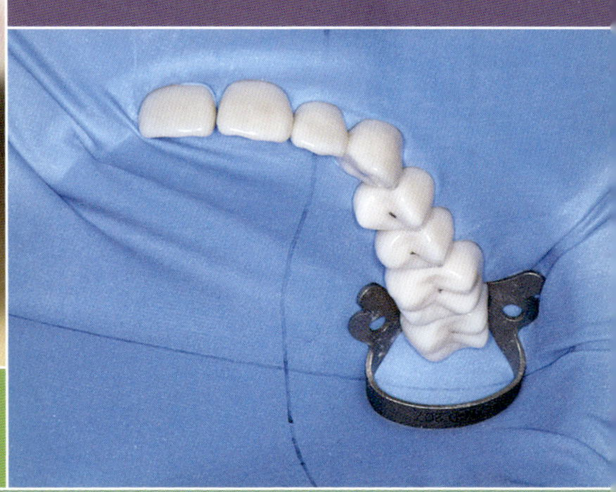

クインテッセンス出版株式会社　2020

Berlin | Chicago | Tokyo
Barcelona | London | Milan | Mexico City | Moscow | Paris | Prague | Seoul | Warsaw
Beijing | Istanbul | Sao Paulo | Zagreb

編集委員一覧（五十音順・敬称略）

◆ 編集委員長

鈴木真名　東京都開業　鈴木歯科医院

◆ 編集委員

石井隆資　日本歯科大学附属病院総合診療科准教授

大河原純也　茨城県開業　ありす歯科医院

北村和夫　日本歯科大学附属病院総合診療科教授

小塚昌宏　静岡県開業　小塚歯科医院

辻本恭久　日本大学松戸歯学部先端歯科治療学講座教授

三橋　晃　神奈川県開業　鎌倉デンタルクリニック

三橋　純　東京都開業　デンタルみつはし／日本顕微鏡歯科学会会長

吉田　格　東京都開業　吉田歯科診療室デンタルメンテナンスクリニック

刊行にあたって

別冊 the Quintessenceマイクロデンティストリー YEARBOOK（以下，本別冊）は2011年から刊行され，日本顕微鏡歯科学会（Japan Academy of Microscopic Dentistry：以下，JAMD）が編集を務めるようになってから今回で８冊目を数える．そしてこの2020年版より，本別冊の編集委員長を辻本恭久先生から筆者が引き継ぐことになった．マイクロスコープをすでに活用している読者から，導入検討中の読者まで，幅広い層の方々が日常臨床で有効活用できるように，よりよいコンテンツをめざしていく所存である．

さて，マイクロデンティストリーをめぐる状況としては，JAMD会員が年々増加していることからもわかるようにマイクロスコープへの関心はより高まり，多くの歯科医療従事者が臨床におけるその有用性を感じている．マイクロスコープの三大メリットは「拡大」「照明」「記録」といわれるが，性能自体の向上や付属機器の開発により，最近はさらに細かな，広い範囲へと臨床応用されてきているように感じる．

では，今回の本別冊のコンテンツを簡単に紹介しよう．Part 1 では，精密な補綴治療を行うために歯科医師と歯科技工士がどのようなことに留意しているかをステップ写真とともに詳細にドキュメンテーションいただいた．Part 2 では，人気シリーズ「マイスタイル顕微鏡」の特別編として，歯科衛生士や歯科助手によるハイジーン＆アシスタントワークのポイントを紹介している．Part 3 では，JAMDのオフィシャルジャーナル「MICRO」からの選りすぐりの翻訳論文を掲載し，また最新トピックスなども掲載した．さらにPart 4 では，JAMDにとってパートナーであるマイクロスコープ取り扱いメーカー各社による製品紹介とプレゼンテーションを掲載した．巻末には，2019年のJAMD第16回学術大会で来日したAMED会長のDr. William Linger，JAMD会長の三橋純先生，本別冊編集委員長の筆者の３名による特別鼎談や，大会長であった古澤成博先生による開催レポートも掲載した．

筆者は海外で講演する機会が多いが，マイクロデンティストリーの分野においては読者諸氏をはじめとする日本の歯科医師が世界を牽引していると感じている．今後も引き続き世界をリードしていくために，より一層の切磋琢磨が必要であり，本別冊が最新の情報共有・発信の場になればと思っている．

2020年１月吉日

マイクロデンティストリー YEARBOOK編集委員長
鈴木真名

contents

PART 1 特集：顕微鏡により，どこが精密，正確になるのか？

PART 2 マイスタイル顕微鏡

ハイジーン・アシスタントワーク編

PART 3 New Topics

1：From THE INTERNATIONAL JOURNAL OF MICRODENTISTRY

2：ケースプレゼンテーション

3：大会長賞受賞記念論文

PART 4 Products Information & Case Presentation

各社マイクロスコープ紹介＆最新情報／Case Presentation

AMED会長来日記念鼎談

学会レポート：第16回日本顕微鏡歯科学会学術大会

◆ 執筆者一覧（五十音順・敬称略）

青木啓高　静岡県開業・青木デンタル／歯科技工士
伊澤真人　東京都勤務・高倉歯科マインドクリニック
石井隆資　日本歯科大学附属病院総合診療科准教授
井上卓之　神奈川県開業・あとりえ矯正歯科クリニック
植村　博　有限会社ファーストタイム
大河原純也　茨城県開業・ありす歯科医院
大久保将哉　東京都勤務・赤羽歯科信濃町診療所
大橋　誠　日本歯科大学新潟病院歯科麻酔・全身管理科准教授
小椋一朗　日本歯科大学新潟生命歯学部歯科放射線学講座教授
北村和夫　日本歯科大学附属病院総合診療科教授
久保倉弘孝　神奈川県開業・医療法人社団 敬友会 小机歯科医院／小机歯科医院アネックス／くぼくら歯科医院／都筑キッズデンタルランド
久山佳代　日本大学松戸歯学部病理学講座教授
小塚昌宏　静岡県開業・小塚歯科医院
佐氏英介　東京都開業・サウジ歯科クリニック
三枝尚登　日本歯科大学新潟病院総合診療科臨床教授
塩田　太　栃木県開業・医療法人博信会 スマイル歯科
末光正昌　日本大学松戸歯学部病理学講座
菅原佳広　日本歯科大学新潟病院総合診療科准教授
鈴木　誠　日本大学松戸歯学部歯内療法学講座
鈴木真名　東京都開業・鈴木歯科医院
関口博一　日本歯科大学新潟病院歯科技工科
髙山祐輔　神奈川県開業・新百合ヶ丘南歯科
辻本真規　福岡県開業・辻本デンタルオフィス
辻本恭久　日本大学松戸歯学部先端歯科治療学講座教授
中村勝之　三鷹光器株式会社
樋口敬洋　福岡県開業・樋口歯科医院
深江あゆ　福岡県勤務・樋口歯科医院／歯科助手
古澤成博　東京歯科大学歯内療法学講座教授
前田千絵　東京都勤務・鈴木歯科医院／歯科衛生士
水橋　史　日本歯科大学新潟生命歯学部歯科補綴学第１講座准教授
三橋　晃　神奈川県開業・鎌倉デンタルクリニック
三橋　純　東京都開業・デンタルみつはし／日本顕微鏡歯科学会会長
森田佳子　福岡県勤務・樋口歯科医院／歯科衛生士
矢ケ崎隆信　神奈川県開業・ヤガサキ歯科医院
山田雅司　東京歯科大学歯内療法学講座
吉田　格　東京都開業・吉田歯科診療室デンタルメンテナンスクリニック
吉田（和田）陽子　日本大学松戸歯学部歯内療法学講座
米　可那　福岡県勤務・樋口歯科医院／歯科衛生士
William Linger　AMED会長

◆ PART 4　掲載企業一覧（掲載順）

ライカ マイクロシステムズ株式会社
株式会社モリタ
白水貿易株式会社
株式会社ジーシー
ペントロン ジャパン株式会社
株式会社白鵬

マイクロスコープ｜カプス1100

KAPS 1100

スムーズに動き、ピタリと止まる。ストレスのないアーム操作。

Made in Germany

約70年の実績を誇るドイツ3大マイクロスコープメーカーのひとつKarl Kaps(カールカプス)社。
歯科のみならず、耳鼻科、眼科、産婦人科、そして工業界と様々な分野で活躍しています。その優れた光学系のノウハウが実現したクリアで立体感のある画像と、スムーズに動いてぴたりと止まるアームの操作性を追求した「KAPS1100(カプス1100)」。
ドイツ製ながらコストパフォーマンスにも優れたiCATが自信を持ってお勧めするマイクロスコープです。

- バランサー付カップリング標準搭載
- ローテーション機能標準搭載
- 5段階可変アポクロマートレンズ搭載
- レンズは2種類から選択
- 自然光に近いLED照明

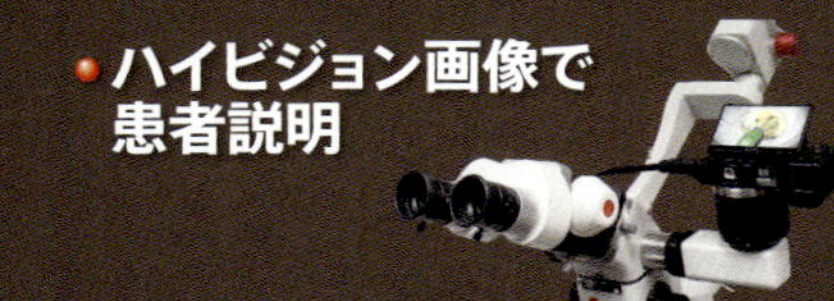

● ハイビジョン画像で患者説明

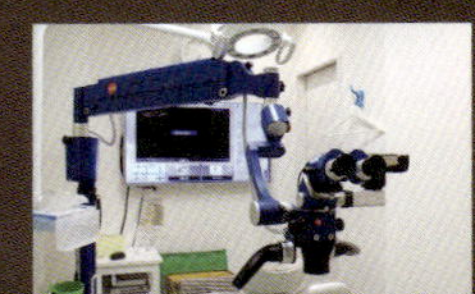

※カメラ本体はご用意ください。(レンズは不要)

● カラーオーダー可能

［フロアスタンドタイプ］ 医療機器の分類：一般医療機器、特定保守管理医療機器
販売名：カプスデンタルマイクロスコープ SOM-62　届出番号：27B1X00020224011
［天井懸架タイプ］ 医療機器の分類：一般医療機器、特定保守管理医療機器、設置管理医療機器
販売名：カプスデンタルマイクロスコープ SOM-32　届出番号：27B1X00020224010
製造販売元：白水貿易株式会社

資料請求・詳細は▶ KAPS1100  もしくは 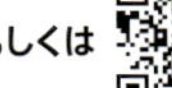

販売元：
株式会社アイキャット
iCAT Osaka　大阪市淀川区西中島3-19-15 第3三ツ矢ビル3F
iCAT Tokyo　東京都千代田区岩本町3-9-1 花岡ビル4F
www.icatcorp.jp

東京・大阪のショールームで実機をご体感いただけます！
※実機見学は予約制です。下記フリーダイヤルまでお問い合わせください。

0120-167-190　
受付時間：午前9:00～午後6:00（土日祝日は除きます）

はじめての顕微鏡

マイクロスコープが「見える」「使える」ようになる本

三橋 純／寺内吉継　著

最初の 1 冊はこれ！

「これからマイクロスコープを導入したい」「導入したけれどうまく使えていない」——そんな先生方に贈る 1 冊．
三橋　純氏，寺内吉継氏の 2 人のエキスパートが顕微鏡歯科治療への第一歩をサポートします．
　実際に臨床で使う前の “見える” 顕微鏡にするための設定やトレーニング，ポジショニングの基本などを step by step で解説．より便利に使うためのノウハウやインスツルメントの情報も！

“脱・初心者”に効く1冊

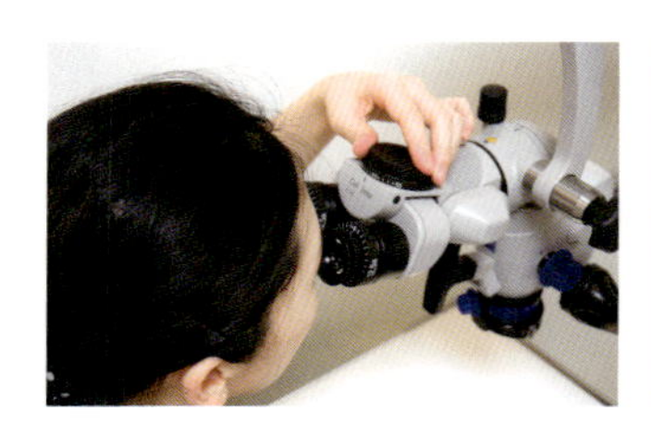
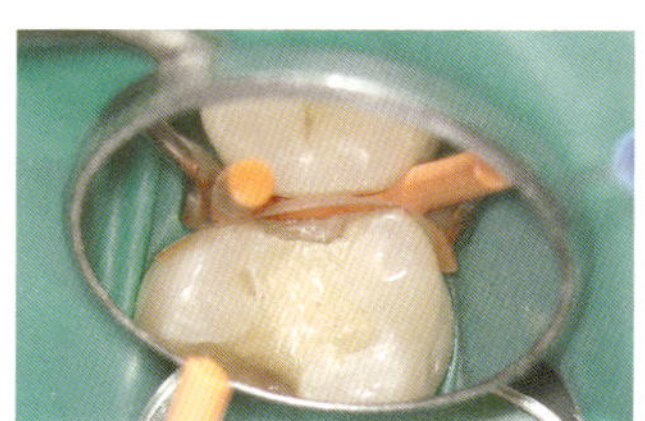
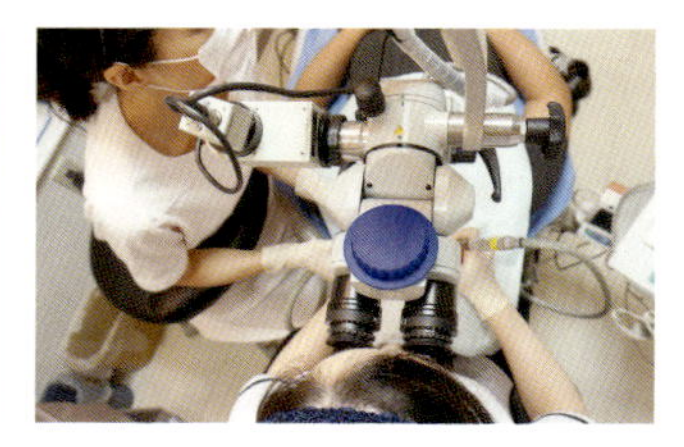
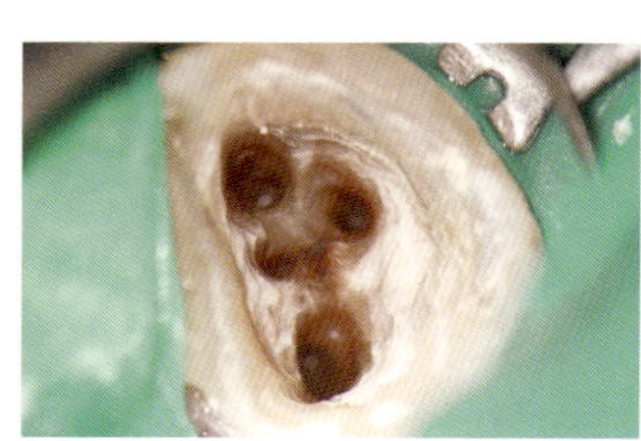

QUINTESSENCE PUBLISHING 日本　●サイズ:A4判変型　●112ページ　●定価　本体7,000円（税別）

クインテッセンス出版株式会社
〒113-0033　東京都文京区本郷3丁目2番6号　クイントハウスビル
TEL 03-5842-2272（営業）　FAX 03-5800-7592　https://www.quint-j.co.jp/　e-mail mb@quint-j.co.jp

特集：顕微鏡により，どこが精密，正確になるのか？

補綴処置の精密歯科治療とマイクロスコープの活用方法について

佐氏英介

東京都開業　サウジ歯科クリニック
連絡先：〒141-0021 東京都品川区上大崎2-13-26 メイプルトップビル4階

はじめに

クラウンブリッジの分野では，質の高いクラウンを製作するため，ラボサイドでの顕微鏡の応用が約40年前から始まっている．近年，その顕微鏡の使用範囲は日増しに拡大し，ラボサイドのみならずチェアサイドでも顕微鏡が応用されるようになっている．「マイクロスコープを使用することにより補綴治療の臨床成績が向上するのか」，残念ながらEBMの見地からその有益性の根拠となる報告は存在しない．

しかしながら，正確かつ精密に治療を行うことが補綴臨床において重要であることは，誰もが疑念を差し挟まないはずである．なぜなら，補綴治療を成功に導くために，技工操作を含めたさまざまな術式を正確かつ精密に行うことで治療精度の向上，維持につながると考えるからである．マイクロスコープを使用し，視野を拡大することで治療精度を可及的に高いレベルで一定に保ちながら，精密に各ステップを積み重ねた結果は，クラウンの適合精度に限らず咬合接触関係や歯冠形態などにも反映され，良好な治療結果を得ることにつながると考えている．

本稿は，クラウンブリッジの臨床ステップを提示しながら，精密な補綴治療とマイクロスコープの活用方法について概説する．

1．補綴治療を成功に導く条件

クラウンブリッジ治療は，機能，審美，そして快適さの回復を主目的としている[1]．臨床にはさまざまな制約が存在する．しかも口腔内という厳しい環境下で適切かつ正確に審美と機能を回復することは困難を極める．これを実現するためには，術前の診査・診断，治療計画の立案から，術後管理(メインテナンス)に至るまで，治療にかかわるすべてのステップを確実に１つひとつ積み上げていくことが重要と考える．また，適切に高い精度で各ステップを実行する能力が不可欠で，藤本は補綴治療を成功に導く条件として，「咬合の安定／精度の維持(基礎的臨床力)／術前・術後の管理」の３つの条件を挙げている[2](図１)．

咬合の安定を図るには，まずは咬合理論を理解することが重要である．次に，その理論の実践において，治療の精度を高く維持するための基礎的臨床力が不可欠である，と藤本は述べている．この精度の維持(基礎的臨床力)とは，歯科医師が主にかかわるチェアサイドの治療精度と，歯科技工士が主にかかわるラボサイドの技工精度，さらに咬合の精度を維持することが含まれる[2](図２)．

つまり，補綴治療とりわけクラウンブリッジ治療

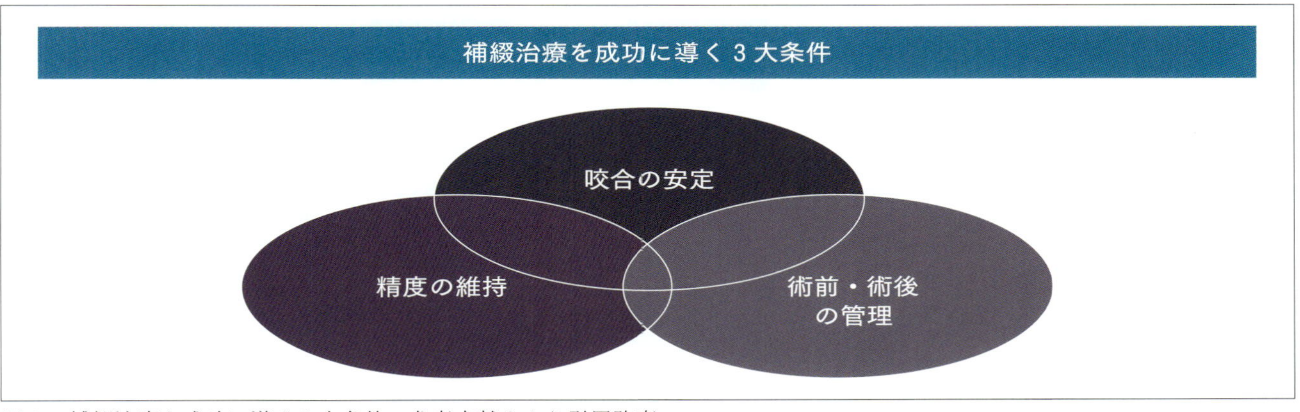

図1　補綴治療を成功に導く3大条件．参考文献2より引用改変．

精度の維持（基礎的臨床力）

1. 咬合の精度
- a. 正確なアルジネート印象
- b. フェイスボウトランスファー
- c. 中心位及び最大咬頭嵌合位採得
- d. 顎模型の咬合器マウント
- e. 咬合器の取り扱い

2. 治療精度
- a. 歯冠形成
- b. プロビジョナルレストレーション
- c. 軟組織のコントロール
- d. 精密印象
- e. 咬合調整
- f. セメンテーション

3. 技工精度
- a. 作業模型，ダイの作製
- b. 歯冠形態，エマージェンスプロファイル
- c. 咬合様式，歯の接触関係
- d. マージンの適合精度
- e. 補綴物の強度，維持，抵抗形態
- f. インデックス，ろう付け
- g. 研磨，仕上げ
- h. 審美

図2　咬合理論を実践するためには，多岐にわたる高いレベルの基礎的臨床力が不可欠である．参考文献2より引用改変．

において，チェアサイドとラボサイドが互いに高い精度を維持することが質の高い治療結果につながると考え，日々の臨床の場で以下のようにマイクロスコープを活用している．

2．臨床ステップ：マイクロスコープの活用方法

以下に，クラウンブリッジの臨床ステップを提示しながら，マイクロスコープの活用方法について，またその際に求められる意義・配慮について概説する．

1　適合精度の評価・確認：適合精度は補綴治療を成功に導くのか？

先に述べたとおり，EBMの見地からマイクロスコープを使用することにより補綴の治療成績が向上するという報告が存在しない．最終的に口腔内の支台歯にセメンテーションし完了する補綴治療の成功は，補綴装置と支台歯との適合状態にかかっていると考える（図3）．しかしながら，ある一定以上の空隙になるまで影響を受けないとする報告[3]や，さまざまな適合状態の補綴治療が長期にわたって成功しているという過去の事実からも，この点を盲目的に肯定はできない．

では，なぜマイクロスコープを使用し，高い適合精度を求めるのか．適合精度を求める臨床的意義として以下の3つを挙げる．

①生物学的意義

支台歯に合着された補綴装置のマージン部分は本質的に粗造なため，プラークが堆積しやすく，二次う蝕や歯周疾患の発生する部位である．それゆえに，

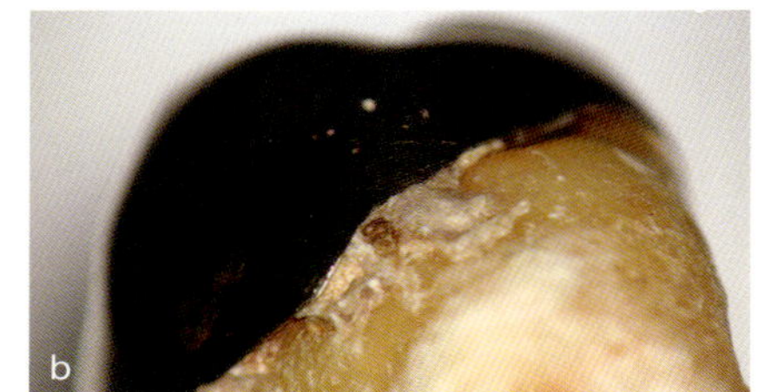

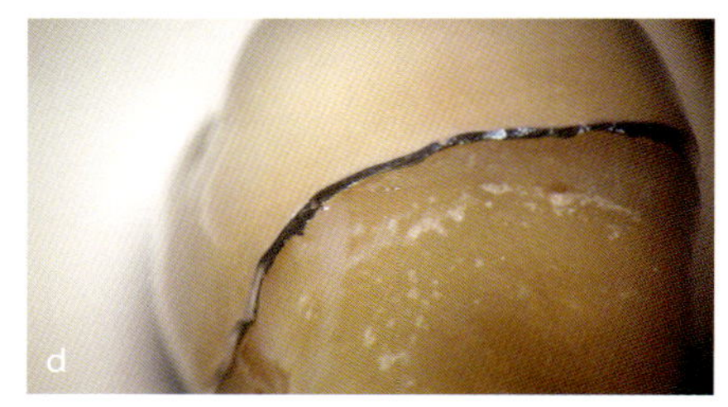

図3a〜d　抜去歯で観察した適合状態の比較．適合不良の補綴装置(a, b)は予後に影響を与える可能性がある．c, dは適合が良好な状態．

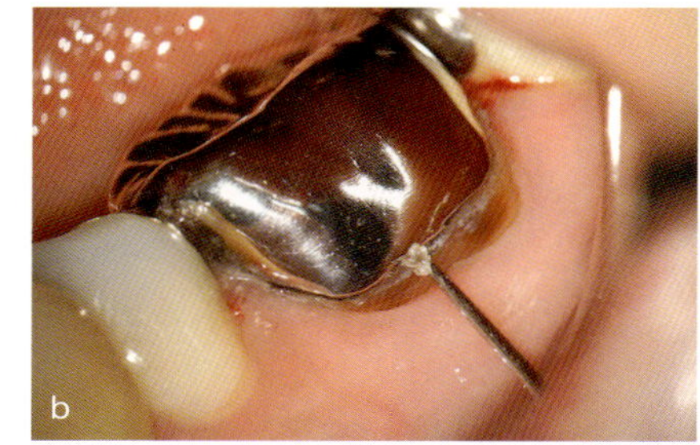
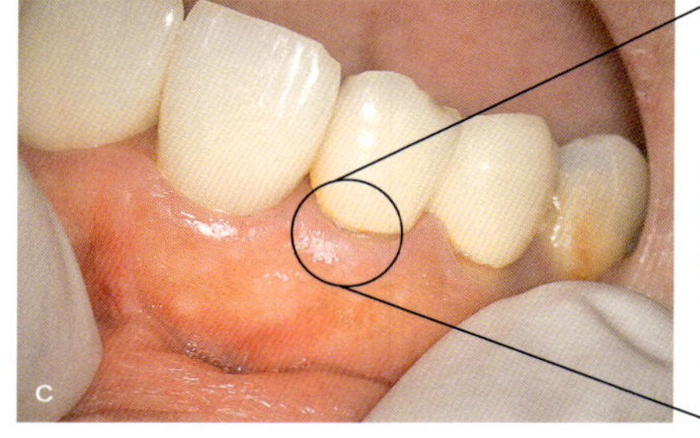
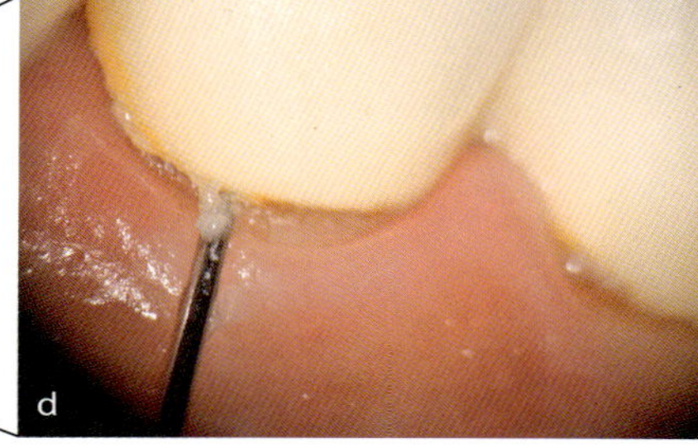

図4a〜d　マージン適合が不良であればプラークが堆積しやすく，補綴装置の予後に影響を及ぼす可能性が高くなる．

マージンの適合精度が精密であるほど，二次う蝕や歯周疾患の生じる可能性が低くなることが示唆されている[4]．補綴処置の予後に影響を及ぼすリスクを軽減するために適合精度が重要であると考える(図4)．

②咬合学的意義

藤本は，上記の生物学的見地の他に，咬合の見地からも重要であると述べている．ラボサイドで製作されたクラウンの咬合接触関係を口腔内での咬合関係とできるだけ一致させ，術後の咬合干渉のリスクを可及的に軽減するために，院内の辺縁適合精度を模型上で20μm，支台歯に装着した状態で50μm以内を基準としてクオリティをコントロールしている[2]．また，人は咬合時に約12μmの厚みを感知できる[5]と報告されている．新たに装着する補綴装置を患者が違和感なく受け入れるためには，咬合の精度を高く維持する必要がある．それには，まずは模型上および口腔内でほぼ一致する高い適合精度が必須で(図5)，適切な咬合接触関係を再現するための咬合調整を最小限に収めることが重要である．

③誤差を軽減するための手技的意義

適切なチェアサイドのステップと，高い技術力をもつ歯科技工士による正確なラボサイドのステップ

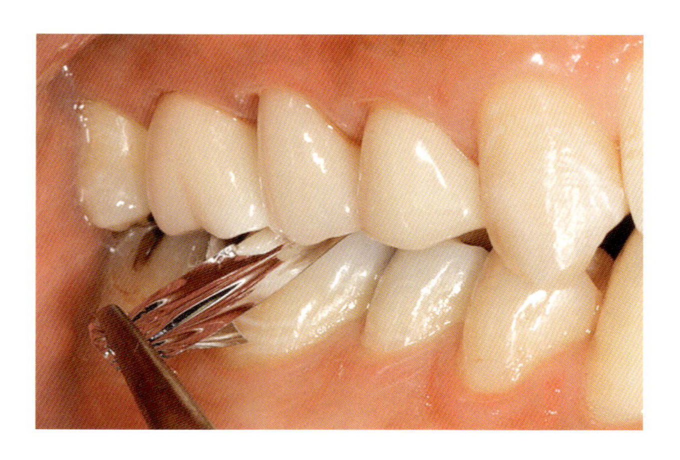

図5　人が咬合により感知できる厚みは12.5～100μmと報告されている[5]．咬合紙を用いて最大咬頭嵌合位と偏心運動時の接触状態を確認，調節した後に，厳密な接触関係を12μmのオクルーザルレジストレーションストリップスにより評価する．参考文献2より許可を得て引用．

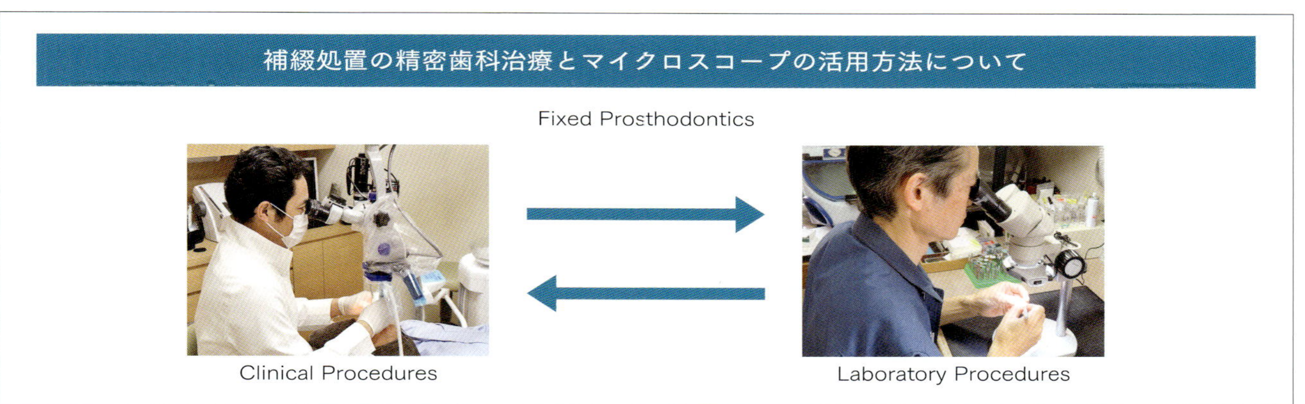

図6　チェアサイドとラボサイドが互いに高いクオリティを維持するには，同じコンセプトを共有して取り組む必要がある．

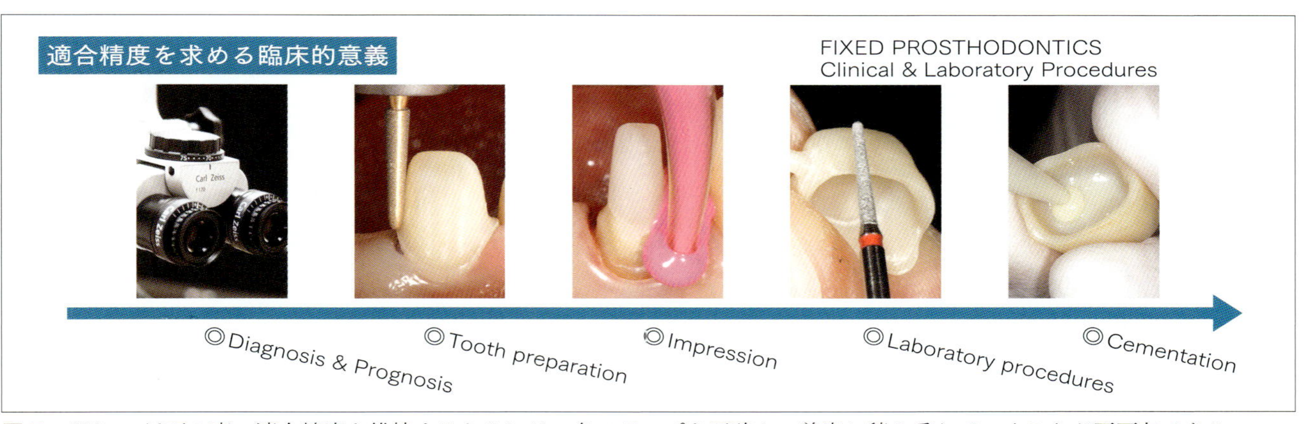

図7　120μm以下の高い適合精度を維持するためには，各ステップを正確かつ着実に積み重ねていくことが不可欠である．

を積み重ねることにより，マージンの辺縁適合精度が高い補綴装置が完成する（図6）．過去よりその臨床的許容範囲については多くの議論がなされてきた．現在では，臨床的に約120μm以下の適合精度が許容される条件と考えられている[6]．筆者のクリニックにおいても，藤本による前述の条件をマージンの辺縁適合精度の基準とし臨床に取り組んでいる．

上記考察に加え，私見ではあるが，藤本歯科医院

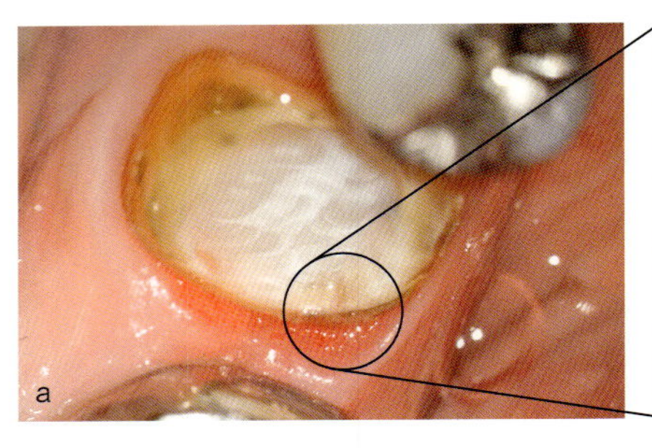

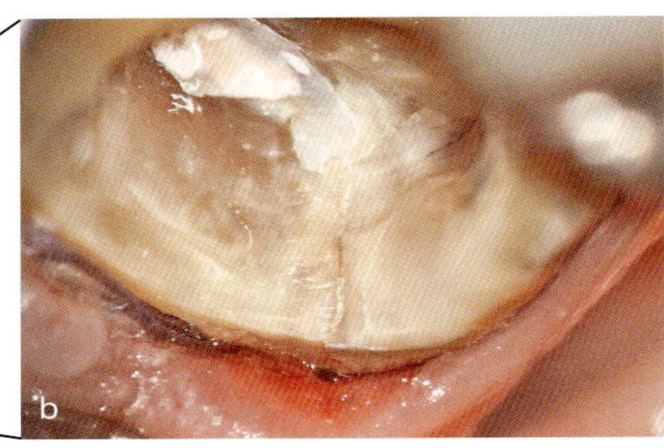

図 8 a, b　既存築造体を除去する際に破折部位を疑う箇所がある場合は，その過程を記録し，患者に処置の過程と，その状況を説明できるようにしている．

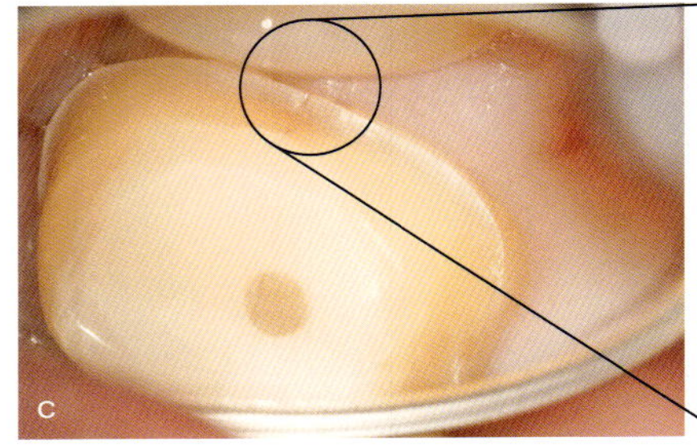

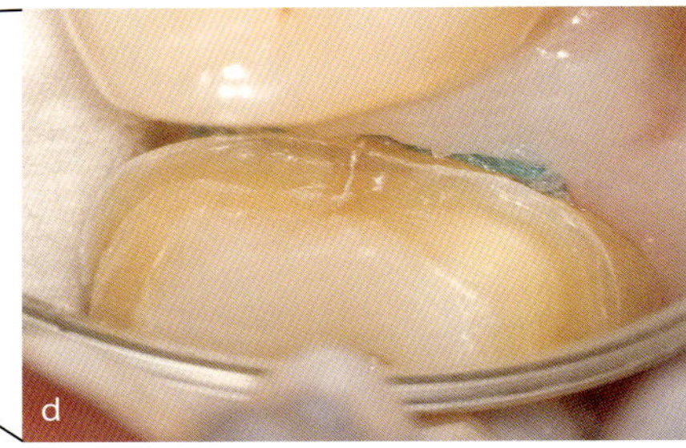

図 8 c, d　再補綴治療の歯冠形成時に破折線を確認した症例．形成を進めながら破折線の進展状況を確認する．予後についての見解を示しつつ，治療方針を患者とともに決定する．

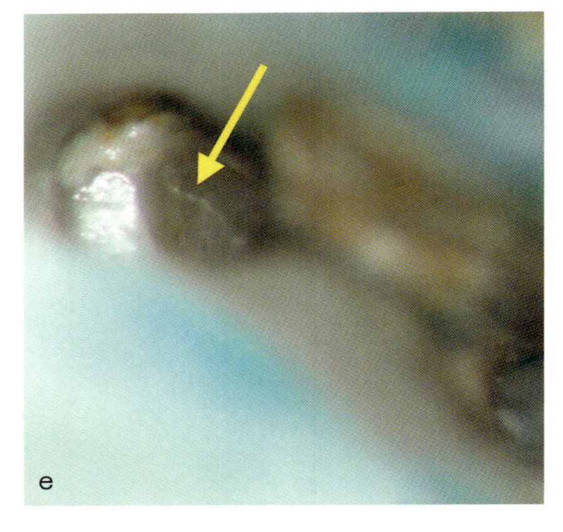

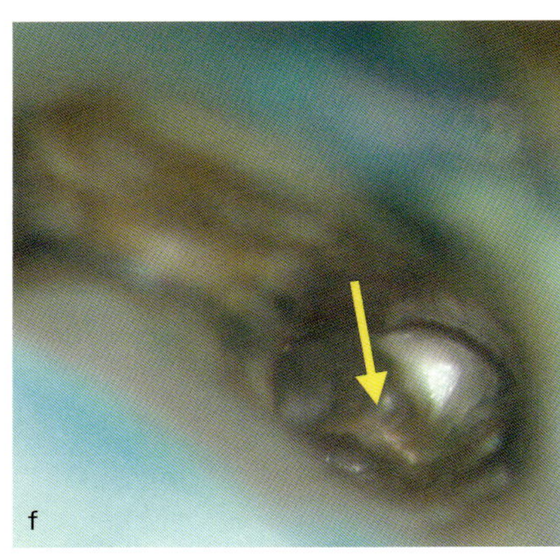

図 8 e, f　歯内療法専門医と連携し治療を進めた症例．根管治療時に根管内にクラックを認めたため，補綴設計や残存歯質量など，他の条件も考慮して治療方針を決定する(症例は尾上正治先生のご厚意による)．

で経験した長期にわたる治療結果から，適合精度はクラウンブリッジ治療の長期的予後に大きく影響を及ぼす因子の１つであると考えているからである．適合精度を高く維持するためには，確実なステップを積み重ね，誤差を減らすことが重要となる(図７)．そのために，繊細なコントロールを行うことや，細部にわたる確認を行うことにマイクロスコープが有効であると実感している．

2　診査・診断

補綴治療を計画するうえで，術前の診査・診断が重要であることは当然のことである．支台歯の予後は，残存歯質量，歯冠歯根比，クラックの有無，歯周組織の状態，補綴設計などにより判断する．とくに支台歯のクラックは，予後に直結する大きなリスクとなるため，疑わしい部位については詳細な診査が必要であり，強拡大での確認は大変有効となる．どこまで進展しているのかを見極め，また色調などからどの程度経過したものなのかを推測し，支台歯の予後を判定する(図８)．

3　歯冠形成

クラウンの歯冠形成は外側性であり，繰り返し多方向から支台歯を確認することになる．とくに支台歯間の平行性を確認・調整する場合は，弱拡大での確認が有効であり，ルーペの使用が臨床的であると

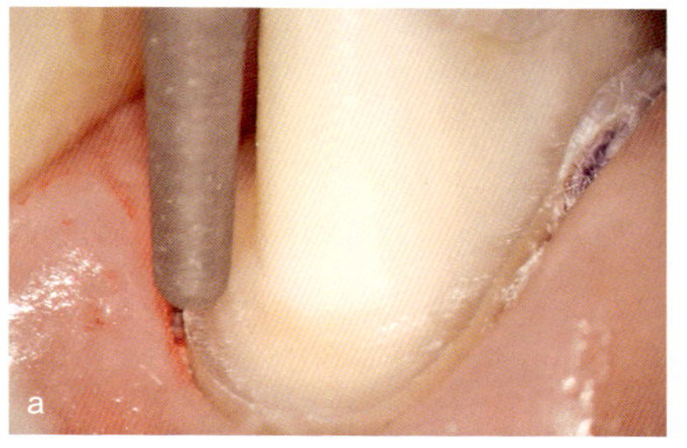
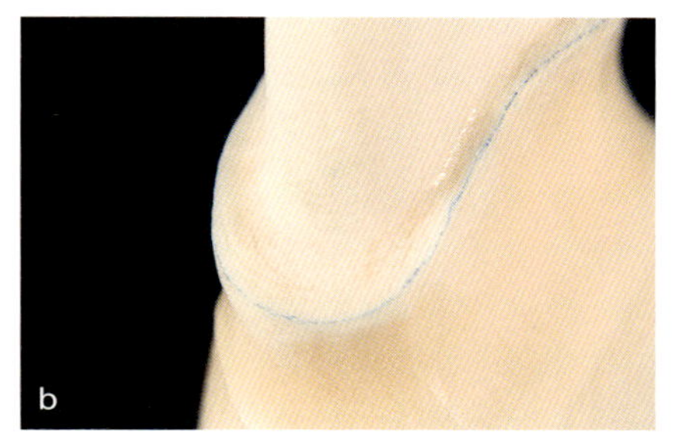

図９a, b　連続性のあるスムースなマージンは，その後のステップの操作がしやすくなるため臨床的重要性は高い．仕上げ形成は，強拡大下で行うと操作しやすい．模型の評価も行い，自身の臨床にフィードバックする．

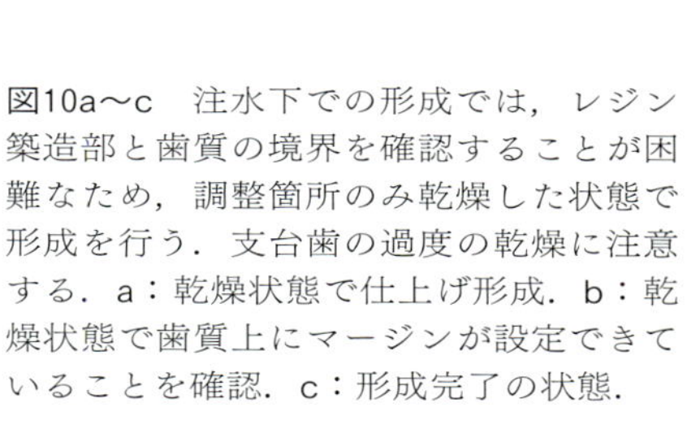
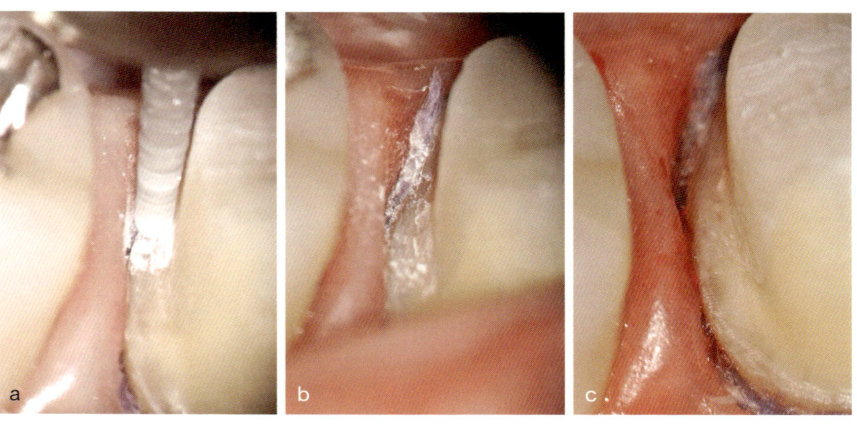

図10a〜c　注水下での形成では，レジン築造部と歯質の境界を確認することが困難なため，調整箇所のみ乾燥した状態で形成を行う．支台歯の過度の乾燥に注意する．a：乾燥状態で仕上げ形成．b：乾燥状態で歯質上にマージンが設定できていることを確認．c：形成完了の状態．

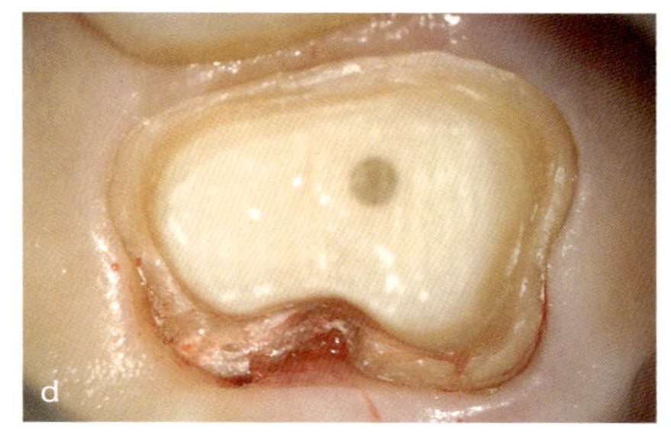
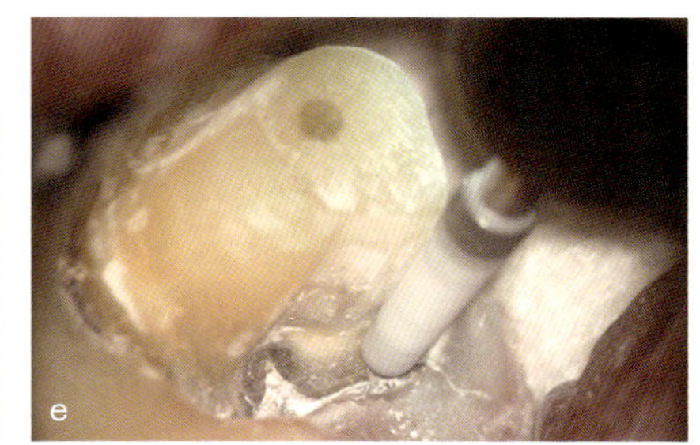
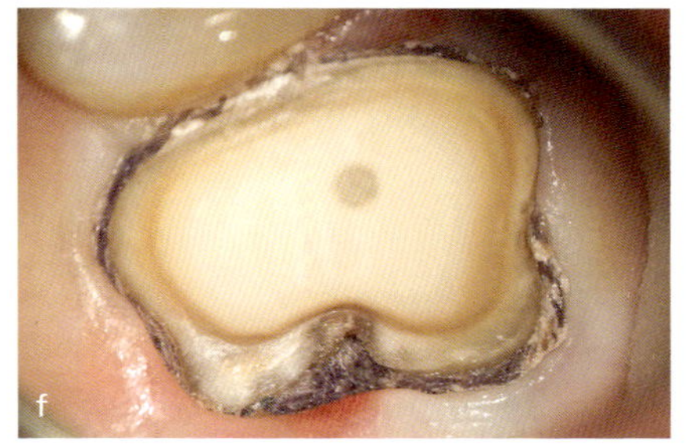
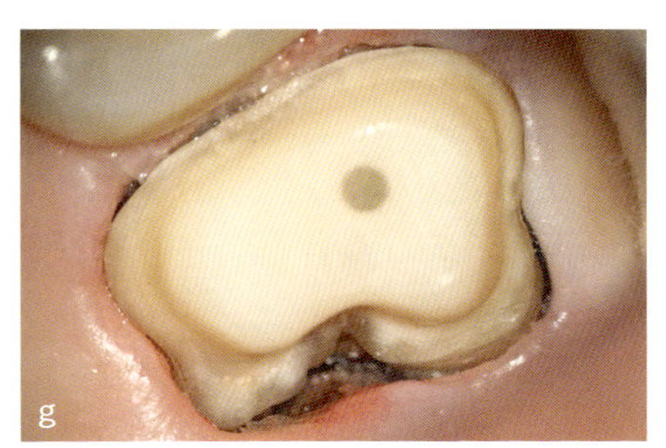

図10d〜g　上顎第二大臼歯部の形成．大臼歯の遠心部はとくに配慮が必要である．過乾燥に注意し，必要に応じて歯肉圧排を行うこと．

思われる．ただし，スムースなフィニッシュラインを形成するためには繊細な操作が必要であり，強拡大での仕上げ形成が有効となる．ある特定のマージン形態が，それ以外の形態と比較し臨床的に優れるという根拠は存在しないものの[7,8]，いずれにおいても，連続性のあるスムースなマージンは，その後の臨床ステップの操作が容易となるため臨床的重要性は高いといえる（図９）．

また，レジン築造された支台歯を形成する際，マージン部の歯質とレジンの境目を見極めることが困難な場合がある．マージンを適切に歯質上に設定するために，強拡大での確認が必要となることがある（図10）．このように，不確定要素を取り除くために強拡大での手技がとても有効となる．しかし，いかに

表1　印象面の評価（参考文献2より引用改変）．条件をすべて満たしていることが理想的であるが，生じた欠陥の状況により臨床上容認できる場合もある．再印象を行うべきか，術者が責任をもって慎重に判断しなければならない．

印象面の評価

1．印象操作が適切に行われ，インジェクションマテリアルとトレーマテリアルの印象材が適切に馴染んでいるか
2．印象材を通してトレーが透けてみえるような薄い部分はないか
3．気泡，硬化不全による欠陥がないか
4．マージンの連続性が確保されているか
5．トレーから印象材が剥がれてないか

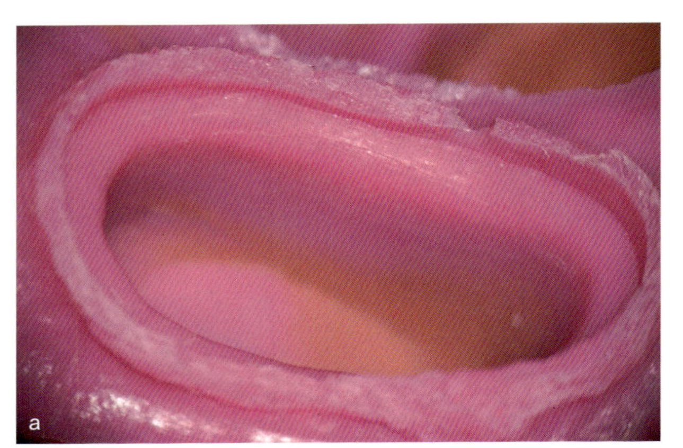

図11a, b　強拡大で印象面を確認する．マージンの連続性，気泡の混入，硬化不全など，許容できない欠陥がある場合は再印象を行う．気泡や硬化不全は視認することが困難な場合があるため，細くて鈍な先端のインスツルメントで繊細に触れて確認する．

見た目に美しい歯冠形成であったとしても，原理原則を無視した歯冠形成は治療結果に負の影響を及ぼすこととなるため，原理原則の理解が重要であることを強調したい．

4　印象採得

印象採得のステップで，歯肉圧排やシリコーン印象材を支台歯に流す際にマイクロスコープを使用することは可能であるが，臨床上あまり必要性を感じてはいない．一方で，印象採得後の印象面の確認にはマイクロスコープを使用する必要がある．とくに，細かな気泡や硬化不全などは，強拡大でなければ視認が困難な場合がある（表1，図11）．

昨今，デジタルデンティストリーは急速に発展し，口腔内スキャナーによる印象精度が飛躍的に向上している[9]．将来的には，印象採得でのマイクロスコープの活用性はなくなるかもしれない．しかし，アナログでリカバーされていた部分がなくなることで，より歯冠形成の厳密性が求められるなど，マイクロスコープの必要性が増す可能性もあるのではないだろうか．

5　技工精度の確認

先にも述べているが，クラウンブリッジの治療において，歯科医師と歯科技工士がコンセプトを共有することは，治療の成否に直結する要因である．一方だけが治療の精度を求めても，高い精度を維持することは不可能である．技工精度については，青木啓高氏が後述（p.22～）するので本稿では割愛する．歯科技工士の技術と貢献度，ならびに技工ステップの数がクラウンのマージン適合に影響を及ぼすとの報告があるように[10]，歯科医師は歯科技工士が技工精度を維持するためにどのような配慮を払っているか，理解しておくべきであることを強調したい．

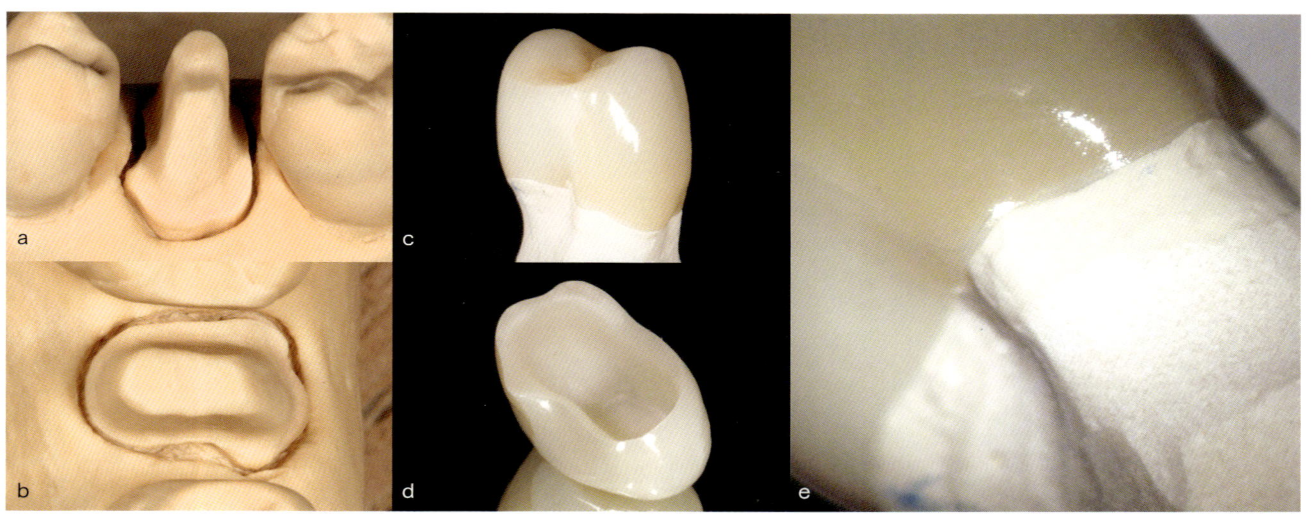

図12a〜e　このような複雑な形態の支台歯の場合，ジルコニアは従来の鋳造物よりも技工操作の難易度が高い．クラウンの製作過程における歯科技工士の技能および貢献度は，適合精度に大きく影響する．クラウンと模型の適合状態を試適前に確認しておくことは，口腔内での試適状態を評価するうえで有意義な情報となる．

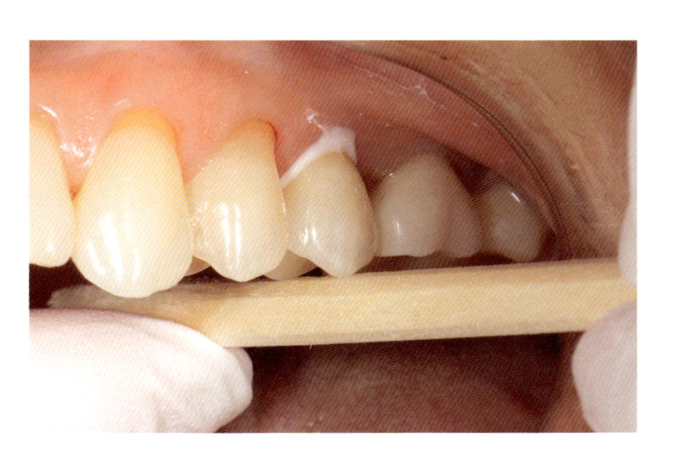

図13　揺り動かしながらしっかり圧を加える方法(ジグリングフォース)は，静的に加圧する場合と比較してセメントの被膜厚さを有意に減少させることが示唆されている[13]．浮き上がりを防止するために，ウッドスティックによりジグリングフォースを加えながら正確な位置にシーティングする．

歯科技工所から納品された完成した補綴装置や模型，その適合状態をマイクロスコープで確認しておくことは，口腔内に試適した際の適合状態を評価するうえで有意義な情報となる．逆に，事前に適合状態を把握しなければ，判断する指標がないともいえる．また，クラウンの評価のみならず歯冠形成の評価も行い，自身の臨床にフィードバックすることが重要である(図12)．

6　セメンテーション

高い適合精度で製作されたクラウンを正確に装着することは想像以上に困難である．作業模型を理想的な25μmの厚みでリリーフして補綴装置を製作し，セメンテーションを行った後に口腔内で100μmのマージン適合を実現することは大変難しく[11]，適合精度が高いほど手技の難易度が高くなるために慎重さを要する．

支台歯にシーティングさせる際の圧力やセメントの選択が，セメントの被膜厚さに影響する[12]ことなど，セメンテーションの際はいかに浮き上がらせないような配慮をするか，適切な操作をするかが重要となる(図13)．実際のマイクロスコープの活用方法としては，試適時にクラウンと支台歯の適合状態を確認することと，セメンテーション後の余剰セメン

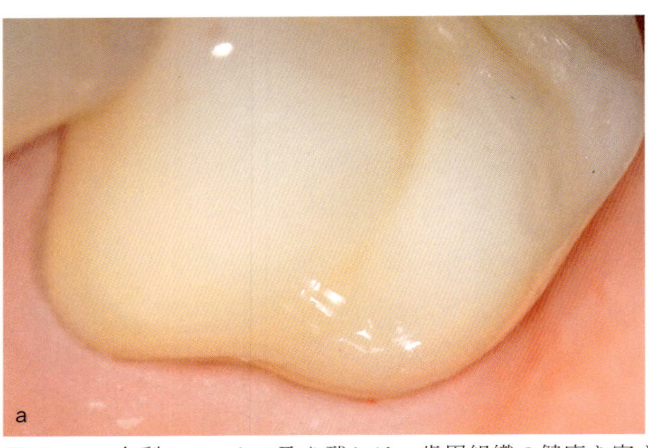

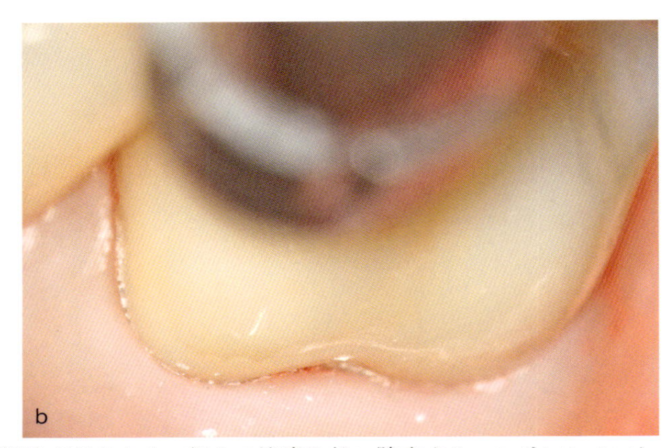

図14a, b　余剰セメントの取り残しは，歯周組織の健康を害する可能性があるため，細心の注意を払い除去する．レジンセメントは湿潤下では認識しづらい(a)ため，乾燥して確認する(b)と良い．

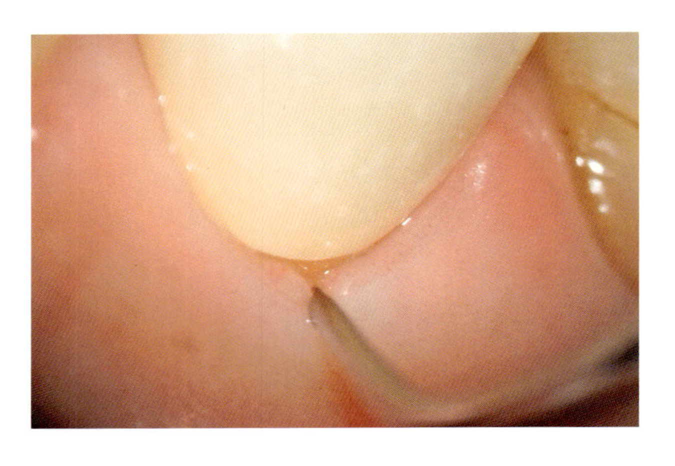

図15　適合状態の評価・確認に探針を使用している．探針の先端が鈍であるとマージンのギャップを感知しにくいため，先端が鋭利な探針を用いる．適切に使用した場合，36μmまでのオープンマージンを検出することが可能との報告もある[14]．

表２　さまざまな拡大システムの倍率と解像度(参考文献15より引用改変)．

Magnification System	Magnification	Resolution(μm)
Unaided Eye	ZERO	200
Low-Magnification Loupes	2.5×	80
Medium Power Loupes	4 ×	50
Sharp Explorer*	ZERO	36
Microscope-low mag.	6.4×	31
Microscope-med mag.	10×	20
Microscope-high mag.	24×	8.33

トの除去とセメントの取り残しを確認することに有効であると考えている(図14a, b)．

臨床的には，クラウンの適合状態を評価する方法として，鋭利な探針を用いた触診にて評価することが従来より行われてきた(図15)．加えて，マイクロスコープを使用し強拡大下で視認することで，より客観性が得られるかもしれない．いずれにせよ，その評価には限界があることを理解し，状況に応じて現実的な方法を選択すべきである(表２)．

まとめ

補綴処置の精密歯科治療とは，適切かつ正確な各ステップの積み重ねにより達成されるものであり，それはクラウンの適合精度に限らず咬合接触関係や歯冠形態などにも反映され，良好な治療結果を得ることにつながると考えている．

時として，新しいマテリアルや最新の治療器具こそが，治療を成功に導くような錯覚に陥ることがある．それは，拡大率，新しい技術論やテクノロジーに偏った診断などが治療の理由になり，オーバートリートメントになりかねないだけでなく，患者の主訴の解決につながらないといった根本的な問題を抱える危険性もあるかもしれない．

繰り返すが，精度を維持することが補綴治療を成功に導くための１つの重要な条件で，その条件を満たすためにマイクロスコープは治療機器の１つとして有益と考えている．治療の目的と考えるのではなく，ある目的を達成する手段・ツールとして筆者の臨床には欠かせない．

参考文献

1．Rosenstiel SF, Land MF, Fujimoto J. Contemporary Fixed Prosthodontics. 5 th edition. St. Louis: Elsevier, 2016.

2．藤本順平，錦織淳(監著)，佐氏英介，浜瀬敬輔，加藤宙(著)．藤本研修会 Standard Textbook 2. Occlusion & Prosthodontics. 東京：デンタルダイヤモンド社，2018.

3．Jacobs MS, Windeler AS. An investigation of dental luting cement solubility as a function of the marginal gap. J Prosthet Dent 1991；65(3)：436-442.

4．Felton DA, Kanoy BE, Bayne SC, Wirthman GP. Effect of in vivo crown margin discrepancies on periodontal health. J Prosthet Dent 1991；65(3)：357-364.

5．Halperin GC, Halperin AR, Norling BK. Thickness, strength, and plastic deformation of occlusal registration strips. J Prosthet Dent 1982；48(5)：575-578.

6．McLean JW, von Fraunhofer JA. The estimation of cement film thickness by an in vivo technique. Br Dent J 1971；131(3)：107-111.

7．Goodacre CJ, Campagni WV, Aquilino SA. Tooth preparations for complete crowns：an art form based on scientific principles. J Prosthet Dent 2001；85(4)：363-376.

8．Belser UC, MacEntee MI, Richter WA. Fit of three porcelain-fused-to-metal marginal designs in vivo：A scanning electron microscope study. J Prosthet Dent 1985；53(1)：24-29.

9．Tsirogiannis P, Reissmann DR, Heydecke G. Evaluation of the marginal fit of single-unit, complete-coverage ceramic restorations fabricated after digital and conventional impressions：A systematic review and meta-analysis. J Prosthet Dent 2016；116(3)：328-335.

10．Contrepois M, Soenen A, Bartala M, Laviole O. Marginal adaptation of ceramic crowns：a systematic review. J Prosthet Dent 2013；110(6)：447-454.

11．Schwartz IS. A review of methods and techniques to improve the fit of cast restorations. J Prosthet Dent 1986；56(3)：279-283.

12．White SN, Yu Z, Kipnis V. Effect of seating force on film thickness of new adhesive luting abents. J Prosthet Dent 1992；68(3)：476-481.

13．Rosenstiel SF, Gegauff AG, Improving the cementation of complete cast crowns：a comparison of static and dynamic seating methods. J Am Dent Assoc 1988；117(7)：845-848.

14．Baldissara P, Baldissara S, Scotti R. Reliability of tactile perception using sharp and dull explorers in marginal opening identification. Int J Prosthodont 1998；11(6)：591-594.

15．van As GA. The use of extreme magnification in fixed prosthodontics. Dent Today 2003；22(6)：93-99.

精密補綴治療の実践
―歯科技工士からの提言―

青木啓高

静岡県開業　青木デンタル／歯科技工士
連絡先：〒410-0022 静岡県沼津市大岡2178-1

はじめに

今日，精密補綴治療を実践するうえでマイクロスコープの使用が欠かせないものとなっている．筆者が所属する藤本研修会(藤本歯科医院)では，すでに40年前には印象体の精査や技工操作に20倍のマイクロスコープを日常的に使用しており，その効用を説いてきた．歯科技工士である筆者自身の使用歴も35年近くになる．

さまざまなきっかけがあろうとは思うが，同様の倍率を使う術者もだいぶ増えてきたと感じている．ところが，日常臨床において口腔内に装着される補綴装置の精度に一貫性がないと自覚する臨床家も少なくないようである．その理由として，目標とする精度の臨床基準が明確でないことが一因として挙げられる．最終的な基準が明確にあれば，その基準を満たすために必要な支台歯形成，印象採得のチェックポイントが明確になり，技工においても目標とする精度を得るために必要な操作が明確になると考えている．言うまでもなく，口腔内で一定の精度を安定的に維持するには，歯科医師，歯科衛生士，歯科技工士，三者の目標基準の一致と綿密な連携が必要である．

そこで本稿では，鋳造クラウンとジルコニアクラウンについて臨床上実現可能な適合精度はどの程度なのか，そして口腔内において調整量の少ないクラウンを製作するために必要な技工上の配慮，そして歯科医師サイドに求められる配慮について，私どもの取り組みを示すこととする．

1．実現可能な適合精度とは

筆者が適合精度について強く意識するようになったのは藤本順平氏(東京都開業)の下で勤務するようになってからである．具体的には，模型上で20～30μm，口腔内で50μm以下の精度を求められ，それができなければ技工物をセットしてもらえない状況であった．筆者が勤め始めた時には歴代の先輩歯科技工士たちがつくり上げたシステムができあがっていたのでそれに従うことができたが，確実なステップの積み重ねとマイクロスコープ下での確認作業が非常に多く容易なものではなかった．その後，自分なりの工夫を加えながら現在もその精度を基準として補綴装置を製作している．

数値として適合状態を知るためにマイクロゲージを用いてギャップを計測することによって，おおよそではあるがその精度を判別することができる．適合を見る時は，やや斜め下から見ることによって水平的ギャップと垂直的ギャップの両方を見ることが

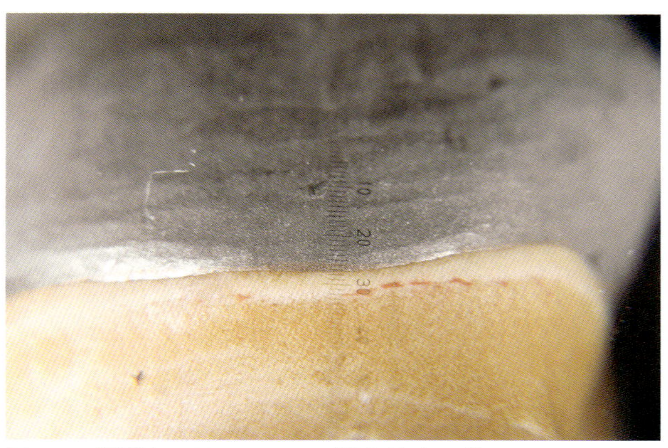

図１a　模型上で20～30μmの適合精度が得られたクラウン（一目盛り100μm）．

図１b　適合を見る時は，やや斜め下から見ることによって水平的ギャップと垂直的ギャップの両方を見ることができるので，正しい評価が可能となる．

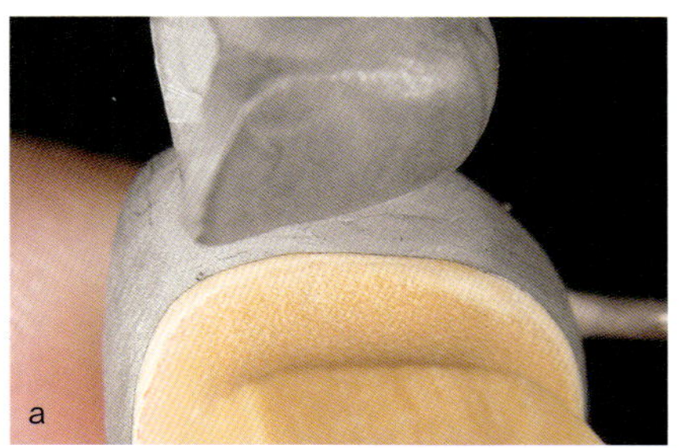

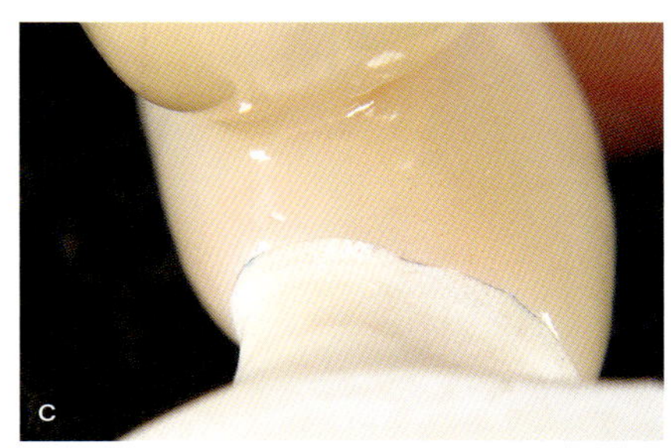

図２a～c　ポンティックと隣接するマージンは正確に合わせることが難しいが，こういったところこそ正確に合わせることが大切である．図1a, bおよび図2a, bは，大山儀三，玉置博規（編）．月刊歯科技工別冊．"誤差"を埋めるクラウンブリッジの臨床・技工．東京：医歯薬出版，2013；84，92より許可を得て転載．

でき，正しい評価が可能である（図１a, b）[1]．

一般的に，クラウンには適合の良い部分と悪い部分が混在していることが多く，そうであれば適合の悪い部分がそのクラウンの適合の評価対象になると考えている．つまり適合で大切なことは，マージン全周に渡ってなるべく均一に適合していることであり，それが適合の難しさでもある．とくにポンティックと隣接する部分のマージンは正確に合わせることが難しいが，こういったところを正確に合わせてくる歯科技工士はていねいな仕事をしている証であり，信頼度が高いと思われる．

口腔内でチェックしにくい部分こそ正確に合わせることが大切である（図２a～c）．現在では，ジルコニアでも条件さえ良ければアナログ的な微調整を加えることによって私どもの基準に見合う精度に近づけられるようになってきた．その条件とは，よく言われているとおりスキャニングと機械加工に適した支台歯形成ができているかが最大のポイントとなる．

2．マイクロスコープの効用

クラウンブリッジの技工においてマイクロスコープはさまざまな局面で使用されるが，主な用途として以下のものが挙げられる．

①印象体の評価
②バイト材の模型への適合
③ダイ模型のマージントリミング
④鋳造法のワックスマージンの仕上げ
⑤鋳造体の内面調整
⑥鋳造体の最終研磨
⑦ジルコニアフレームの内面調整とマージン調整
⑧ジルコニアクラウンの最終研磨

私どもでは通常20倍でマイクロスコープを使用しているが，これ以下では物足りず，逆にこれ以上の

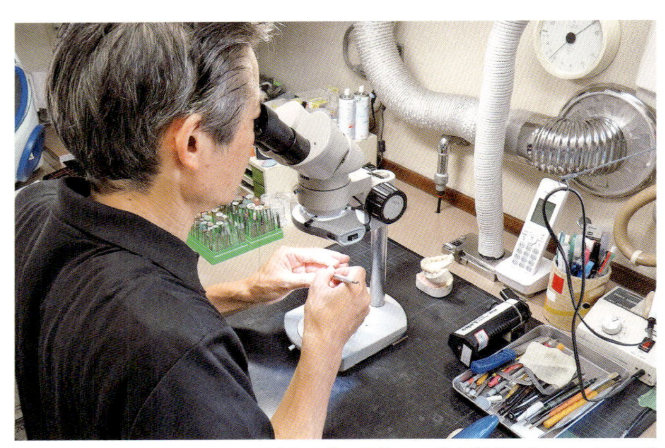

図３　マイクロスコープ（SM-5：Nikon 生産終了）による20倍下での技工作業．

図４　理想的に採得された印象はマージンが連続的に明確で，わずかにマージン直下の歯質まで採得されている．

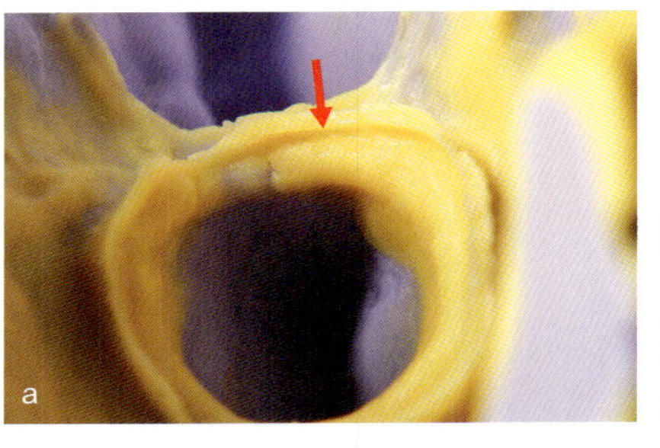

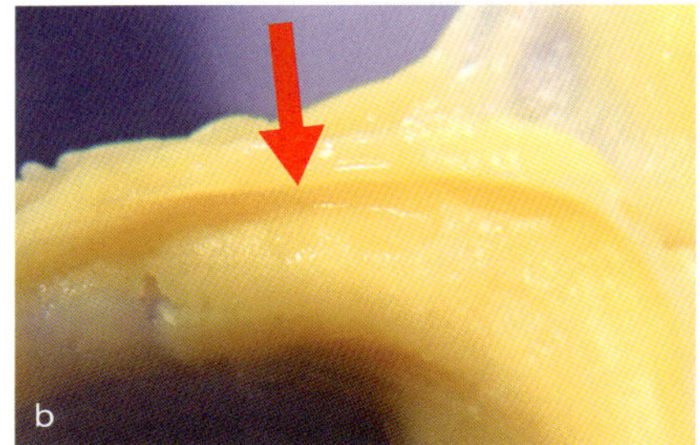

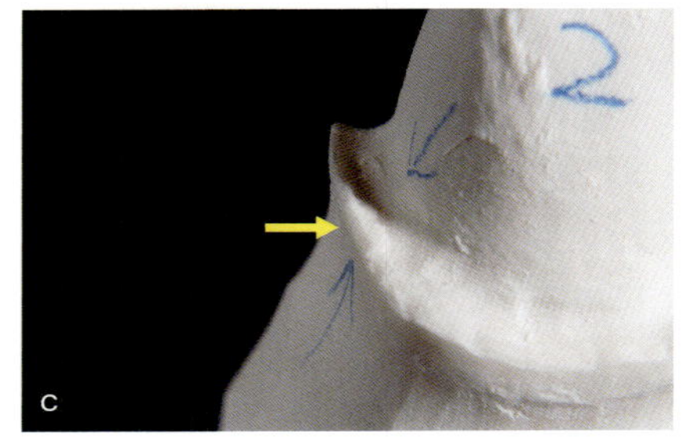

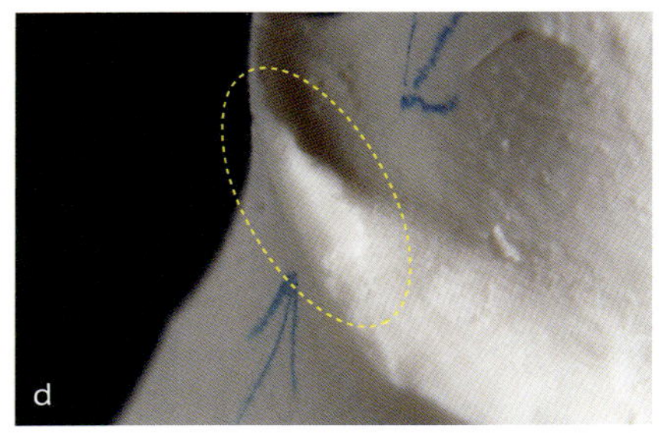

図５a〜d　印象のなめられ．a, b：印象材が歯質に密着していない部分は，他の部分に比べ表面がつるっとしていて光った状態となっている．これがなめられている部分である．c, d：わずかに見えるなめられでも，石膏にすると凸面に再現され，100μm以上の誤差を生じることがある．

倍率では粗が見えすぎてしまい作業しづらくなる．臨床上で数十ミクロンの評価をする場合は20倍程度がもっとも都合が良い倍率と考えている（図３）．

3．印象の評価

印象はまず採得した本人が精査したうえで，問題がないことを確認してからラボに送られるべきである．理想的に採得された印象はマージンが連続的に明確で，わずかにマージン直下の歯質まで採得されている（図４）．典型的な印象のエラーとして滲出液が原因と思われるなめられがある．印象体をよく見ると，印象材が歯質に密着していない部分は他の部分に比べ表面がつるっとしていて光った状態となっている．これがなめられている部分である（図５a）．このようなわずかに見えるなめられでも，石膏にすると凸面に再現され，100μm以上の誤差を生じることがある（図５b）．この印象でクラウンを製作しなければならない状況ならば，ラボサイドとしてはなるべく誤差を少なくしたいという思いから，この凸部を移行的に削ることもあるが，そもそも判然としないところを削るので削りすぎてしまうこともあり，そうなるとクラウンマージンが口腔内で局所的に強く当たり，クラウン全体が浮いてしまうことに

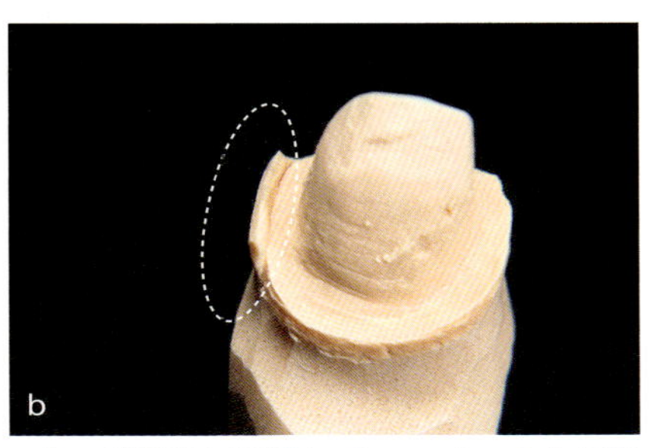

図6a, b　マージンの不明確な印象．a：マージンが歯肉と近接してマージンの角が明確に再現されていない印象．このような状況でマージンが出ていると判断している歯科医師が意外と多いと感じている．b：これを石膏にしてトリミングしようとすると角が出ている部分は明瞭にトリミングできるが，歯肉が近接している部分は実際よりもガタガタのマージンラインになってしまう．

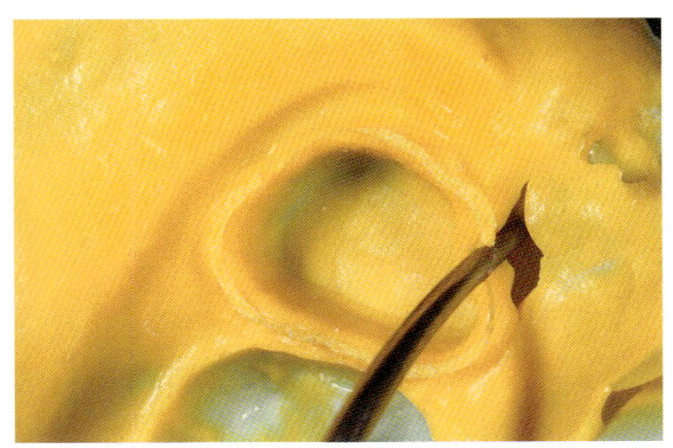

図7　一見よく採れているかのように見える印象体でも，マージン直下に目視しにくい大きな内面気泡が隠れていることがある．

なりかねない．良かれと思ってしたことが逆効果になることもあり得るのである．

次の例として，印象体のマージンが歯肉と近接してマージンの角が明確に再現されていない問題がある（図6a）．このような状況でマージンが出ていると判断している歯科医師が意外と多いと感じている．これを石膏にしてトリミングしようとするとマージンの角が出ている部分は明瞭にトリミングできるが，歯肉が近接している部分は実際よりもギザギザのマージンラインになってしまう（図6b）．当然ながら，その不正確なマージンラインが製作されるクラウンに反映されることになる．

また，一見よく採れているように見える印象体でも，マージン直下に目視しにくい大きな内面気泡が隠れていることがある（図7）．気付かずに石膏を流すと，その重みで変形することがある．マイクロスコープで印象体を評価する際，先の丸いインスツルメントでマージン部を連続的に軽くタッチしながら観察することによって，そのような問題を発見することができる．

4．模型作製と咬合器装

1　マルチプルダイシステム

私どもではすべてのケースでマルチプルダイシステムを採用している．これは歯列模型と2つのダイ模型から成るものである（図8）．数十ミクロン単位で見ると，精密に再現された石膏模型のマージン部は作業中どんなにていねいに扱っているつもりでも気付かないうちにごく小さな欠けが生じてしまうことがある．したがってワックスのマージン締めやスキャニング，最終研磨など重要な操作のみ第1ダイを使用し，その他の作業は第2ダイを使用したほうが安全という考えのシステムである．実際に欠けが生じているかどうかは，2つのダイがあって初めて気付かされることである．

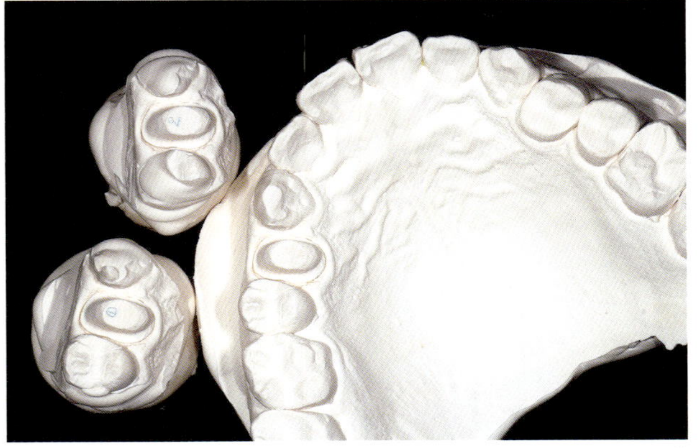

図8　私どもではすべてのケースで歯列模型と2つのダイ模型から成るマルチプルダイシステムを採用している．

2　バイト材の調整

咬頭嵌合位でのバイト採得はシリコーンで全顎のマッシュバイトが採得されるが，その際，支台歯とその対合歯の圧痕が正確に付いていることと，残存歯の咬合接触部のシリコーンがしっかりと抜け切っ

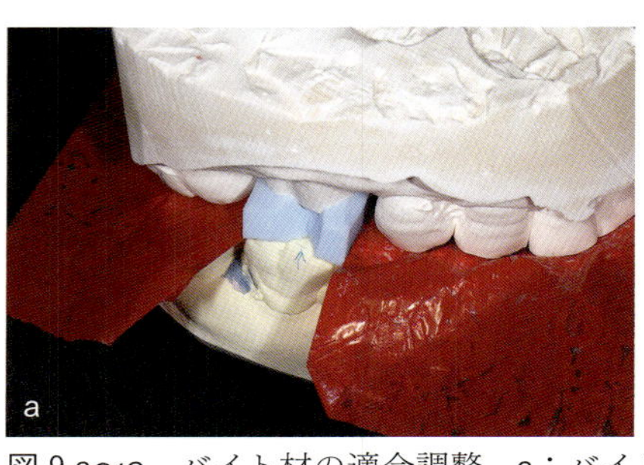
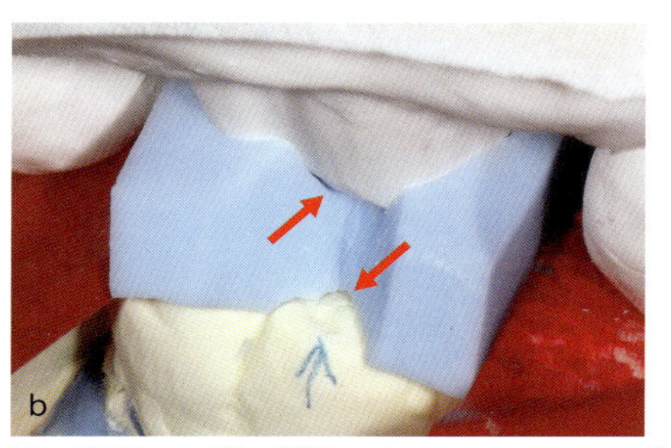
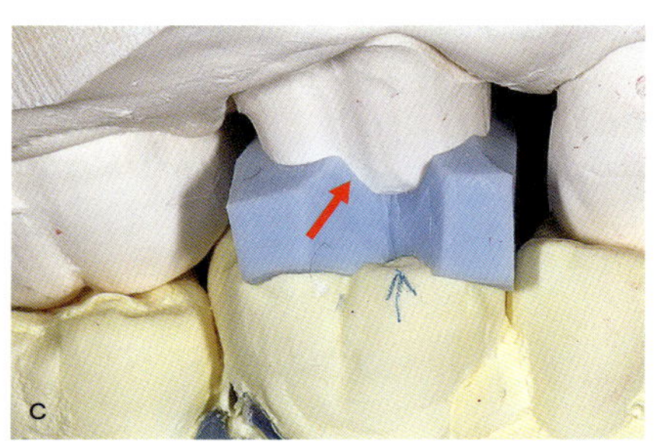

図９a〜c　バイト材の適合調整．a：バイト材と模型との間に間隙が認められる．b：咬合紙の印記を見ながら強く当たっていると思われるところを削合調整する．c：削合調整により間隙が解消した状態．

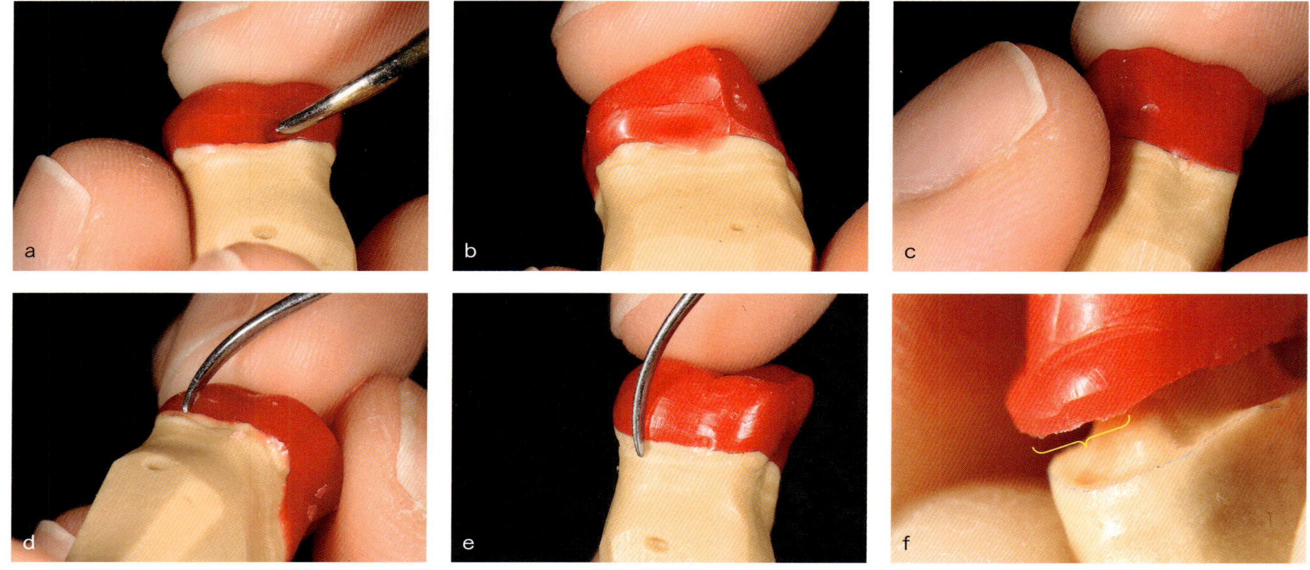

図10a〜f　マージン締め．a：第１ダイを使ってマージンから約1.5mmの幅で再溶解し，マージン先端から軸面に至るところまで完全に封鎖する．b, c：再溶解によってややアンダーになったカントゥアを回復する．このとき，ワックスが曇りかけた瞬間が圧接のタイミングである．d, e：立ち上がりのカントゥアを整えつつマージンをオーバーしたワックスを完全に取り除く．f：一度ワックスパターンを持ち上げて，白くバリ状に見える余剰ワックスが認められたらダイに戻して丹念に取り除く．

ていることが必要条件となる．

実際に上下の模型を固定するときは，バイト材の支台歯部分のみを切り取って介在させる．この時もっと大切なことは，バイト材と支台歯，バイト材と対合歯がそれぞれマイクロスコープ下で完全に密着していることである．しかし，模型上の歯はまったく被圧変位しないので，バイト材と歯との間に間隙が生じる場合が多い．クラウンを製作する前にこの間隙を解消しておかないと，少なくとも間隙の分だけ高いクラウンとなってしまう（図９a〜c）[2]．

私どもでは，指示書に口腔内での残存歯の接触状況を記入してもらう欄を設けており，バイト材とこの欄を照らし合わせながら咬合器装着を行っている．

5．鋳造法における ワックスマージンの仕上げ

鋳造クラウンの適合の要となるのが，ワックスのマージン締めである．第１ダイを使い，ワックスマージンの再溶解と圧接を繰り返し，ワックスを模型に密着させる．マイクロスコープ下で立ち上がりのカントゥアを整えつつ，余剰のワックスを取り除きマージンラインに完全に一致させる．一度ワックスパターンを持ち上げて白くバリ状に見える余剰ワックスが認められたらダイに戻して丹念に取り除く．最後に指でバーニッシュし，模型と移行的にさせる[3]．ワックスマージンをジャストに仕上げて研磨しろが

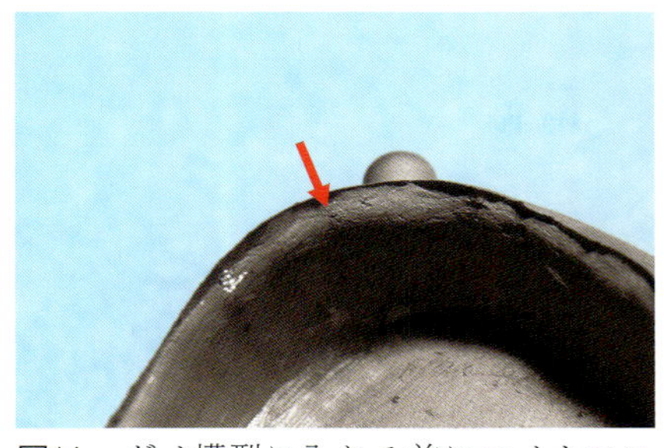

図11　ダイ模型に入れる前にマイクロスコープ下で内面を精査し，気泡など判別できる突起物は可能な限り取り除く．

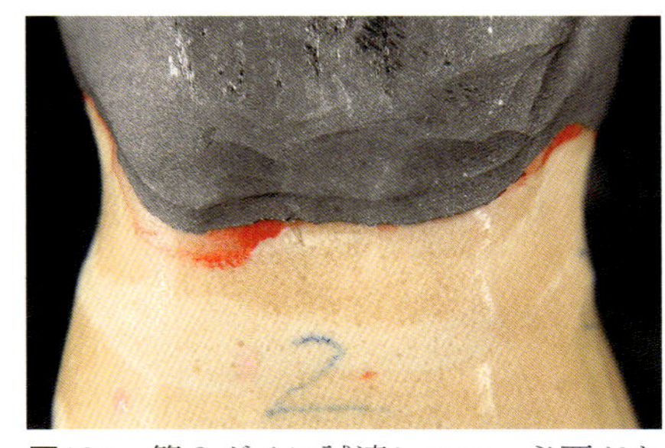

図12a　第2ダイに試適しつつ，必要があればマーカーを使用し適合させる．

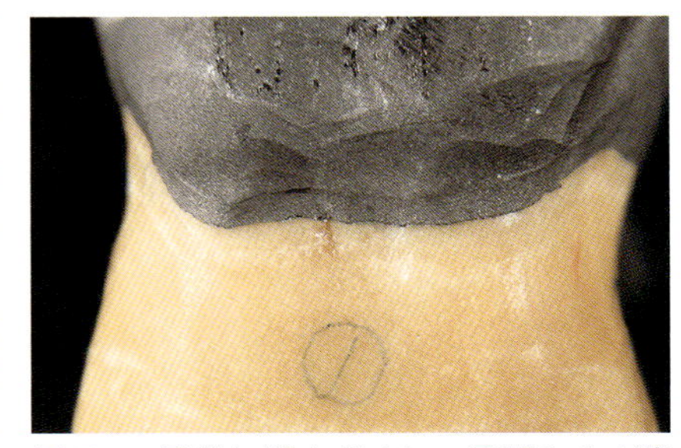

図12b　最後に第1ダイにて目標とする適合が得られていることを確認する．

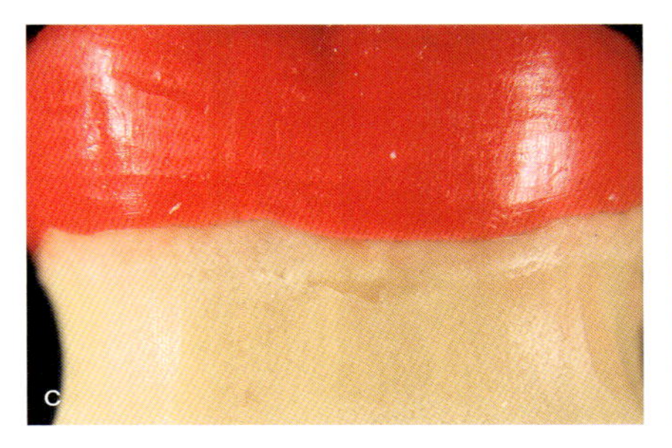

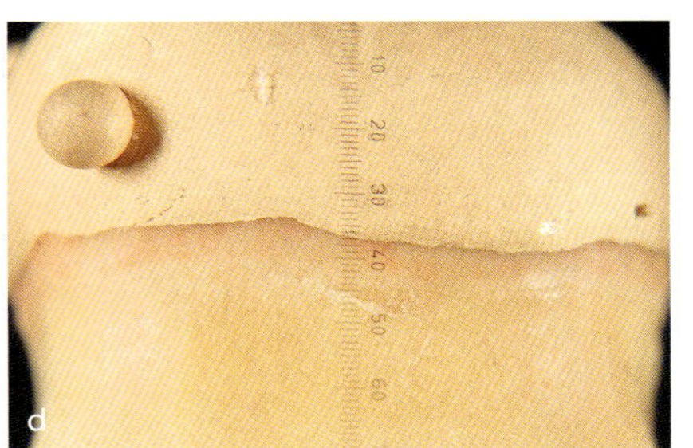

図12c, d　マージン締めの終了したワックスパターンと第1ダイに適合した鋳造体．

図13　埋没材の種類や混水比，ライナー，リングサイズ，室温などさまざまな条件と結果をすべての埋没操作において記録している．これらは安定した結果を得るために欠かせない資料となっている．

あるのかと疑問を持たれることがあるが，そもそも鋳造体は若干膨張させていないとダイ模型に入らないので，その膨張で研磨しろが賄われていることになる（図10a〜f）．

6．鋳造クラウンの内面調整

鋳造体の安易なサンドブラスト処理はマージンを損傷させるだけでなく，内面の微細な気泡などが潰れてしまい調整が必要な箇所が不明瞭になるため使用していない．ダイ模型に入れる前にマイクロスコープ下で内面を精査し，気泡など判別できる突起物は可能な限り取り除く（図11）．その後，第2ダイに試適しつつ，必要があればマーカーを使用し適合させる．最後に，第1ダイに目標とする適合が得られていることを確認する（図12a〜d）．私どもでは，埋没材の種類や混水比，ライナー，リングサイズ，室温などさまざまな条件と結果をすべての埋没操作において記録している．これらのことは安定した結果を得るために欠かせない資料となっている（図13）．

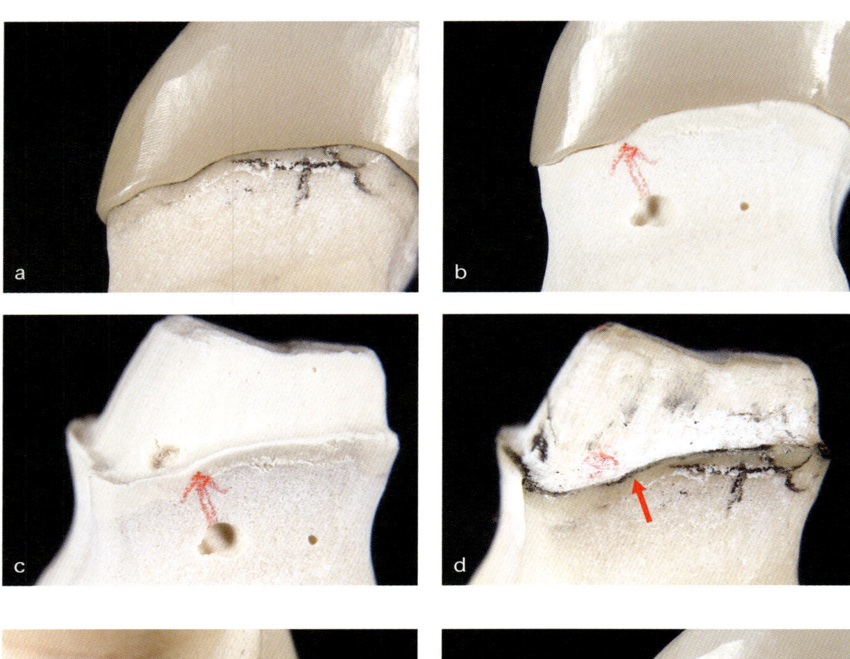

図14a〜d　ジルコニアフレームの適合調整．a：信頼できる加工センターにてジルコニアフレームの一応の適合処理まで済ませてもらっている．b：送られてきたダイ模型には一見適合しているかのように見えるが，マルチプルダイシステムで製作しておいた保存ダイ模型に対してはフレームの浮き上がりが確認される場合がほとんどである．c：マージンにシャープなエッジが残る支台歯形成ではCAD/CAMで再現しきれないところが生ずることが多い．d：加工センターにてジルコニアフレームを手作業で適合調整中に，最善の注意を払っているものの，どうしてもダイ模型のシャープなエッジが潰れてしまうことになる．

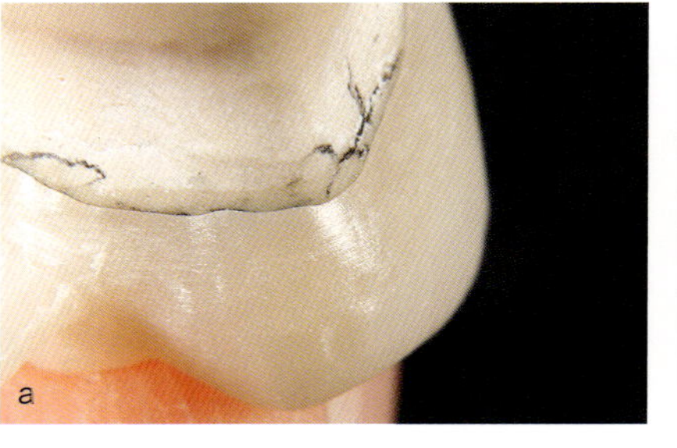

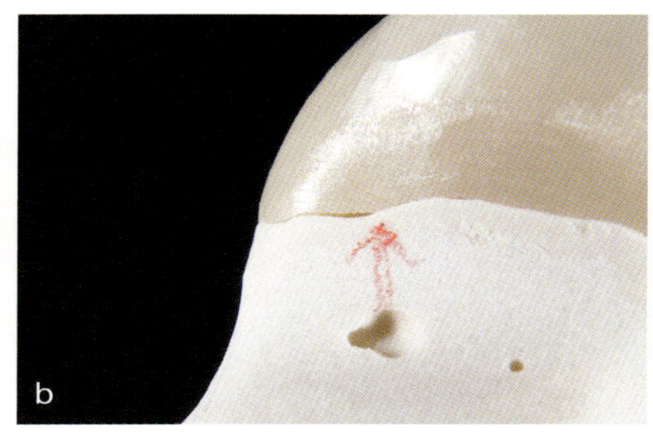

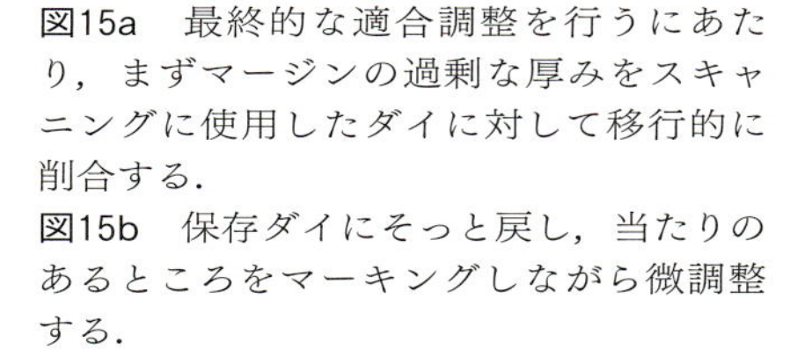

図15a　最終的な適合調整を行うにあたり，まずマージンの過剰な厚みをスキャニングに使用したダイに対して移行的に削合する．
図15b　保存ダイにそっと戻し，当たりのあるところをマーキングしながら微調整する．

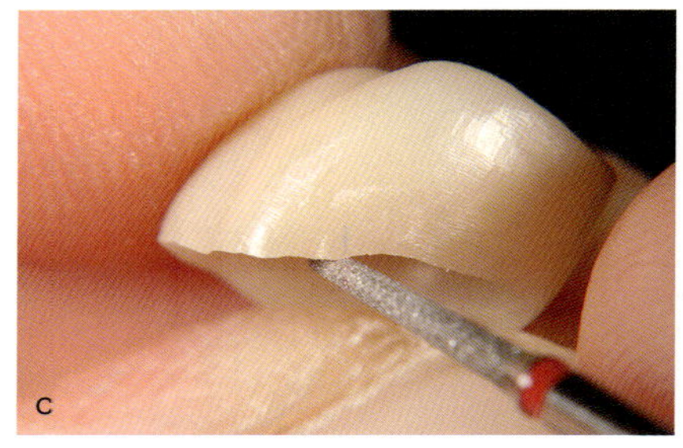

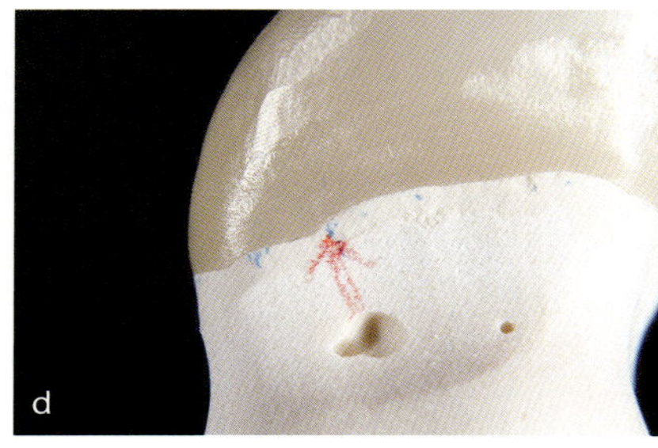

図15c　1か所当たりを取ると次々と別のところ当たりが生じてくるが，丹念に調整し続けて目標とする精度に近づける．
図15d　可能な限りの調整が終了し，適合した状態．

7．ジルコニアクラウンの適合調整

鋳造メタルの適合に対してジルコニアの精度はどの程度なのかという話をよく耳にするが，そもそも製作者によってどちらの精度も違うので単純な比較はできない．現実問題として，私どもが求めているメタルの精度と比較した場合，ジルコニアで同等以上の精度を出すのは容易なことではないが，アナログ的な微調整を加えて目標に近いレベルまで引き上げる努力をしている．私どもでは信頼できる加工センターにジルコニアの加工を依頼し，内面の適合処理まで済ませた状態で納品してもらっている．送られてきたダイ模型には一見適合しているかのように見えるが，マルチプルダイシステムで製作した保存ダイ模型に対しては20倍下でのマイクロスコープでは浮き上がりが確認される場合がほとんどである（図14a, b）．これは歯科医師側の支台歯形成にも大

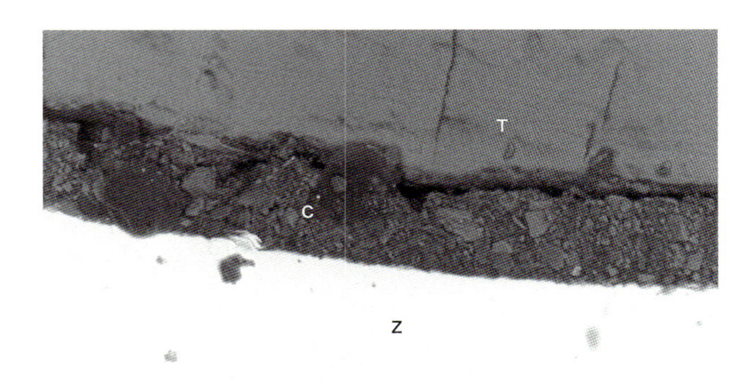

図16a, b　歯根破折により抜歯に至った当ラボ製作のジルコニアクラウンを，歯科医師が精度の検証を目的として高倍率で撮影した(写真提供：表茂稔先生，千葉県開業)．a：上部がクラウン，下部が歯質で右下のゲージサイズは100μmである．b：SEM画像．上部が歯質，下部がクラウンで，50μmのゲージと比較して中央のセメントスペースがそれ以下に収まっていることが判別できる．

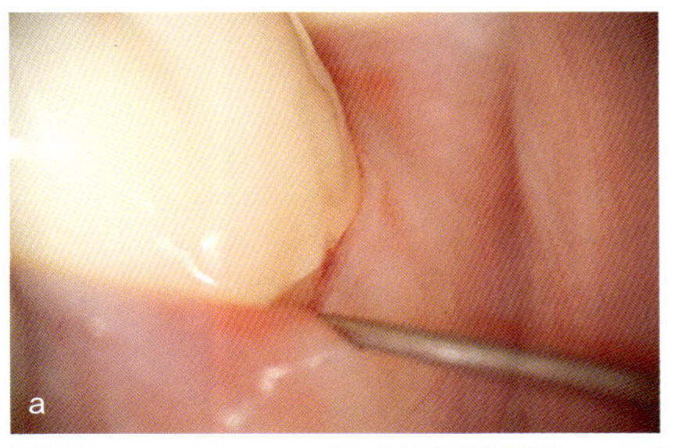

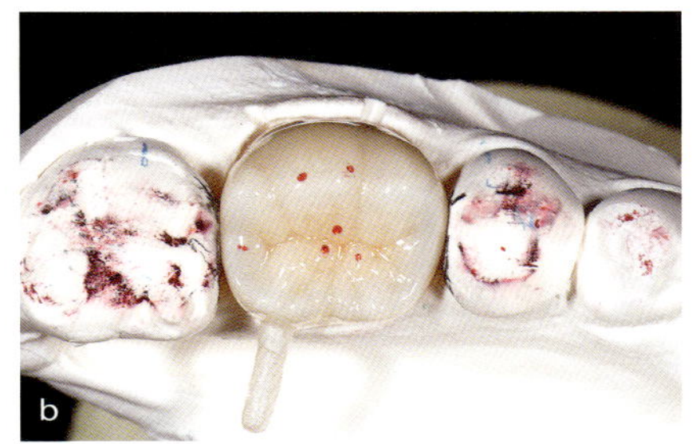

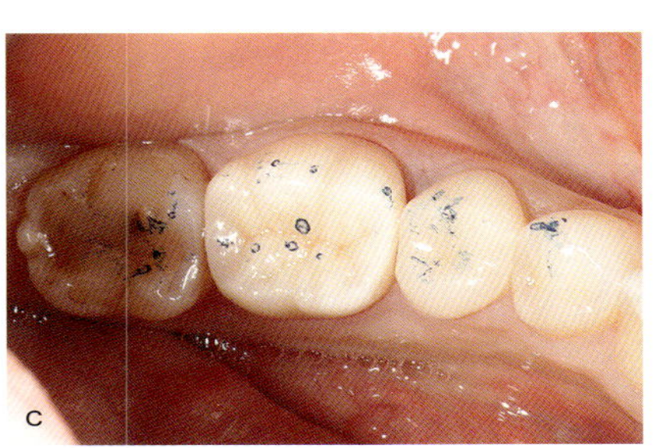

図17a〜c　ジルコニアの単冠臨床ケース(口腔内写真提供：佐氏英介先生，東京都開業)．a：適切な細さに研磨された探針による適合診査の様子．b, c：模型上で想定された咬合接触が口腔内でごくわずかな調整で再現されている．

きく影響を受けることだが，シャープなエッジが残る支台歯形成では硬いジルコニアフレームを適合調整中に，石膏で再現されたシャープなエッジが潰れてしまい，ジルコニアフレームが適合しているかのように見えるからである(図14c, d)．したがって，無傷の保存ダイを使用し再度マージン部の微調整をして目標とする適合を目指す．

それに先立ち，まずマージンの過剰な厚みをスキャニングに使用したダイに対して移行的になるように削合する(図15a)．次に保存ダイにそっと戻し，当たりのあるところをマーキングしながら微調整をする．1か所当たりを取ると次々と別の当たりが生じてくるが，丹念に調整し続けて目標とする精度に近づける(図15b〜d)．このような高精度の適合を目指す微調整は，IOSを用いた模型レスの技工では到底成し得ないことである．

ラボサイドで製作されたクラウンが実際に口腔内でどのような状態でセットされたかを詳細に知る機会はほとんどないのが現状である．図16aは私どもで製作したジルコニアクラウンであるが，たまたま歯根破折により抜歯に至った歯を熱心な歯科医師が精度の検証を目的として撮影されたものである．上部がクラウン，下部が歯質で右下のゲージサイズは100μmである．さらに図16bはそのSEM画像で上部が歯質，下部がクラウンで，50μmのゲージと比較して中央のセメントスペースがそれ以下に収まっているのが判別できる．

8．臨床ケース

ジルコニアの単冠ケース(図17a〜c)とジルコニアの３本ブリッジの臨床ケースを提示する(図18a〜n)．確実なステップの積み重ねによってのみ良好な成果が出せるものと考えている．

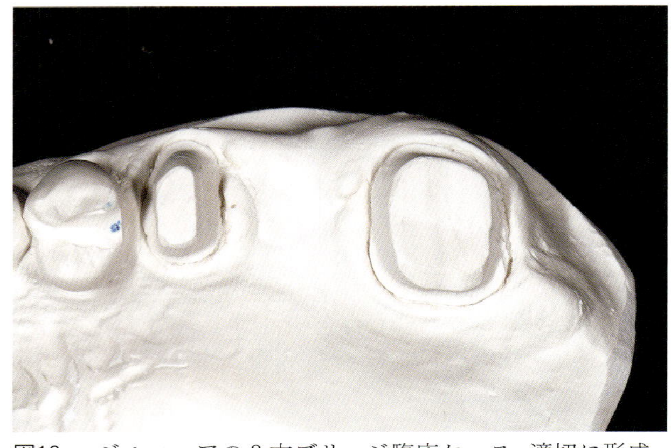

図18a　ジルコニアの３本ブリッジ臨床ケース．適切に形成，印象された作業模型．

図18b　バイト材の調整は，垂直的な戻りが確認しやすいように模型への安定が損なわれない範囲で咬頭頂の部分まで削除する．

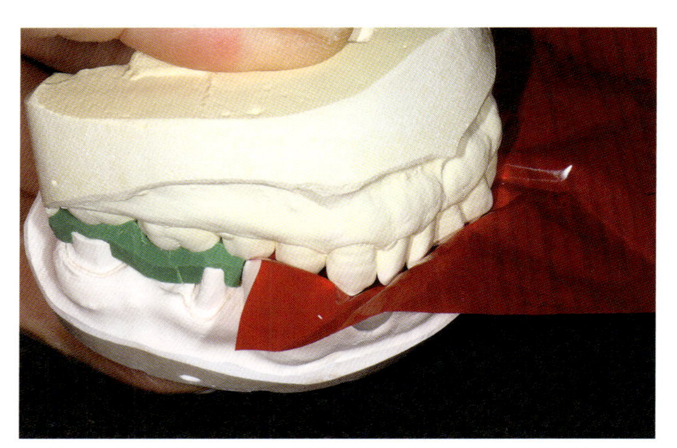

図18 c　咬合紙を介在させ残存歯牙の接触状況を確認する．

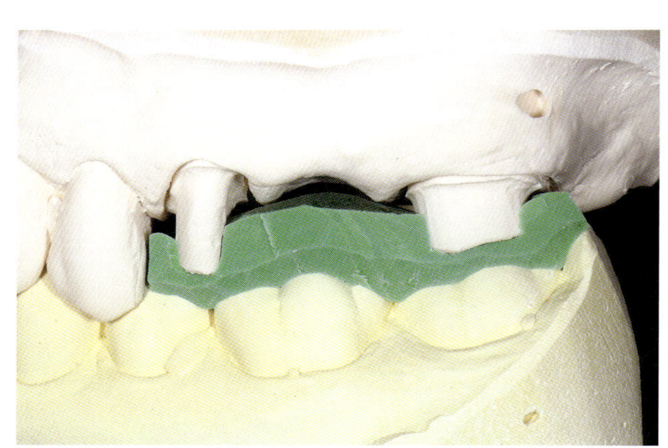

図18 d　支台歯と対合歯に対してバイト材が隙間なく適合していることを確認する．

図18e　目の高さを模型に合わせ，両手を使い安定した状態で咬合器装着を行う．

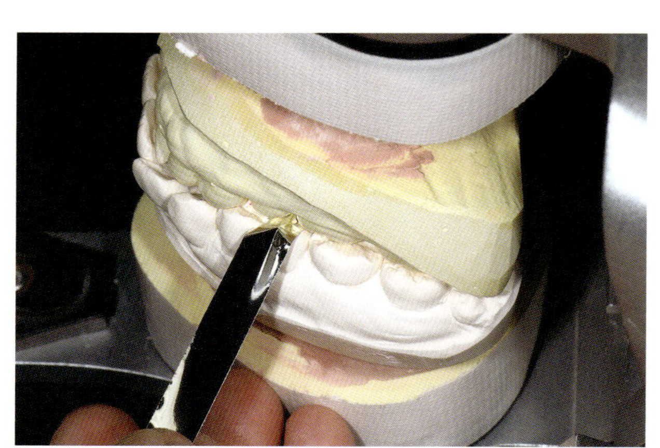

図18f　オクルーザルレジストレーションストリップスで装着前に想定された接触が得られていることを確認する．

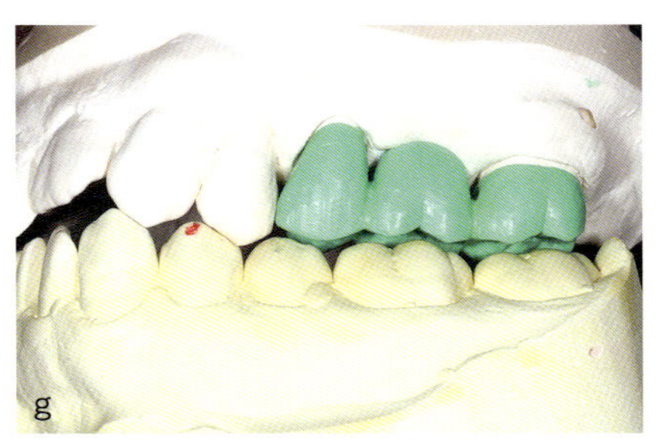
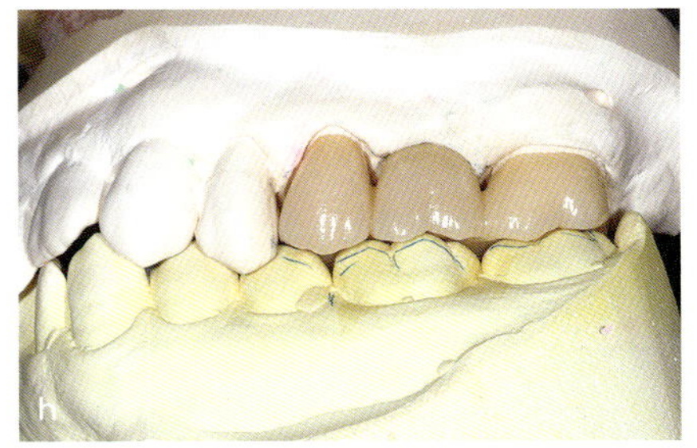

図18g, h　ワックスアップとレイヤリングの終わった状態.

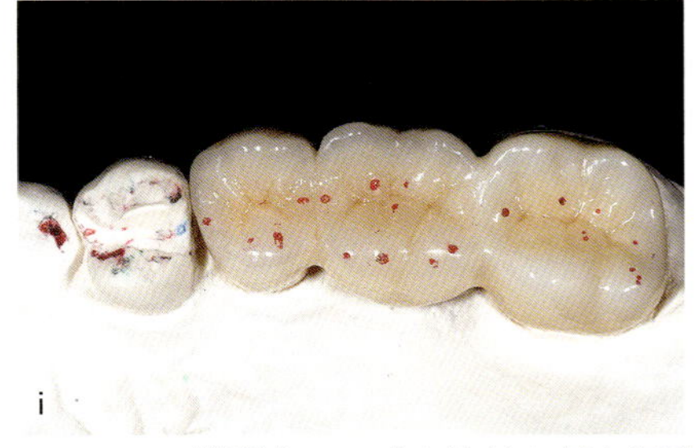
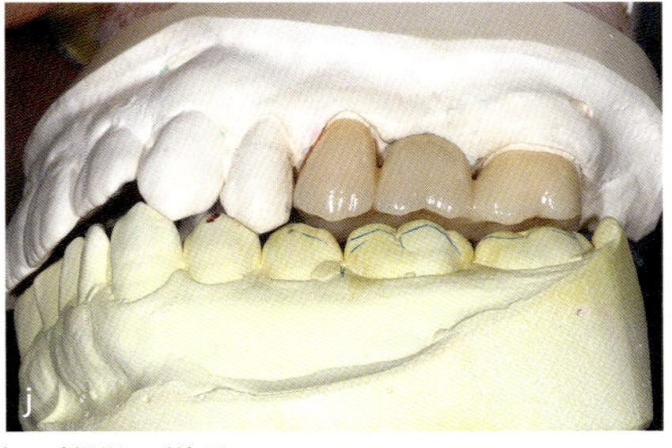
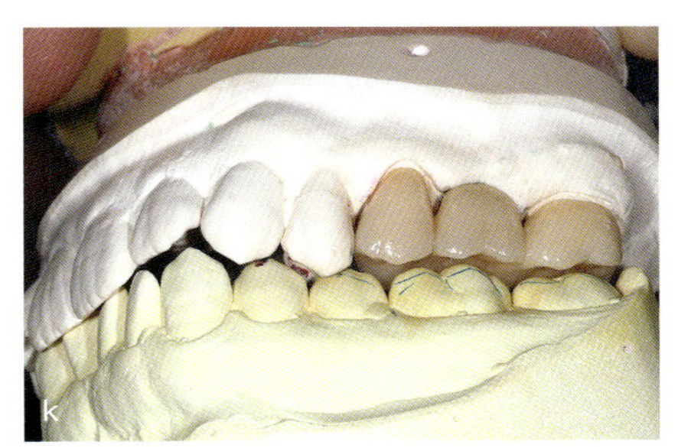

図18i～k　模型上での咬合接触と偏心運動時の離開の様子.

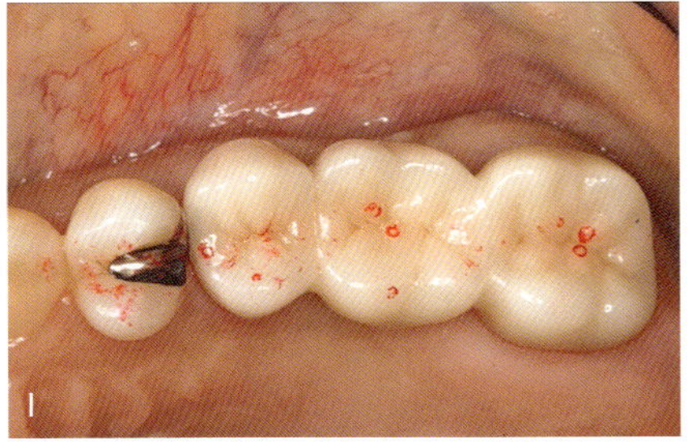
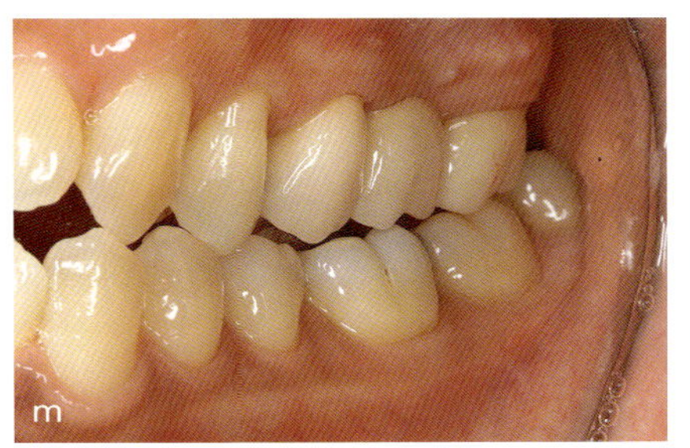
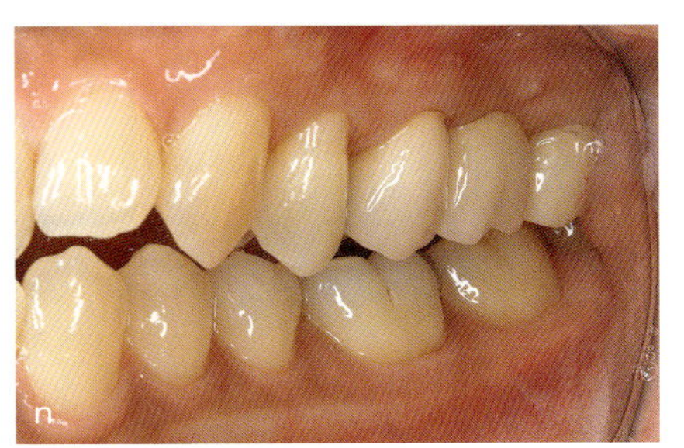

図18l～n　口腔内で少ない誤差で咬合接触と偏心運動時の離開が再現されている(口腔内写真提供：錦織淳先生，東京都開業).
図18d, f, m, nは，藤本順平，錦織淳(監著). 藤本研修会Standard Textbook 2. Occlusion & Prosthodontics. 東京：デンタルダイヤモンド社，2018；89，217，219より許可を得て転載.

まとめ

私どもの臨床基準が絶対的なものだとは到底思っていない．ただ，ひとたび基準を緩めるとズルズルと精度が落ちてしまうのが現実ではないだろうか．ご自身の臨床精度が曖昧と感じている方がいるとすれば，実現できそうな範囲で具体的数字として目標を定めたほうが精度を維持するうえで有効であると思う．ただし，それによってチームを組む技工サイドに過度な負担を強いることのないように十分な配慮を願いたい．

参考文献

1．藤本順平．歯冠修復治療と歯周組織に対する配慮．日歯医誌 1993；46(7)：7-8.
2．大山儀三，玉置博規(編)．月刊歯科技工別冊．“誤差”を埋めるクラウンブリッジの臨床・技工．東京：医歯薬出版，2013；60-72.
3．Rosensstiel F, Land F, Fujimoto J. Contemporary Fixed Prosthodontics. St.Louis：Mosby, 2006；555-588.

本誌内の記事「マイクロスコープをチーム全員で活用！」でご紹介いただきました

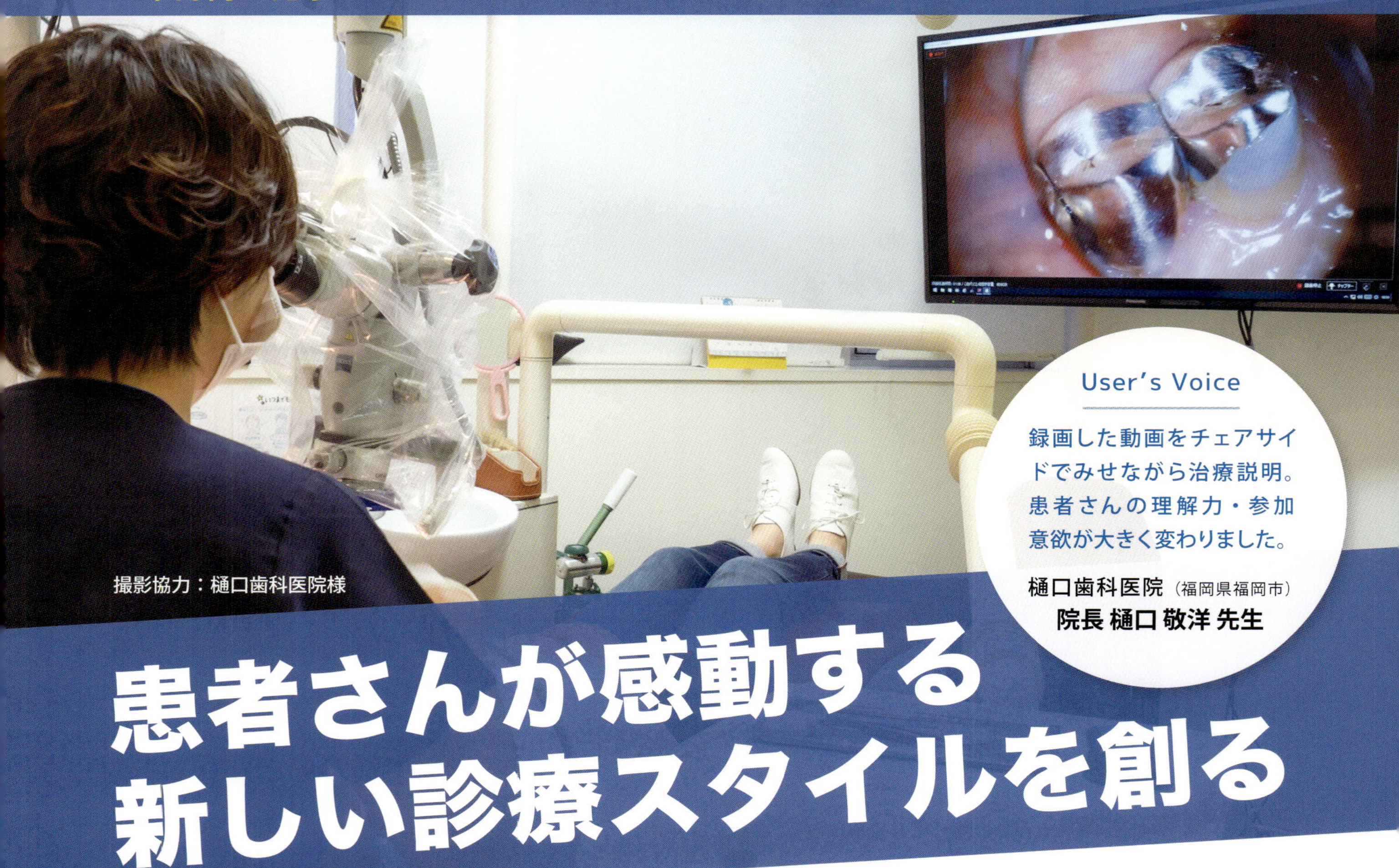

撮影協力：樋口歯科医院様

User's Voice

録画した動画をチェアサイドでみせながら治療説明。患者さんの理解力・参加意欲が大きく変わりました。

樋口歯科医院（福岡県福岡市）
院長 樋口 敬洋 先生

患者さんが感動する新しい診療スタイルを創る

MicroRecorder（マイクロレコーダー）

マイクロスコープを使用した質の高い歯科診療を、歯科医師からスタッフ、そして患者さんに共有。

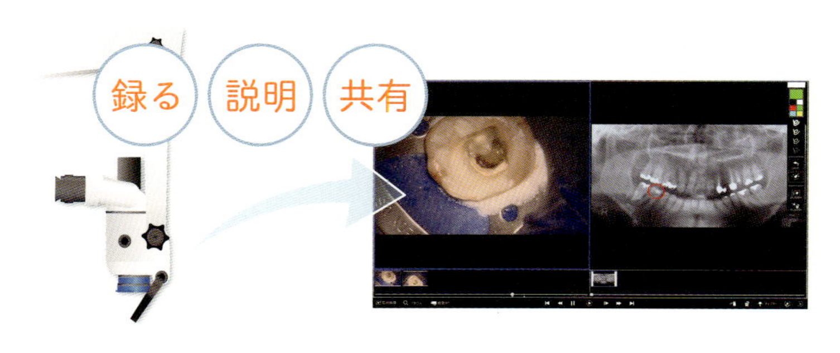

診療・治療をリアルタイムに録画、再生。患部の状態やその治療を見える化。高レベルの歯科診療を患者さんにも共有できるため、その導入価値を十分に得られます。

『ビジュアルマックス』連携で、録画した動画／静止画を一括管理

画像・動画／歯周検査／提供文書／メモ共有

患者さん毎に『MicroRecorder』で録画した動画/静止画を、パントモやデンタルのX線画像、口腔内写真、さらにはP検査の結果などとともに、簡単に比較して見える化できます。

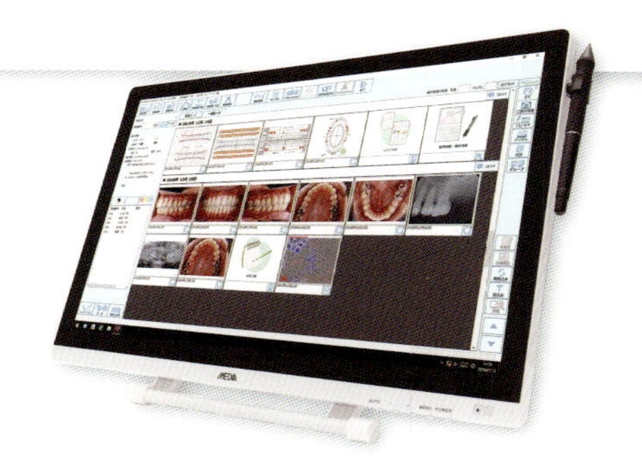

MEDIA メディア株式会社 東京都文京区本郷3-26-6 NREG本郷三丁目ビル8F Tel：03-5684-2510（代） ビジュアルマックス 検索

PART 2

マイスタイル顕微鏡

ハイジーン・アシスタントワーク編

マイクロスコープをチーム全員で活用！

米　可那／森田佳子／深江あゆ／樋口敬洋

福岡県開業　樋口歯科医院
連絡先：〒810-0001 福岡県福岡市中央区天神2-3-5 ジャンティ グリ 5F

PART 1 PART 2 PART 3 PART 4

はじめに

樋口敬洋

2008年にマイクロスコープを医院に導入してから11年が過ぎた．当初と現在では活用法がすいぶん変わったと感じている．その理由は，筆者自身がマイクロスコープに対する認識が変化したからだと捉えている．導入当初は情報も少なく，限られた処置にのみマイクロスコープを使用していたが，日本顕微鏡歯科学会への加入・参加による情報収集，スタディグループ内で仲間との切磋琢磨などにより，日常臨床のあらゆる場面で活用できることに気付いた．

そのとき，ふと考えた．

「もし歯科衛生士が活用することができたら」
「医院全体で情報を共有することができたら」
「可能性が無限大に広がるのではないだろうか」
と．自院の診療クオリティ向上を目的として，マイクロスコープをすべての診療室に追加導入し(2008年は１台→2017年３台)，「いつでも・誰でも・どこでも」活用できるシステムを作った．その結果，
①ハイクオリティなハイジーンワーク
②患者からの信頼アップ
③歯科衛生士の活躍
へとつながったと感じている．

今回は院長の立場から心がけたこと，効率的な診療スタイル確立のために考えたこと，歯科衛生士が実践したこと，これらの内容をそれぞれの立場から述べたいと思う．大切なことは，「マイクロスコープを使いこなすこと」が主たる目的ではなく，「患者のために最善の仕事ができる医院．そこにマイクロスコープを活用できる環境がある」というコンセプトである．

マイクロスコープは根管治療だけでなく修復，形成，外科，歯周治療などすべての場面で役立つ．なかでも歯周治療に用いるメリットには以下がある．

- **診査**：歯肉性状の変化など細かいところを見落とすことなく発見できる．腫脹の程度，プラークの量や拭い取る様子など質感を動画で記録して伝えられる．
- **TBI**：清掃器具の到達具合や動かし方を録画して指導することができる．動画で伝えることで患者が強く実感することが可能になる．
- **処置**：歯根を確実に観察することができるため，過剰に傷つけることなく感染源へアプローチすることができる．手指感覚で探っていた歯肉縁下歯石を直接見ることができるので治療の精度が高まる．
- **医院への効果**：動画記録を保存して治療前後で比較できることで患者のモチベーションアップや信頼関係の構築へ大きな影響をもつ．他院との差別化，医院の価値向上へとつながり，治療計画への理解度やコンサルテーションでの成約率が上昇する．

① 診療室略図

▲医院外観.

▲院内待合室.

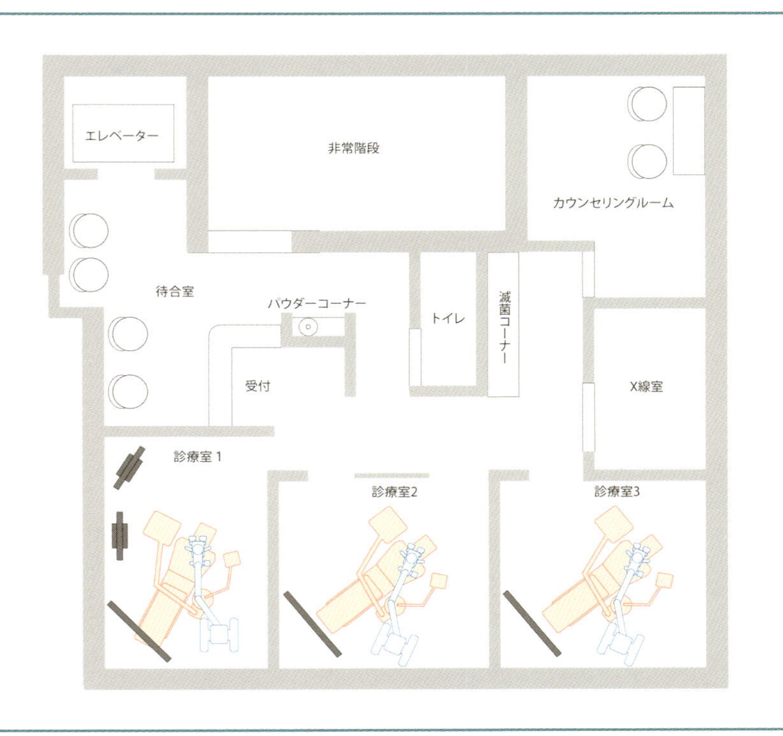

図１　当院はビルの５階で開業している(中央のビル)．周囲は住宅よりも商業施設が多い．交通の便が良いため遠方から来院される患者も多い．同じ町内に38件，１km四方に108件歯科医院が存在する．診療室は３室で半個室仕様となっている．

② コンパートメント詳細

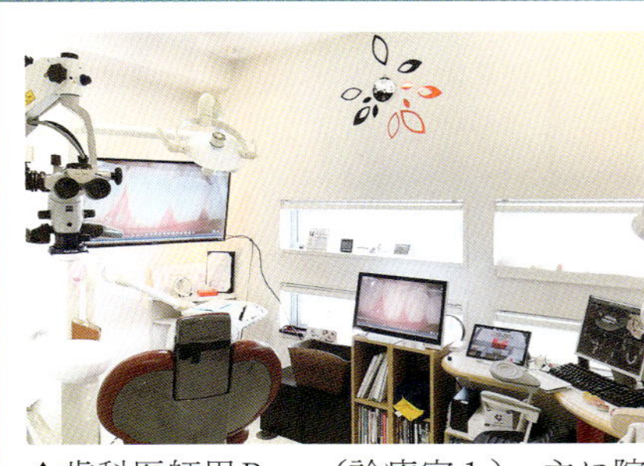

▲歯科医師用Room(診療室１)．主に院長が治療する場である．他の部屋と異なりアシスタント用モニターが意図した場所に配置されている．

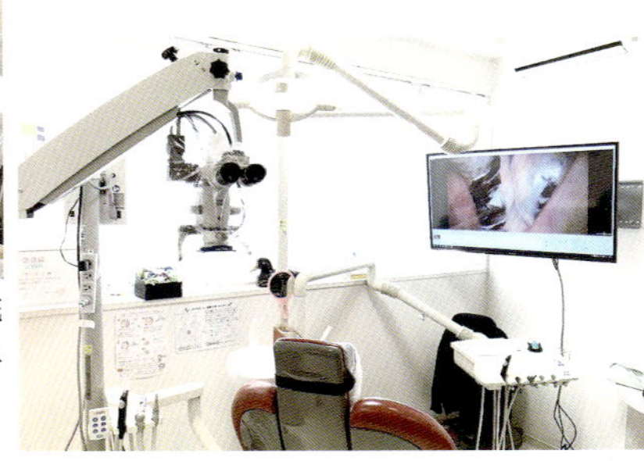

▲歯科衛生士用Room(診療室２)．歯科衛生士の使用をメインにつくられているため患者説明用に大きなモニターを設置している．

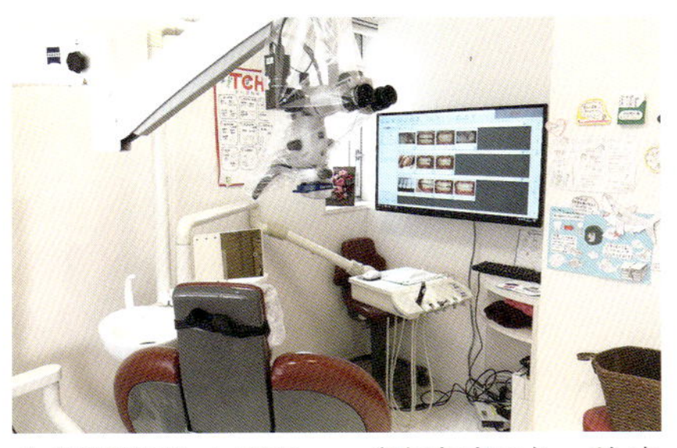

▲歯科衛生士用Room(診療室３)．診療室２と同じく歯科衛生士がメインで使用している．

図２　歯科医師用Room１室，歯科衛生士用Room２室．

3 顕微鏡導入のきっかけ

2005～2007年　東京でマイクロスコープを活用する歯科医師たちに出会い，ぜひ自院にも導入したいと強く感じる．

2008年　1台目のマイクロスコープ導入．

2016年　動画記録システム導入．

2017年　歯科衛生士用マイクロスコープ＋動画記録システム＆共有システム導入．

4 マイ顕微鏡

・Carl Zeiss OPMI pico MORA

歯科衛生士用のマイクロスコープにはバリオスコープを備える．2008年に導入した1台目と「機種選択でクオリティに差をつけない」ということを大切にした選択であった．クリアなレンズ，広い可動域，どの診療室でも同じレベルで仕事ができる，という点でこの機種となった．

光源は目への影響を最小限にするためハロゲンとした．感染予防の観点から簡易的なドレープを患者ごとに交換し使用している（オペ時は滅菌されたものを使用）．

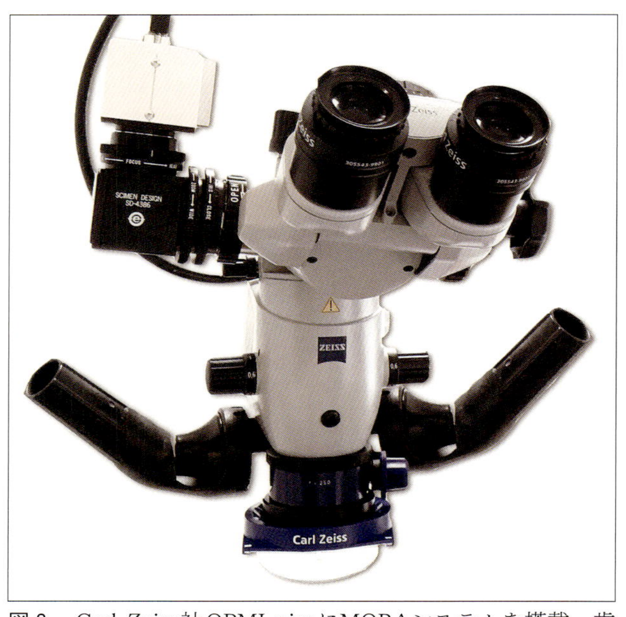

図3　Carl Zeiss社OPMI picoにMORAシステムを搭載．歯科衛生士用マイクロスコープにはバリオスコープもつけている．

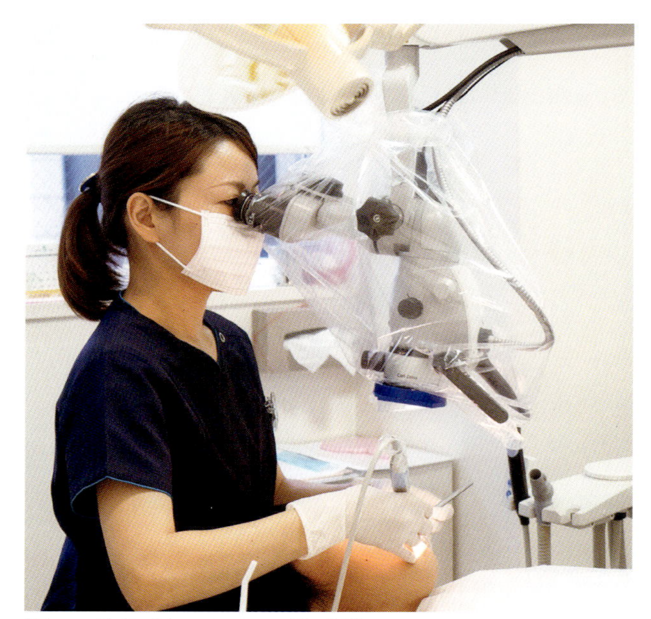

図4　患者ごとにドレープを交換している．

5 記録スタイル

当院には２種類の動画記録システムが存在する．

①Carinaシステム

１台目のマイクロスコープに活用している．録画した動画を即座にスマートフォンを扱うように簡単に誰でも使用できる点が最大のメリットだと捉えている．

②Micro Recorder

マイクロスコープを追加導入したことにより重視したことは一括管理である．マイクロスコープの動画はもちろんエックス線写真，口腔内写真，歯周組織検査表，指導内容，見積表，紹介状など各種文書などを１つの画面で簡単に管理することができれば，スタッフ全員が同じようにすべての情報にアクセスすることができ活用することができる．

情報は共有されているので診療室以外(コンサルテーションルームなど)で閲覧することができ，またタブレット端末で移動して見せることも可能である．このことにより，患者への説明はもちろん，スタッフ間での情報共有(ミーティング，患者引き継ぎ，勤務医への指導など)が容易となった．

カメラは機動力を重視しコンパクトなCCDを選択している．①②ともにフットペダルを用いて録画の開始やキャプチャ撮影が可能．

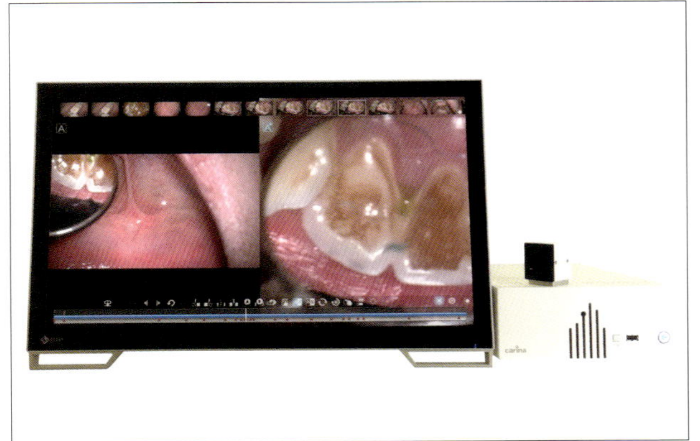

図５　カリーナ社ADOMENIC DVP2．タッチパネルで操作が容易である．画面上で編集することもできる．

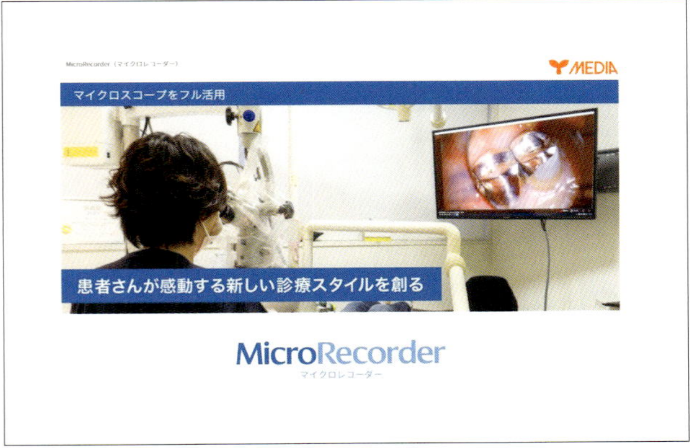

図６　メディア社マイクロレコーダー．データの一括管理，共有という点で優れる．レセコンとの連動も利点である．

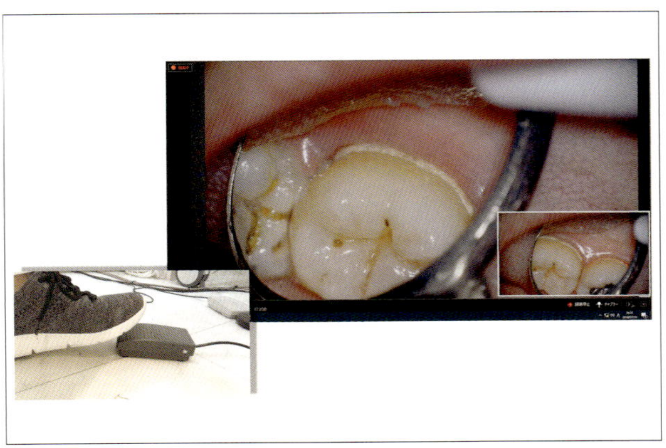

図７　フットペダルで撮影することにより治療の中断を回避することができる．

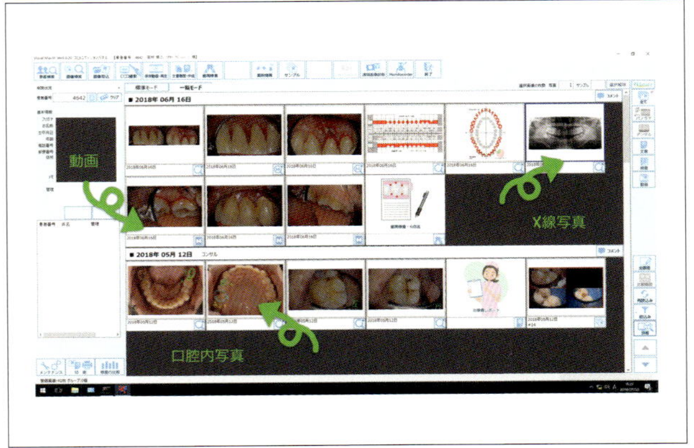

図８　動画，写真，検査データ，見積もり書類などを患者ごとに一括管理できる．

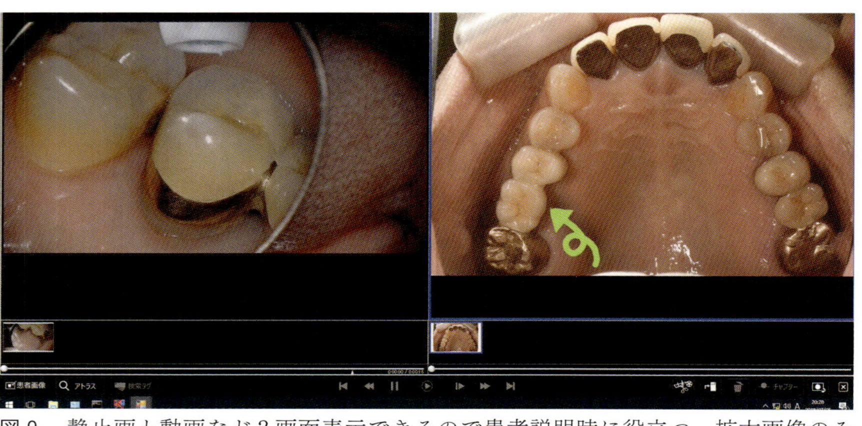

図 9　静止画と動画など 2 画面表示できるので患者説明時に役立つ．拡大画像のみでは患者にとって部位がわかりにくいことが多い．

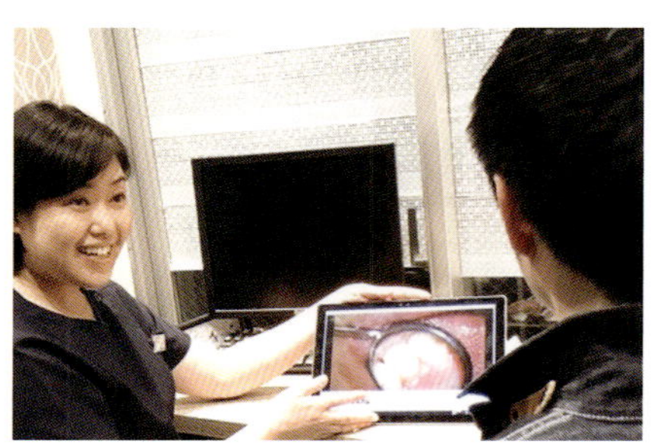

図10　録画された動画は共有されるので，診療後に別室でコンサルテーションを行うことができる．

6 プレゼンスタイル

診療チェアの前には取り付けられる限りの大きなモニター(43インチ)を設置している．できるだけ大画面で伝えることが患者に大きなインパクトを与える．チェアを起こせばただちに直前まで行っていた処置を動画で説明することができる．

また 1 画面上で動画と静止画(エックス写真や口腔内写真，検査表など)を並列して表示することができるため，拡大動画と全体像を同時に指し示すことが可能である．このことは，診療室でもコンサルテーションルームでも同じである．

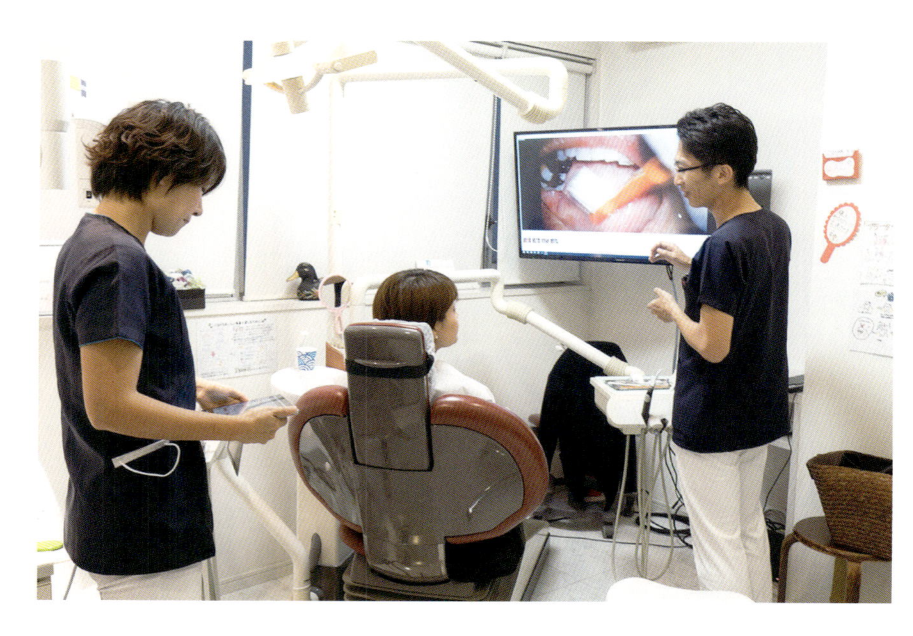

図11　歯科衛生士が行った指導内容動画を再生．歯科医師が患者と一緒に見ながら確認し説明することができる．

7 マイハイジーンワーク1

米　可那

1）コミュニケーションツールとしての活用

歯科衛生士が行うTBIは患者に嫌がられることがしばしばある．それは患者自身がプラークコントロールできていると思っているところに，指導を行っているからかもしれない．

一方，マイクロスコープを使用してプラークの付着，歯肉の状態を細かく見せながら指導すると，“伝わるTBI”ができるようになった．細かい変化や改善も伝えることができるので，患者が自身の口腔内に興味を示すようにもなると感じる．

う蝕の診査では，拡大視野でさまざまな角度から観察することができるようになった．記録した動画で報告ができるので，歯科医師が再度診査する時間を短縮することができ，患者とも共有できるので，納得して治療を開始できるようになった(図12)．

2）スケーリング・SRPでの活用

マイクロスコープを導入することが決まり，ミラーテクニックの練習をしておこうと，ミラー診療を行うようになった．それだけでも，ミラーなし診療では一方向からの情報しか得られておらず，縁上の歯石の取り残しに愕然とした．

さらにマイクロスコープを使用し，ミラーテクニックが上達しポケット内を確認することができるようになると，縁下歯石の取り残しにも気づけるようになった(図13〜15)．当院では歯周精密検査6点法をメインテナンスに取り入れている．歯肉が引き締まっているが，ポケットが深くBOPが続く部位に根管バキュームに使用するサクションを用いてポ

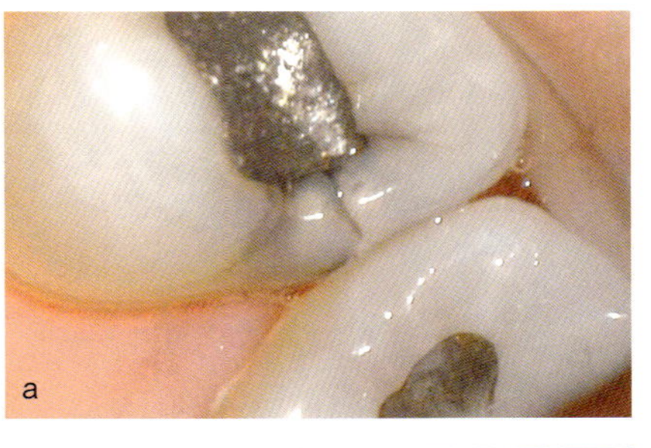
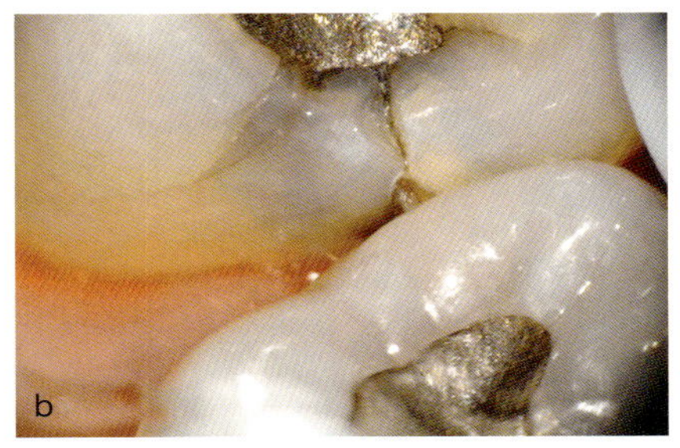

図12a　経過観察(2018年7月)．
図12b　クラックが広がりう窩を確認(2018年9月)．

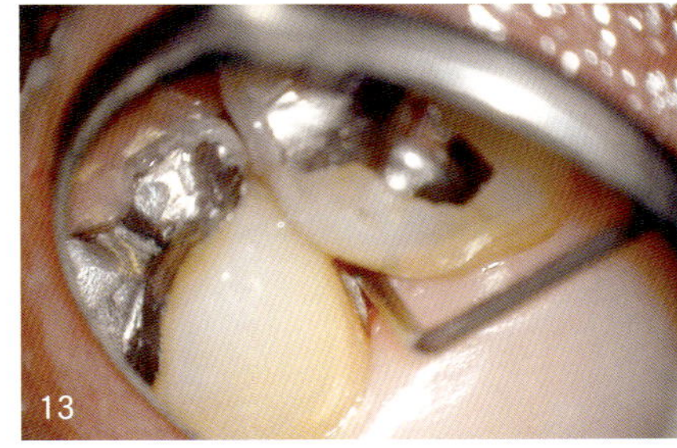
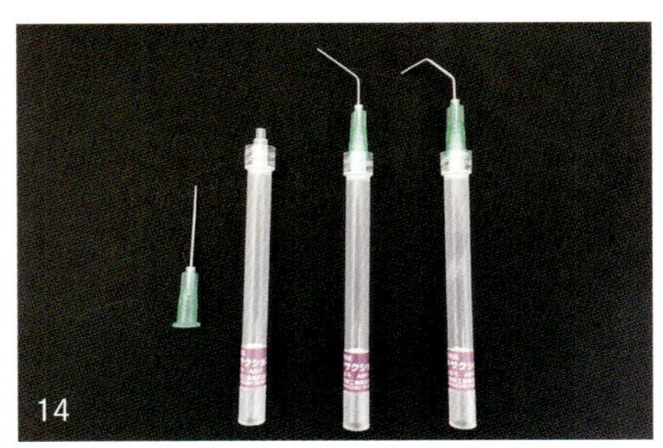
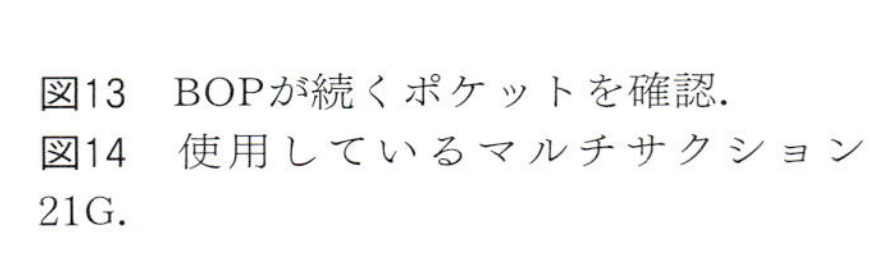

図13　BOPが続くポケットを確認．
図14　使用しているマルチサクション21G．

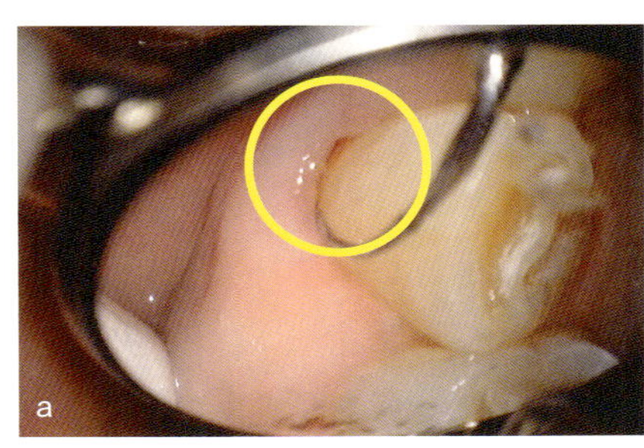
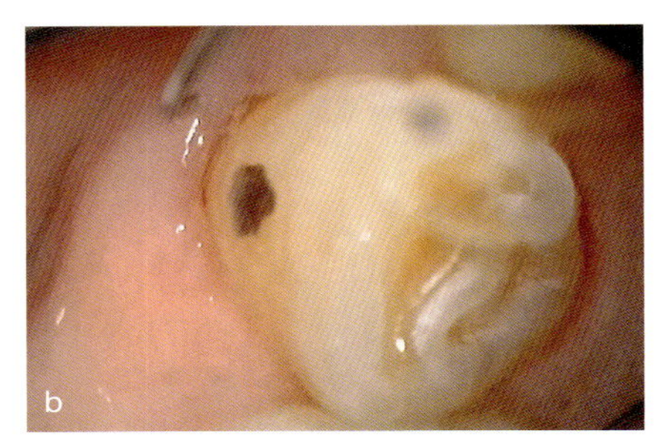

図15a　歯肉の辺縁が一直線でない．
図15b　縁下に付着していた歯石．

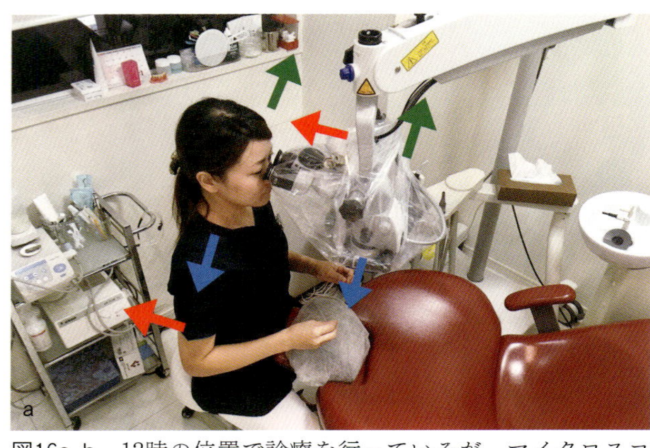

図16a, b　12時の位置で診療を行っているが，マイクロスコープを動かした分，自分も前後左右に少し動くなど小さな範囲で移動している．

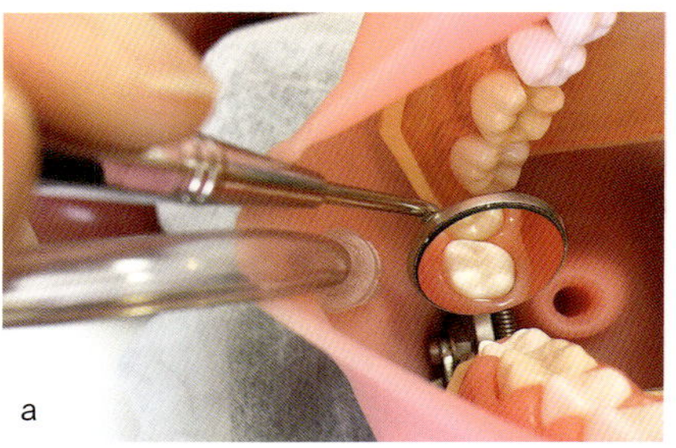

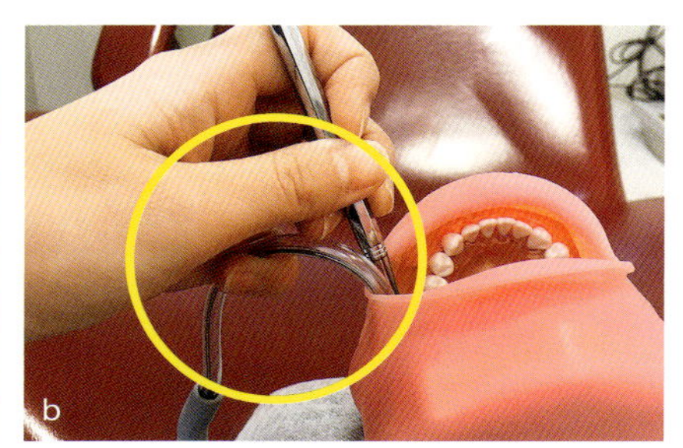

図17a, b　排唾管を小指に引っかけて排除．

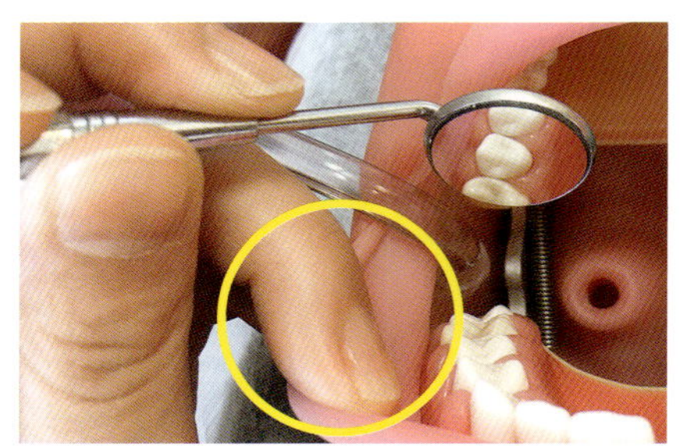

図17c　薬指で排除．

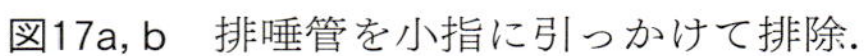

図17d　排唾管ごとミラーで押して排除．

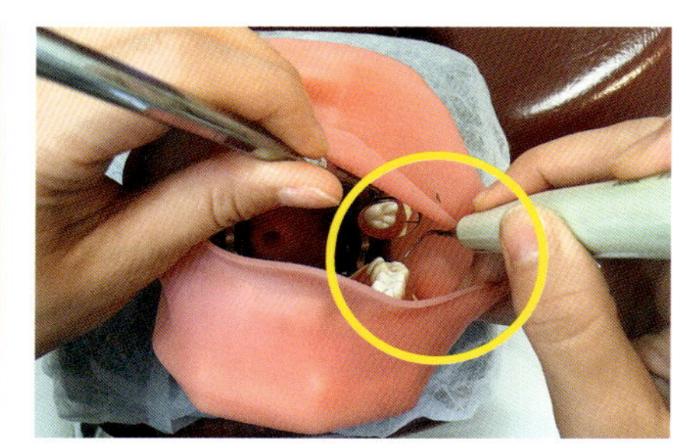

図17e　右手も薬指で排除．

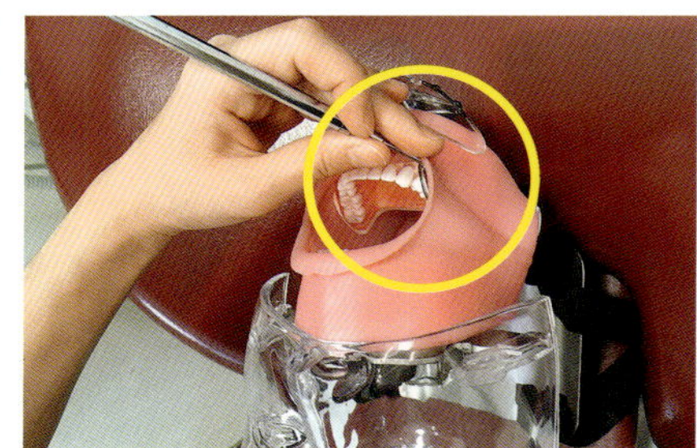

図17f　ミラーが滑らないように口唇を挟んで待つ．

ケット内を確認すると，縁下歯石が残っていたことがあった．また，歯肉の辺縁が一直線ではない場合，その下には縁下歯石が残っている可能性が高いということにも気づいた．

3）ポジショニング

12時の位置で診療を行っているが，マイクロスコープを動かした分，自分も前後左右に少し動くなど小さな範囲で移動している．ミラーテクニック＋右手も左手も薬指や小指を使って工夫している(図16, 17)．

4）マイクロスコープを使用するポイント

毎日の診療で効率よく確実な診療ができるように研究した結果を以下にまとめる(図18)．

①理解しておくべきこと：焦点距離・焦点深度

・焦点距離は対物レンズから物体までの距離
・焦点距離を変えることができるのがバリオスコープ機能
・焦点深度は焦点距離を変えてもピントが合っている距離
・焦点深度は倍率が上がると浅くなる

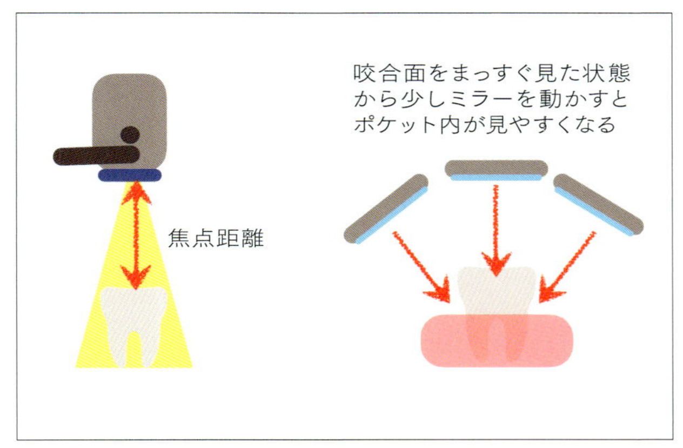

図18　マイクロスコープで効率よく確実な診療をするために理解しておくべきこと．

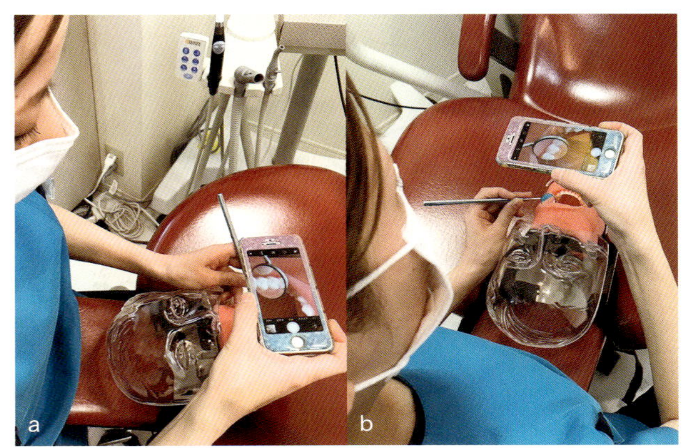

図19a, b　スマートフォンでできる拡大視野での練習方法．

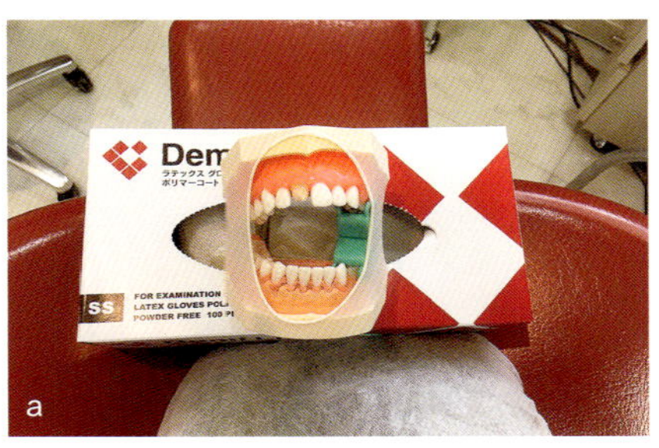

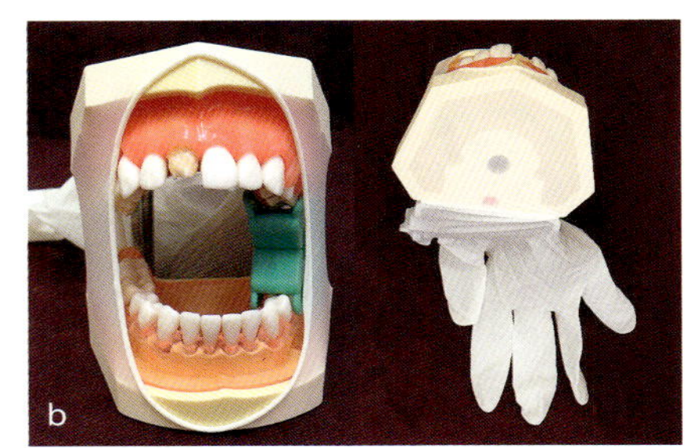

図20a, b　グローブを後ろから被せておくことで可能な粘膜排除の練習．

・ミラーの位置でも焦点距離が変わることを理解しておく

⇒焦点距離を感覚で掴んでおくことで患者とマイクロスコープのポジショニングが早くなる

②視度調整・瞳孔間距離の調整

・各個人で調整する必要がある

・自分の視度と瞳孔間距離を把握しておくことで，複数人で使用してもすぐに自分の設定にできる

③正しい姿勢で診療する：マイクロスコープに合わせるのではなくマイクロスコープを合わせることが大切

・首筋や背筋がまっすぐになっている

・脇がしまっている

・楽な姿勢で体に力が入っていない状態

④調整時間を減らす

・まず覗くのではなく，光の輪をある程度合わせる

・焦点距離を把握しておく

・対合歯にミラーの背面を位置付けるように意識するとミラー像が得やすい

・咬合面を垂直方向から捉え，少し動かすと，ポケット内を見ることができるようになる

5）マイクロスコープのイメージトレーニング

マイクロスコープは拡大する機械ではあるが，範囲拡大しているのはミラーである．マイクロスコープがなくてもミラーテクニックの練習はできると考える．日頃の診療から排唾管を使用し，左手にミラーを持つことでも気づくことは多いと思う．

スマートフォンでできる拡大視野での練習方法を思いついた（図19a, b）．対物レンズの位置にスマートフォンのカメラを起動して持つ．カメラを拡大した状態にすると，マイクロスコープで見ている画像と同じ情報が得られる．ミラーをどのように位置づけると情報が得られるのか，顎模型さえあればイメージがつかめる．また，粘膜の代わりにグローブを後ろから被せておくことで粘膜排除の練習にもなる（図20a, b）．イメージトレーニングは身の回りにあるもので意外とできるものだ．

8 マイハイジーンワーク2

森田佳子

当院で歯科衛生士がマイクロスコープを使い始めて2年が経った．診療ではほとんどの場面でマイクロスコープを使用して衛生士業務を行っている（図21a, b）．

マイクロスコープを使用するようになり，患者さんに対するアプローチがもっとも変わったものはTBIである．TBIではマイクロスコープの特徴の1つでもある「記録」を最大限に生かしてわかりやすい説明を行うように心がけている（図22）．TBIではこのように実際歯ブラシがどこに当たっているかを録画し，なぜその部分にプラークが残るのかを映像を用いて説明することで患者さんに気付きを与えることができる．

スケーリングでは高倍率を用いることで歯石の付着をはっきり確認し除去することができる（図23a〜c）．このとき私がもっとも気を付けていることは，スケーラーが正確な角度で歯石に当たっているかである（図24〜26）．

マイクロスコープを使うことで私のハイジニストワークは，「記録」で患者さんに現状を正しく伝えること，「拡大」でより精密で低侵襲な処置を行うことができるようになった．

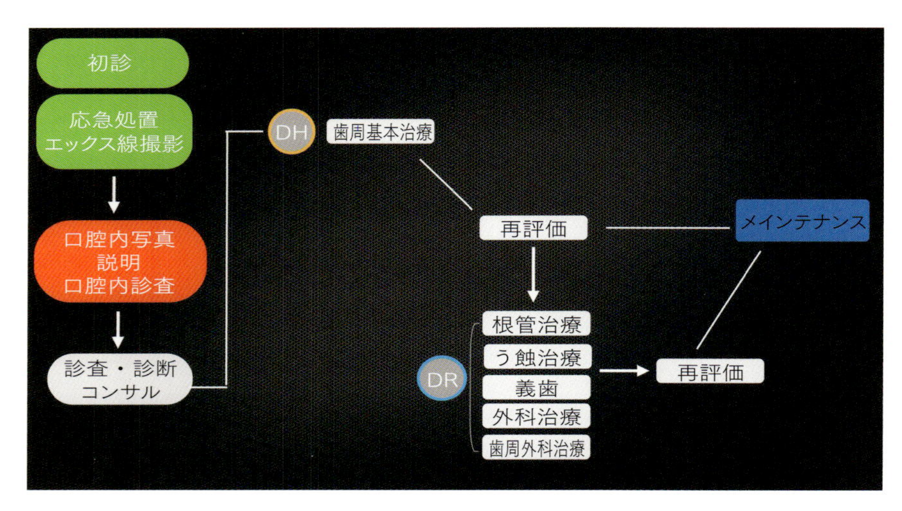

図21a　樋口歯科医院での治療の流れ．歯科医師，歯科衛生士の仕事は分業制で行っている．

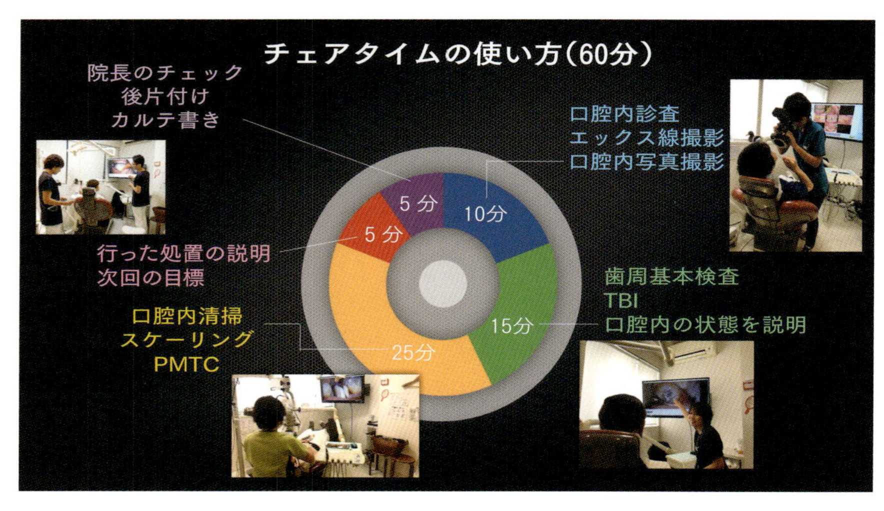

図21b　メインテナンス時のチェアタイムの使い方．

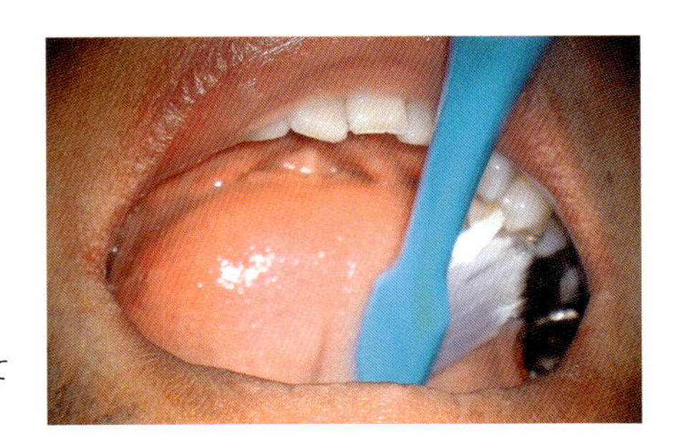

図22　「舌側を磨いてください」と指示し，実際に磨いてもらっている映像を撮っている（最小倍率の５倍）．

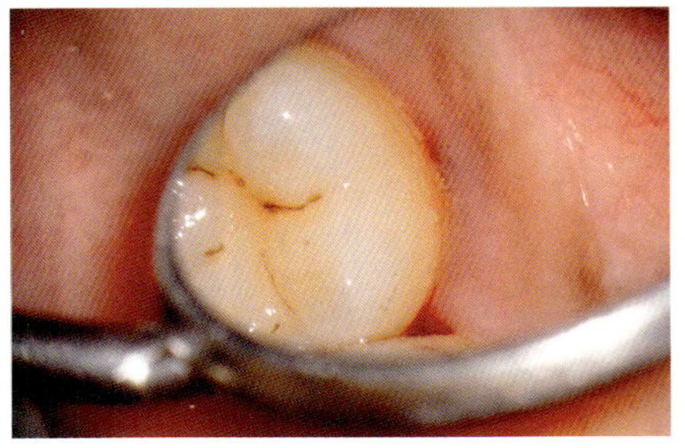

図23a　この状態では歯石は見えない．

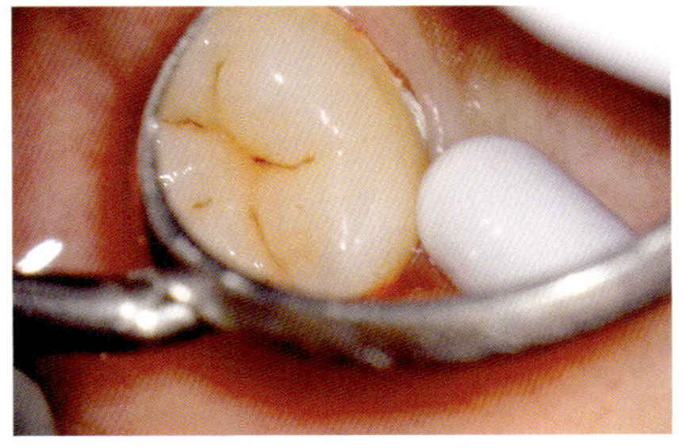

図23b　エアーをかけると歯周ポケット内に歯石が見える．

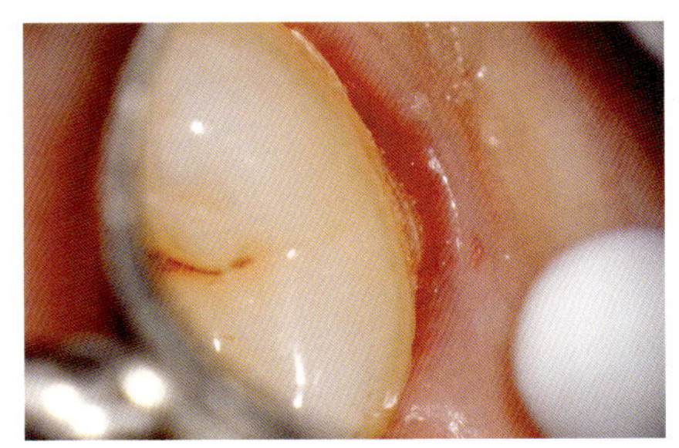

図23c　歯石が除去できたかを確認．

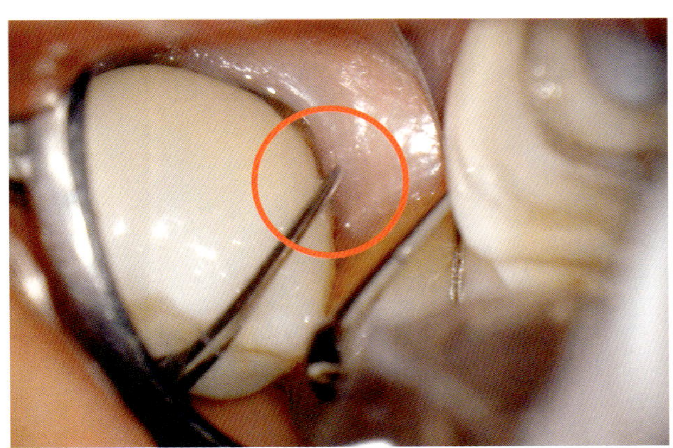

図24a　超音波スケーラーのチップの先端がうまく当たっておらず，これでは歯石が取れない．

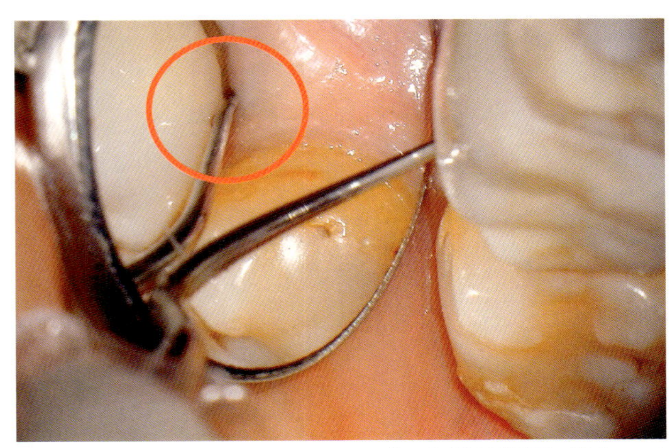

図24b　このようにきちんとチップの先端が歯面に当たっているかを見ながら歯石除去を行うことができるのがマイクロスコープを用いる利点である．

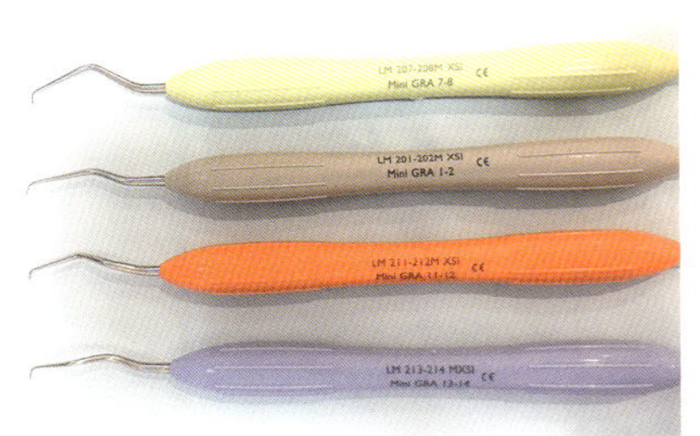

図25　ハンドスケーラーにおいてはブレードの幅はどんどん細いものを多用し，グレーシーキュレットではminiタイプのものを好んで使用．

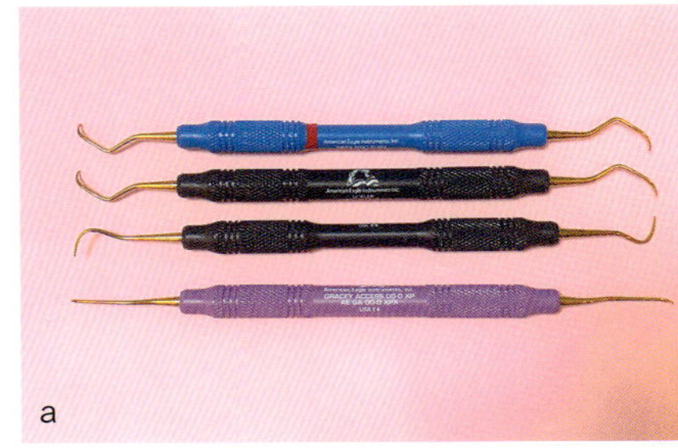

図26a, b　以前はあまり使用しなかったシックルスケーラーも，いろいろな形や屈曲のスケーラーも使用している．

9 マイアシスタントワーク

深江あゆ

一般的にマイクロスコープを用いた診療はメリットとともにデメリットとして「技術の習得の難易度が高い」「診療長時間化」「機動力の低下」「視野が限られる」などが挙げられる．しかし，効果的なアシスタントワークがそこに加わればデメリットはメリットに変えられる．スムーズな器具の受け渡し，的確なバキューム操作，術野の確保ができれば診療効率のアップにつながるし，患者の表情，体勢，水や切削片の飛散状態の確認などをアシスタントが担えば視野を拡大しているのと同じである．

マイクロスコープ診療におけるアシスタントワークの一番の特徴は，術者の見ているものを写すモニターがあることによって，アシスタントが「術者の目線を共有できる」ことである（図27）．

エックス線写真や事前の打ち合わせなどで，ある程度の流れは予測してアシスタントワークを行うことができるが，細かい部分までを把握し行動を起こすことはできない．たとえば，以下のような一歩先の準備や行動をすることが可能となる．

1）処置内容の先読み・把握

・今どこまでう蝕を除去したかを確認することで直接覆髄の是非を考える（図28a, b）

・今術者がアクセスしている部位に適切なインスツ

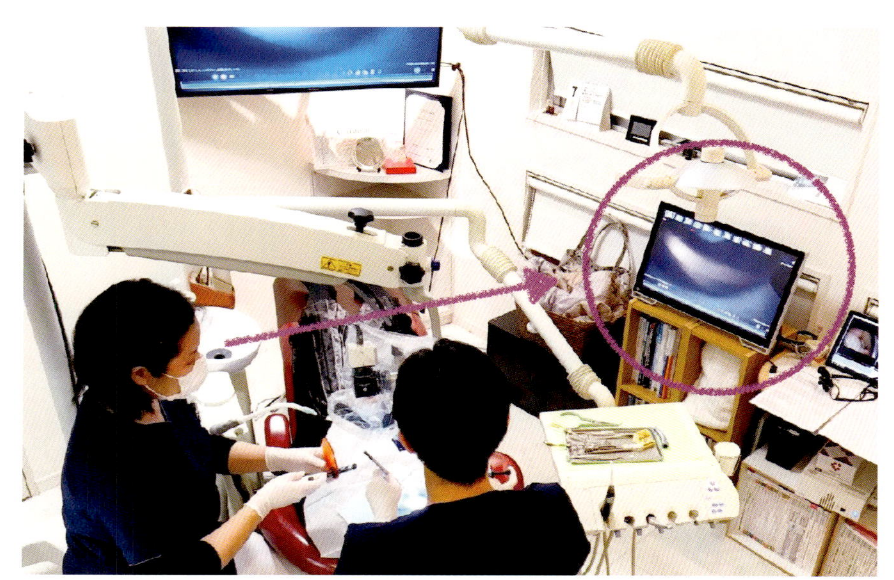

図27　アシスタントの位置からは口腔内は非常に見にくい．モニターがあることにより，術者が見ているものを初めて理解することができる．モニターの存在でアシスタントワークが大きく変化した．

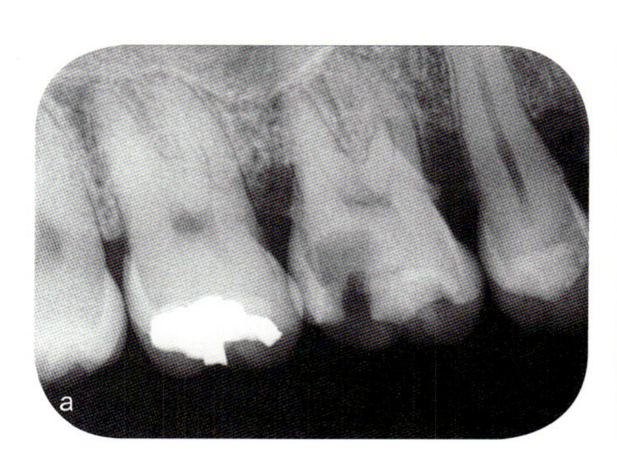

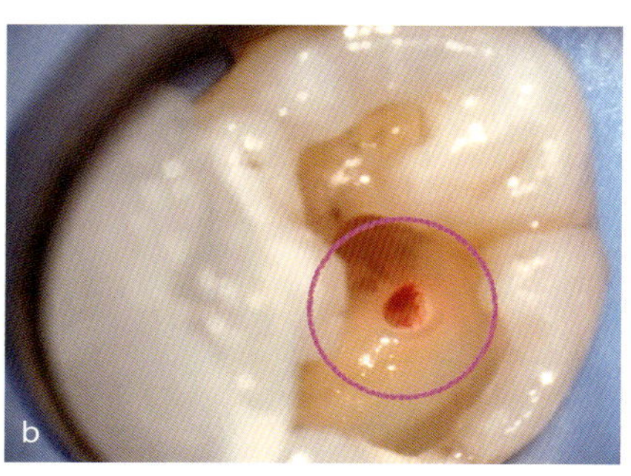

図28a　6|の事前のエックス線写真診査では間接覆髄か直接覆髄かどちらになるかわからない状況であった．
図28b　う蝕除去が進むと窩洞内で露髄が認められたが，アシスタントの位置から肉眼では確認することができない．モニターに映し出されていたことでいち早く直接覆髄の準備へと移ることができた．

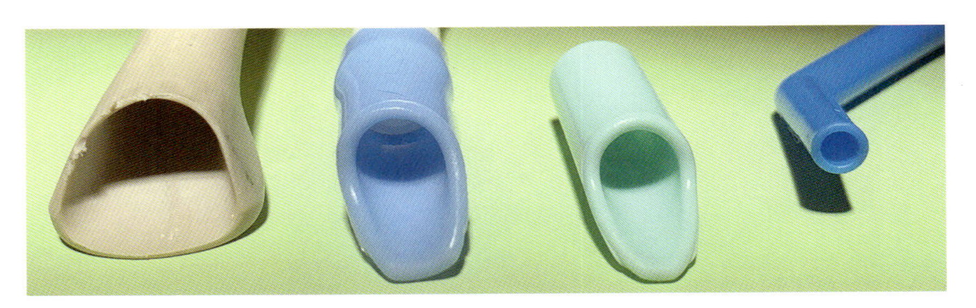

図29　バキュームチップをその時の状況で使い分ける．左からユニット付属の大きなバキュームチップ(舌，口唇排除に使いやすい)，一般的な柔らかいチップ大，小(作業域が狭いが水や切削片の飛散を抑えたい時)，サージカルアスピレーター(作業域がかなり狭い時，根管内の切削片が多い時など)．

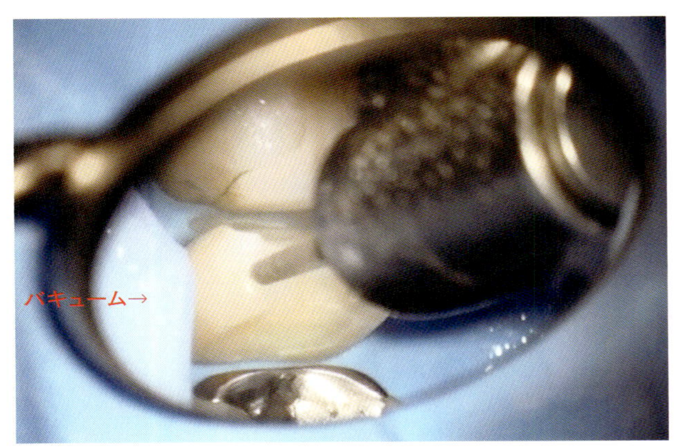

図30　ミラーや口腔外へ水や切削片の飛散を防ぐためにバキュームチップはなるべく術部近くに置きたい．視野を邪魔しない，かつ吸引力の高いバキュームチップを選択．

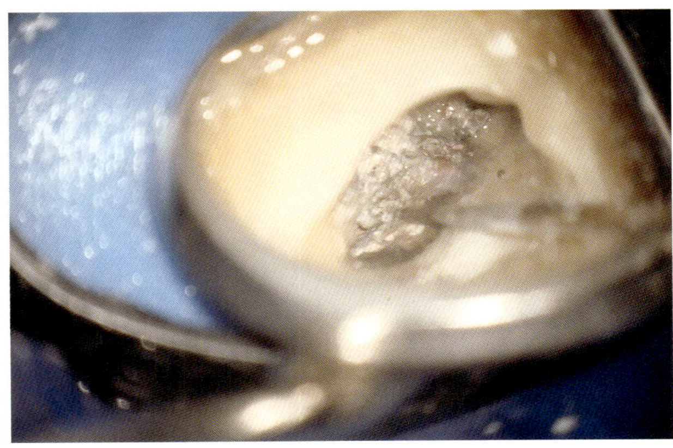

図31　根管内に切削片が溜まっているときは細いチップではつまってしまうので，視野をさえぎらないがつまりにくいサージカルアスピレーターを選択．

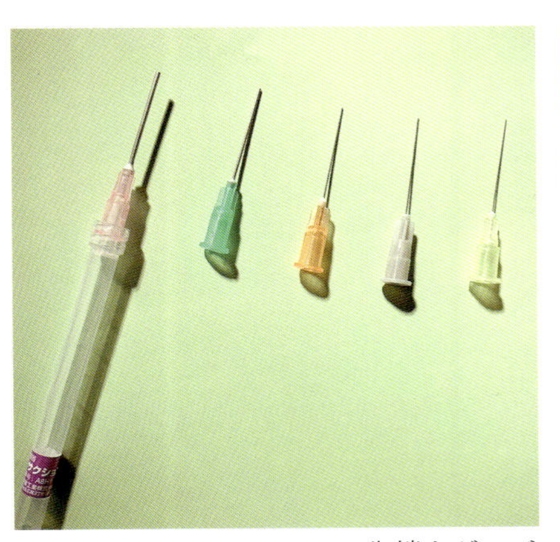

図32　マルチサクションの先端をゲージの違うチップを適宜付け替える．左から，ピンク：18G(φ1.2mm)，グリーン：21G(φ0.8mm)，オレンジ：25G(φ0.5mm)，グレー：27G(φ0.4mm)，イエロー：30G(φ0.3mm)．

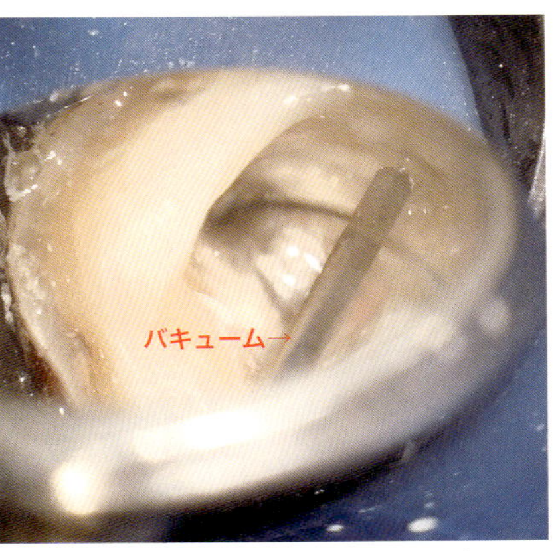

図33　根管内の切削片がある程度なくなったらマルチサクションに切り替える(21G使用．さらに根尖付近まで吸引したいときは30Gに付け替える)．

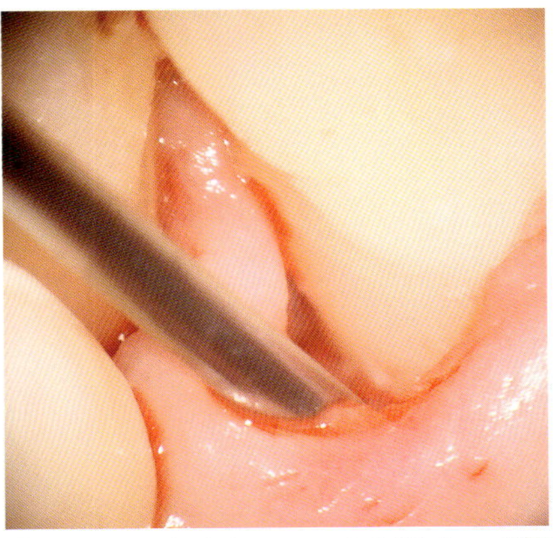

図34　マルチサクションに18Gチップ使用．歯周ポケット内を吸引し視野を明瞭にし，縁下歯石を確認．確実な歯石除去が可能となる．

ルメントは何か，次に使用したいであろうものは何かなどを予測・提案
- 処置に応じたバキュームチップへ変更(図29～34)
- 処置内容を詳細に把握することで患者への術後説明をフォローすること

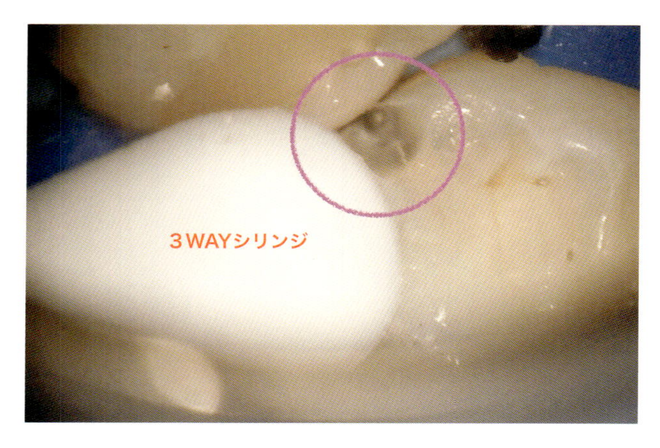

図35　術者が切削を止めた次にアシスタントがエアーブロー．術者が切削器具を持ち変える手間がなくなるので時間短縮へつながる．

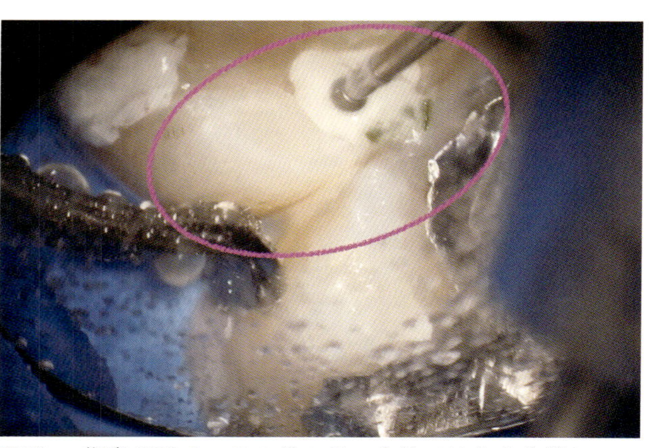

図36a　術者が見ているのはミラー全体ではなく作業している部位のみ．よってピンポイントでエアーをかけることにより，効率的に水滴を排除でき余計な飛散や労力を削減することができる．

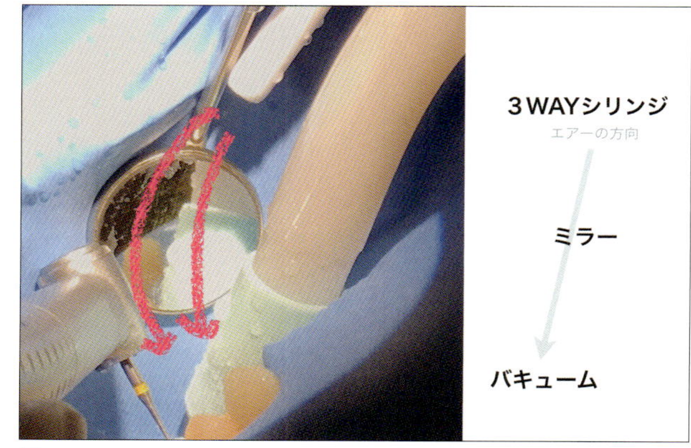

図36b　ミラーへエアーをかける向きはバキュームを終点にするとより効率的である．

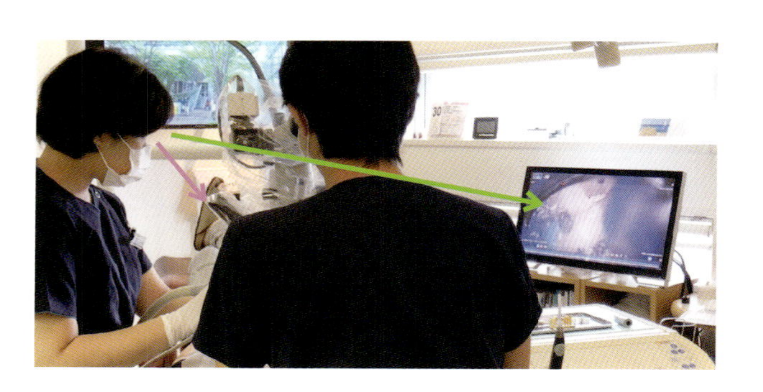

図37 モニターと患者の表情や術者の手元などの広域視野を数秒ごとに交互に確認をしている．比率としてはモニター8割，広域視野2割ほど．モニターが非常に大きな比率であるが，広域視野も決して見逃せない．

2）的確な視野の確保

・切削面を術者が確認したいタイミングでエアーブローをピンポイントで行う（図35）
・ミラーにかかる水滴をピンポイントで飛ばす（図36a, b）
・バキュームなどで術者の視野を遮らない

アシスタントワークも従来のものと比べてより詳細な動きが要求されると同時に広域視野も術者に代わりしっかりと把握しなくてはいけないので，モニターと広域視野を交互に確認する必要がある（図37）．

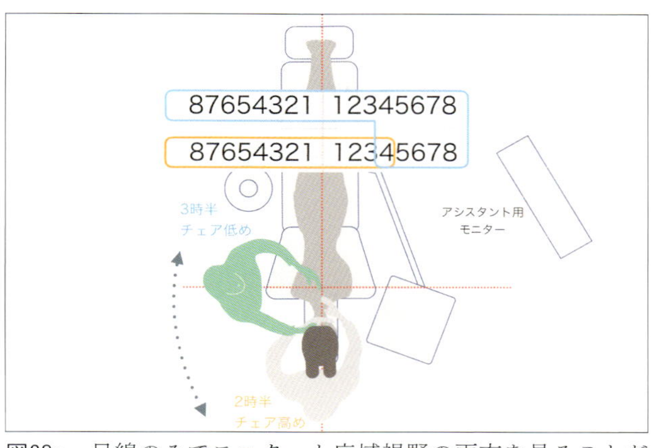

図38a　目線のみでモニターと広域視野の両方を見ることができるポジションを工夫．手術内容や患者の開口量，またアシスタントチェアの違い，アシスタントの身長などにより図のとおりのみではないが，工夫次第で両方見える位置を見つけることができる．

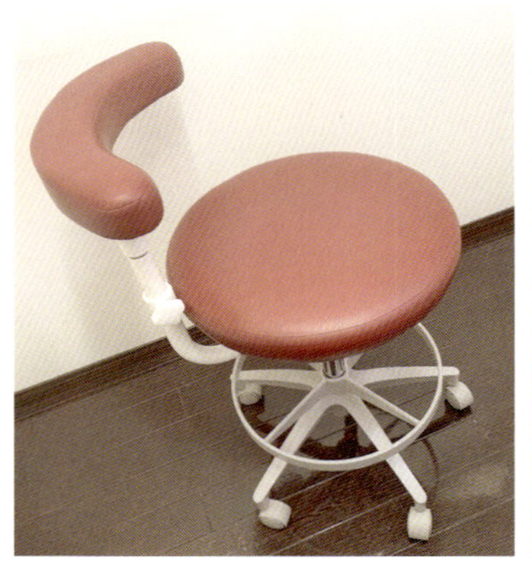
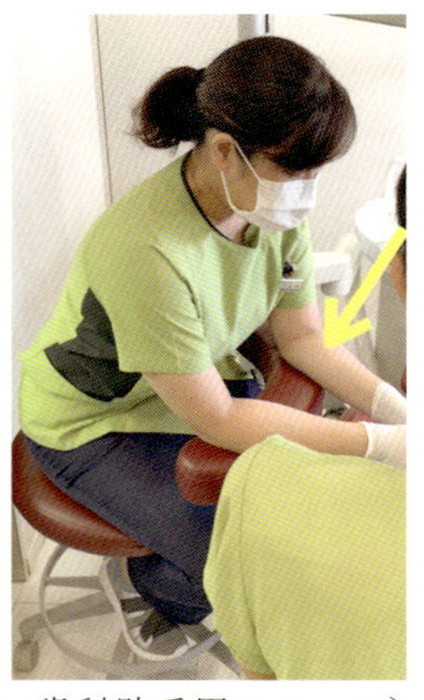

図38b　肘置き付きのスツール（A-dec歯科助手用スツール）などでアシスタントも腕を乗せて固定することでより安定感が増す．

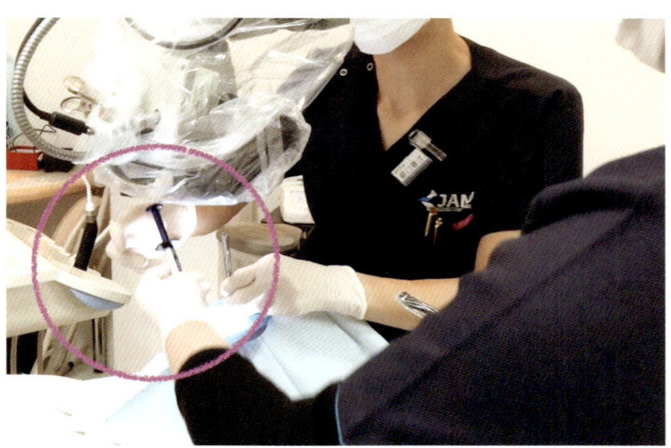

図39　術者が器具を受け取る位置，器具の向きなどをお互い確認．

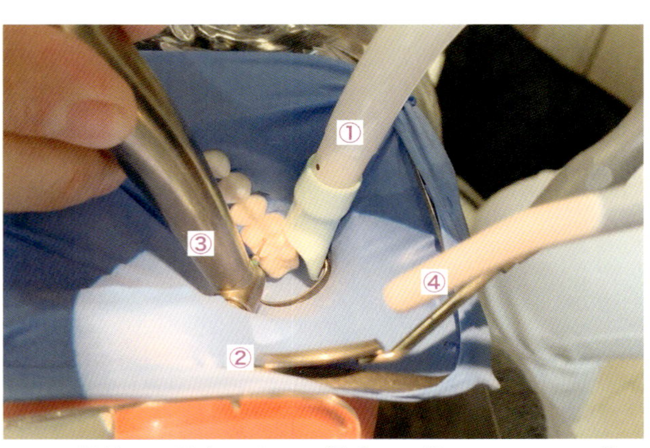

図40　器具を口腔内に入れる順番は，①バキューム，②ミラー，③器具，④3 WAYシリンジ．その後，モニターを確認し，バキュームが術野にかかっていないかを確認して微調整．

動きが大きいと手元がぶれてしまうためモニターと広域視野の両方を目線を変更するだけでいいようなポジション，アシスタントの手を固定する工夫などを行うべきである（図38a, b）．

術者にとって，アシスタントの手が本当に3，4番目の手となることができるためにはお互いがスムーズに動けるポジション，タイミングをディスカッションし協力し合うことが必要である．

- 器具の受け渡しの位置，タイミング（図39）
- バキュームやミラーを口腔内に入れる順番，タイミング（図40）
- ミラーを把持する位置，ミラーを固定する位置，患者の頭位など（図41）
- フィールドコントロールの重要性（図42）

また，アシスタント自身もマイクロスコープの特徴を知ることで，術者の視野の狭さや的確なインス

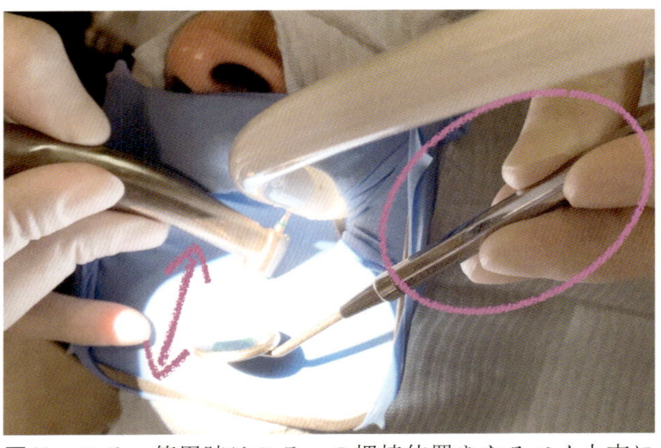

図41　ミラー使用時はミラーの把持位置をなるべく上方にしてもらうことでアシスタントが口腔内を目視しやすくなる．またミラーポジションもなるべく術部から遠く置いてもらえると，水の飛散などが少なくなりクリアな視野を確保できる．術者の無理にならない範囲で患者の頭位を少し傾けてもらうだけでもアシスタントからの視野は良くなる．

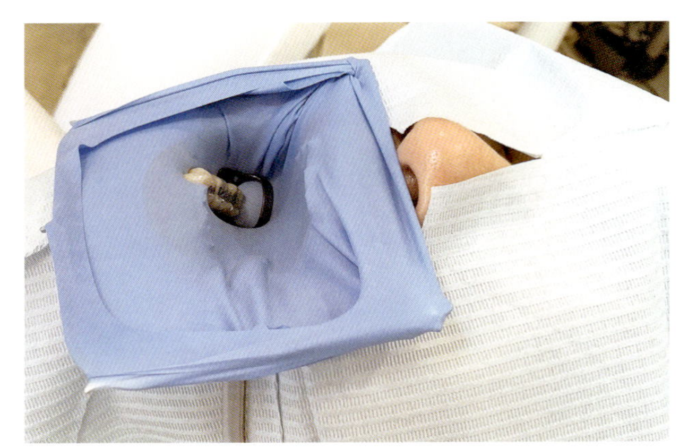

図42　ラバーダムなどを防湿目的だけではなくフィールドコントロールとして重要．このコントロールがあるだけで，アシスタントの作業，注意範囲が大きく減少するので，より視野確保などに注力することができる．

図43　自分自身がマイクロスコープを覗きながら作業したことで，術者がいかに視野が狭い状態なのか，大きなインスツルメントだと使いにくいのかなどを体感．より適切なものは何かを考えるきっかけとなった．

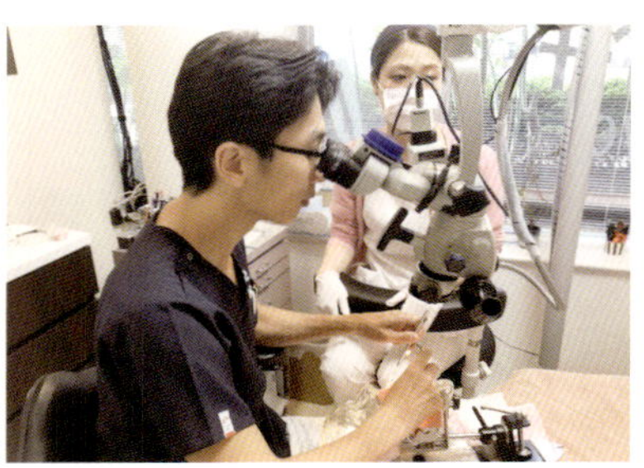

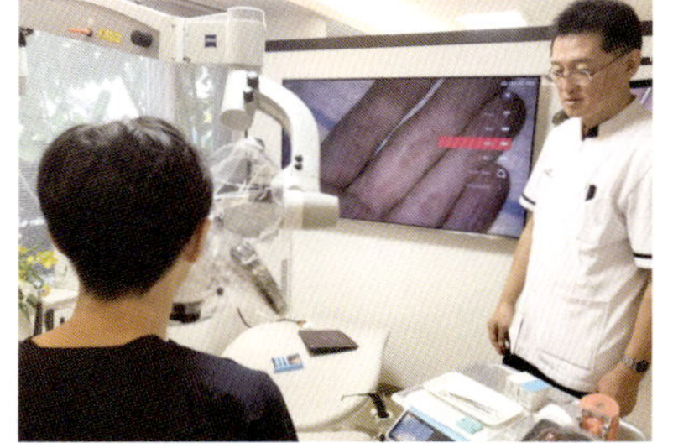

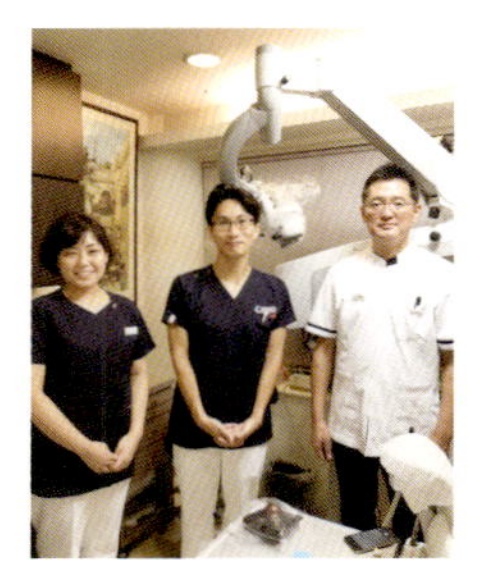

図44　デンタルみつはしプライベートセミナー．院長とともに受講し，アシスタントワークの役割やポイント，使用しているアシスタント用のチェアを教えていただくなど，多くのことを学ぶことができた．術者とパートナーとして診療にあたることが多いアシスタントは，術者の知識と同等であるように日々研鑽が必要であると考える．

ツルメントの重要性などを理解することができるので，ぜひマイクロスコープの世界を体感していただきたい．そして院外の研修を受けることにより，さらにアシスタントワークにも磨きがかかったように思う（図43, 44）．

⑩ まとめ

ここまで述べてきたように，当院では歯科医師，歯科衛生士，歯科助手と全員でマイクロスコープを活用している．動画を記録して説明することにより患者が理解して，医院と良好な信頼関係を構築し円滑な治療を進めることが可能となる．

チーム全員で活用するためには技術の習得はもちろん，環境整備も大切であると考える．すべての診療チェアにマイクロスコープを設置し，どの診療室でも同じクオリティで仕事ができるようにすること，歯科衛生士が常にどの場面でもマイクロスコープを用いることにより，技術の修練速度の上昇，アウトプットの機会を作る(学会発表や執筆など)ことによる知識の向上やモチベーションアップなど，さまざまな方面で医院を活気づかせることが重要である．

また，動画情報を院内で簡単に共有できることを重要と考えている．共有できることにより治療の効率化，手技の研鑽，院内での連携などに役立ち，患者に提供する医療のクオリティ向上へとつながる．

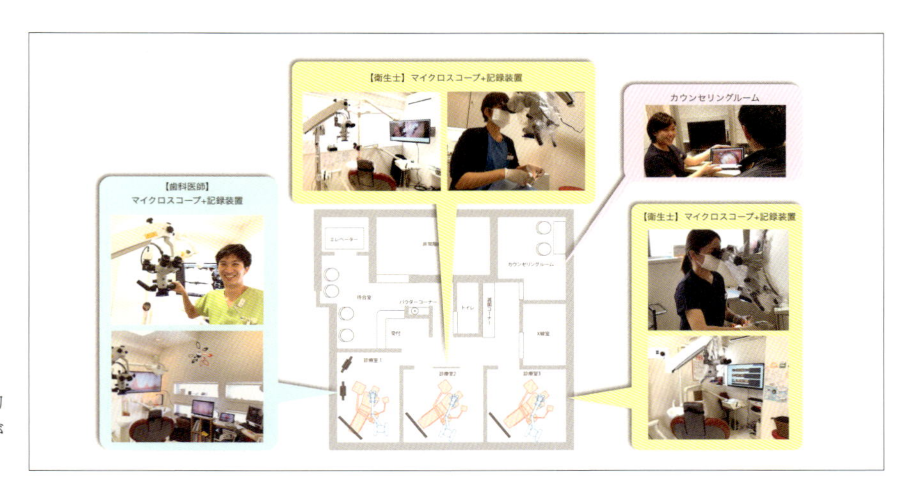

図45　すべてのシステムがつながって動画，静止画，資料など共有できることが重要である．

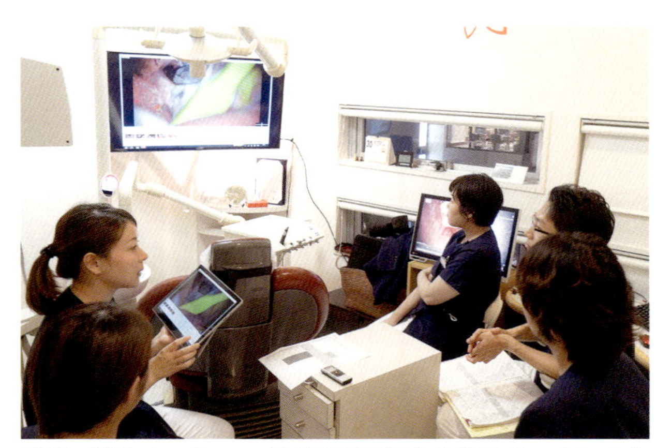

図46　院内ミーティングで動画情報を共有することにより手技の見直し，スタッフ間の連携，治療経過の伝達，治療効率の向上がスムーズに行える．

図47　日本顕微鏡歯科学会第16回学術大会に参加．４名が演者として登壇した．発表に向けて準備することで各自のモチベーションが向上した．

経験者が語る DH流マイクロスコープ有効活用術

前田千絵

東京都勤務　鈴木歯科医院
連絡先：〒125-0032 東京都葛飾区水元1-22-14

はじめに

歯科衛生士としてマイクロスコープをハイジーンワークで使うようになって，約16年が経過した．来る日も来る日も，すべての患者さんに使い続けてきた．

今は比較的安価なマイクロスコープが販売されているため，歯科衛生士も使える機会が増えている．しかし，16年前は高価な機種しかなく，歯科衛生士が占有して使うことは難しかった．そのような状況でも各ユニットにマイクロスコープを設置し，歯科衛生士も自由に使える環境を整えてくれた院長には感謝しかない．

他の歯科衛生士よりも少しだけ先取りしてマイクロスコープを使っていたことから，さまざまな経験をさせてもらった．今回は，その経験を通して学んだことを可能な限りお伝えしたい．

1 コンパートメント

フロアスタンドのマイクロスコープをユニットの左側に設置し，術者がフロントからバックまで自由に行き来できるようスペースを確保している（図１）．

ハイジーンワークでは基本的にアシストがいない医院がほとんどだろう．術者１人でスムーズに施術できるように工夫している．たとえばユニットに可撤式テーブルを付けている．ちょうど患者さんの胸元にそのテーブルがくるように設置し，すぐに使う探針やスリーウェイシリンジを置いている．接眼レンズから視線を大きくずらさずに器具を取ったり戻したりしやすく，時間短縮にもつながる．

バキューム操作は排唾管を患者さんの口腔内にずっと入れることで対応している．ミラー視で全顎を見ていくため，バキュームを持てないからだ．患者さんの顔を左右どちらかに傾斜させ，傾斜させた側に排唾管を入れておけば溜まった水も吸いやすい．それにミラー視は患者さんの顔を傾斜させたほうが見やすいのだ．

バキューム操作が排唾管だけであることは，エアロゾルが飛散しやすいというデメリットはある．患者さんの顔面にタオルをかけたり，口腔外バキュームを併用するなどの対策ができるだろう．

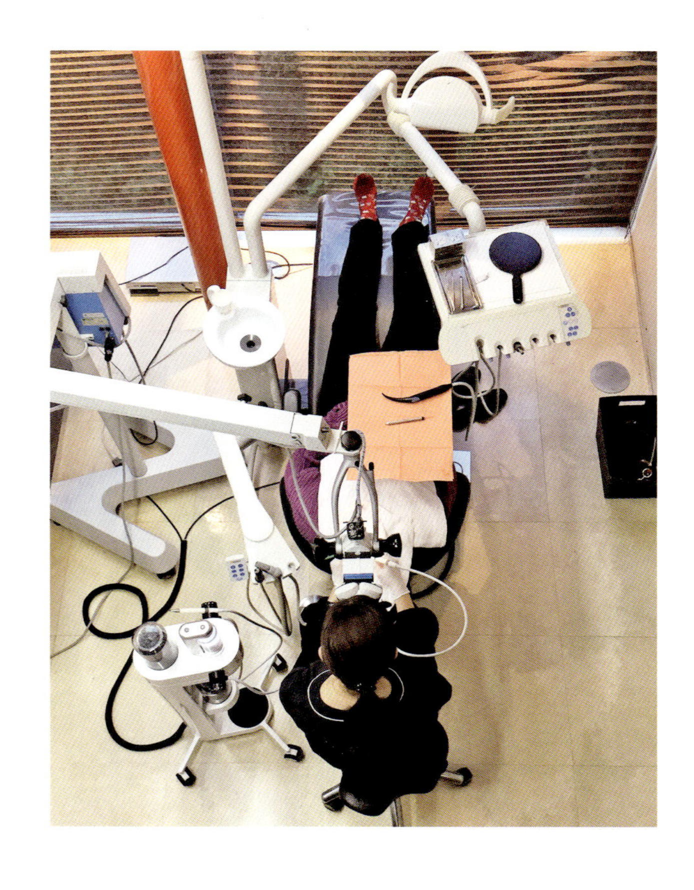

図1　フロアスタンドのマイクロスコープをユニットの左側に設置し，術者がフロントからバックまで自由に行き来できるようスペースを確保している．

2 顕微鏡使用のきっかけ

歯科衛生士歴3年目，ハイジーンワークをするようになって2年目に突然院長から「歯科衛生士もマイクロスコープを使ってハイジーンワークをしてみてはどうだろう」と提案されたことがきっかけだった．それまでは，マイクロスコープは歯科医師が使う特別なもので，歯科衛生士が，しかも経験の浅い自分が直接かかわるようなものではないと思っていた．それでも視度調整の方法だけは教えてもらい，試しに口腔内を覗いてみたところ驚いた．目の前に別世界が広がっていた．解剖学や組織発生の授業で習った歯の表面性状や歯肉のヘミデスモゾーム結合，毛細血管などが本当にあるのだと感動した覚えがある．

また，歯肉縁下の歯根面もある程度の深さまで見ることができ驚いた．それまでは見えない歯肉縁下を探針で探りながら，「ここはどうなっているのだろう？」と不安を感じながら施術していた．それがマイクロスコープを通して見えなかったものが見えるようになり，不安を克服するどころか，すっかりその楽しさにはまってしまった．

しかし使いこなすまでには苦労も多かった．周囲に歯科衛生士の立場でマイクロスコープを使っている人がいなかったため，ポジショニングや使い方などをすべて先輩と2人だけで手探り状態で進んでいった．ハイジーンワークでもマイクロスコープを使われていた歯科医師の施術を見学させてもらったことは勉強になった．

3 マイハイジーンワーク

歯科衛生士がマイクロスコープを使ってハイジーンワークをすることは，デメリットよりメリットのほうがはるかに上回る．

①よく見える

前述したように，ハイジーンワークでは見えない部位を探針で探りながら，触った感覚で判断することが多い．しかしそれでは確実性に欠ける．マイクロスコープを通して拡大することで，今まで見えなかったものが本当によく見える．歯肉縁下のエナメルプロジェクション，ファーケーション，歯石，むし歯，破折線，歯根吸収，余剰セメントの取り残しなど，挙げればきりがない(図2～8)．しかしそのような問題がない場合であっても，問題がないことを確認できるということは重要だ．

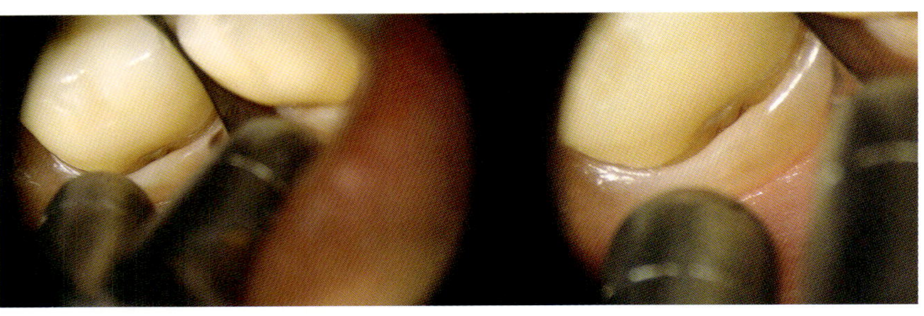

図2 エナメルプロジェクション．

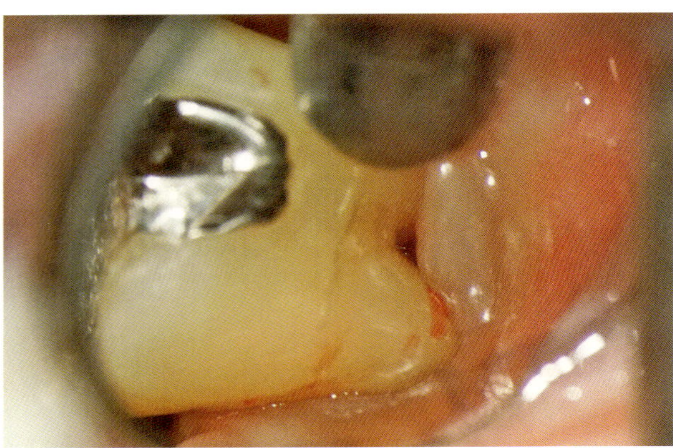

図3 ファーケーション．

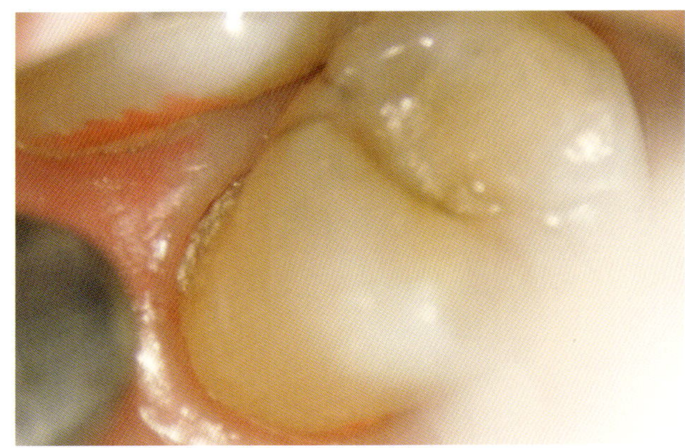

図4 縁下歯石．

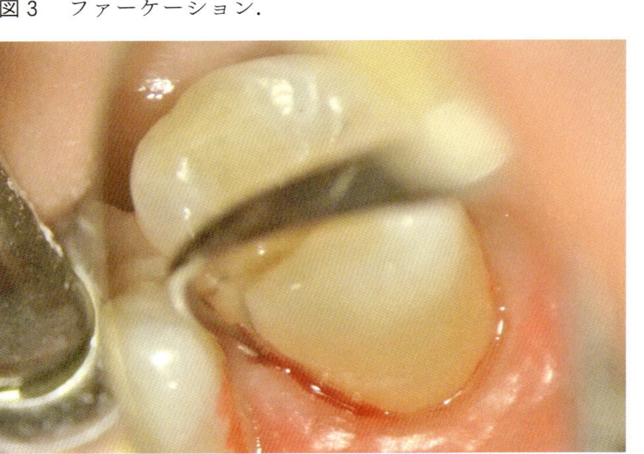

図5 拡大することにより，歯石に超音波スケーラーのチップが正確に当たっていることを確認できる．

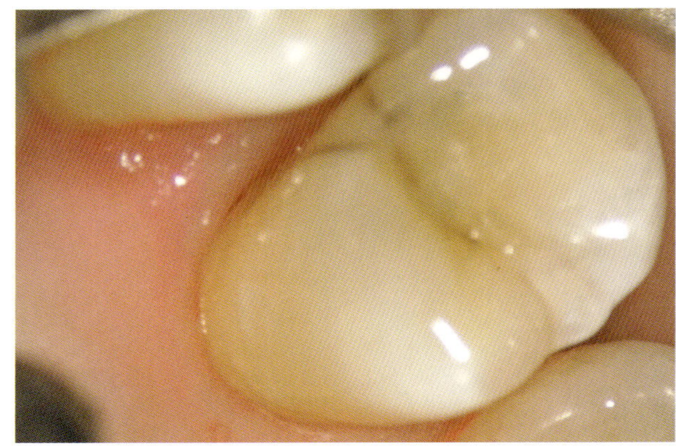

図6 周囲の組織を傷つけず，歯石だけを除去できた．

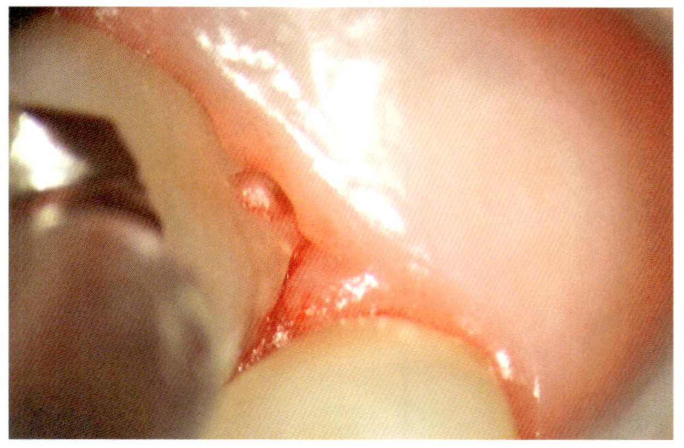

図7　歯根吸収．

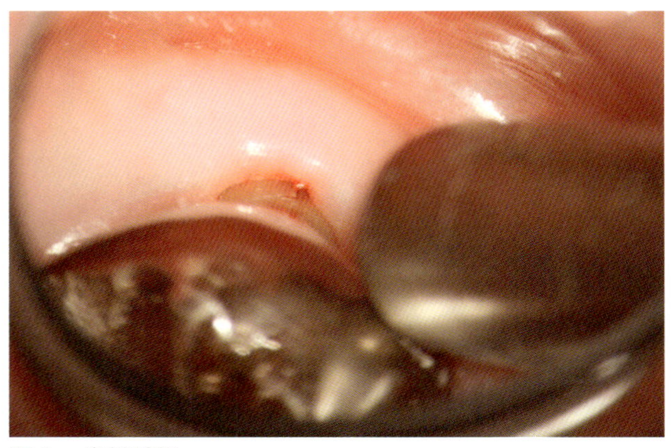

図8　歯根破折．

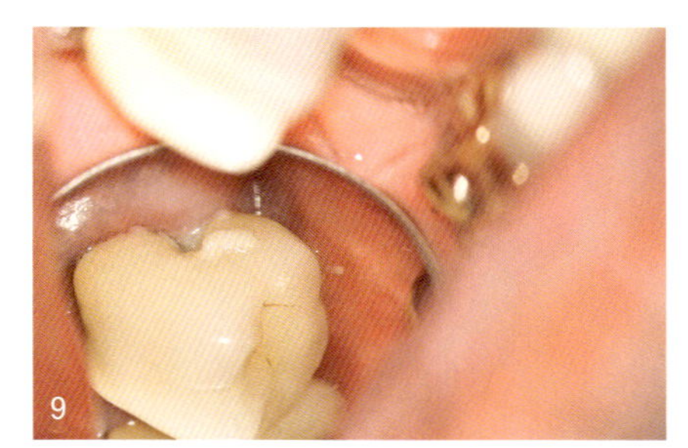

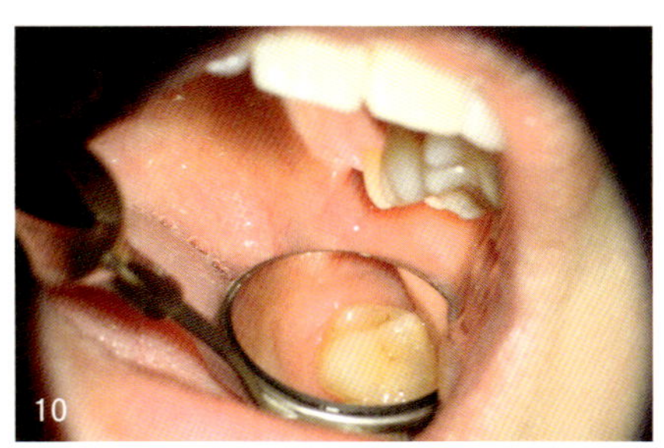

図9　肉眼では見えにくい最後臼歯遠心まではっきりと確認できる．
図10　ミラーを実像から離すと見やすい．

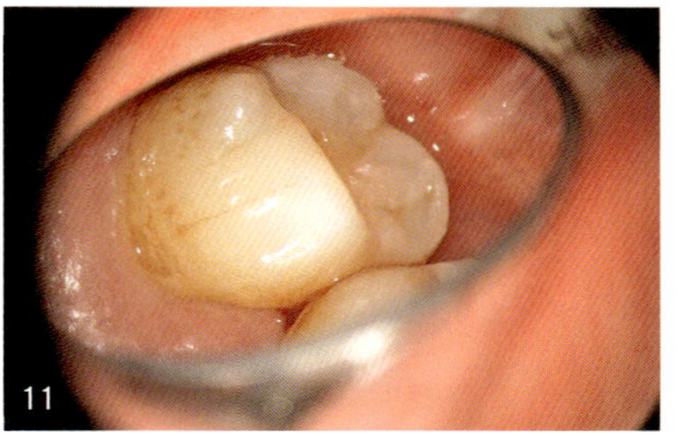

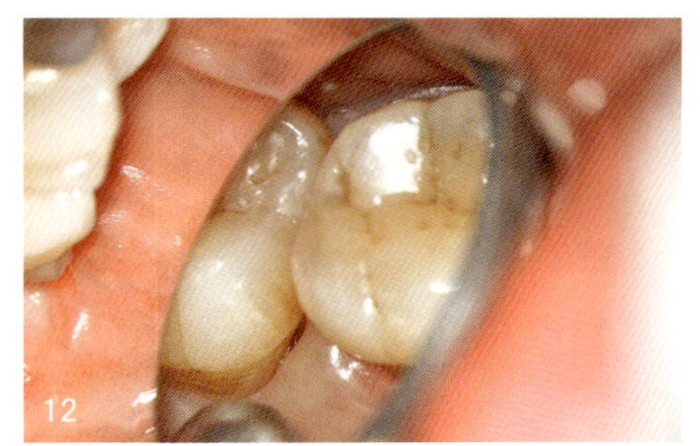

図11, 12　歯肉縁上を観察するときと歯肉縁下を観察するときには，ミラーの角度を変える．全顎の歯肉縁下を観察できるようにする．

よく見えるための鍵はミラーテクニックだ(図9～12)．ミラーテクニックを使わずにマイクロスコープを直視で覗いても，見える範囲は限られている．臼歯の遠心や歯肉縁下をきちんと見るにはどうしてもミラーが欠かせない．ミラーの角度を変え，歯をさまざまな方向から観察すると，直視では気づかなかったものがたくさん見えてくる．とくに歯肉縁下を観察できるよう日頃から意識しておくことを強くお勧めする．

②情報を共有しやすい

マイクロスコープにカメラとモニターを設置すれば，術者が見える映像をそのままリアルタイムで見せたり，記録に残すことができる．患者さんや歯科医師，他のスタッフとその情報を共有すれば理解を得られやすかったり，勉強することもできる．

③特別な存在になれる

筆者がマイクロスコープを使い始めた頃と比べると，今は驚くほどたくさんの歯科衛生士がマイクロスコープを使いこなし，日本顕微鏡歯科学会でも認定歯科衛生士の資格を取得している．

しかし，歯科界全体からみるとまだまだ少ない存在だ．ということは，マイクロスコープを使いこなせることは，自分の歯科衛生士としての希少性を高めてくれるということだ．地域でも他院との差別化を図ることができるだろう．本当はすべての歯科衛生士がマイクロスコープを使ってハイジーンワークをすることが当たり前になってほしい．その時までは特別な存在となれるだろう．

4 マイアシスタントワーク

術者によりアシスタントに求めることは異なるため，それぞれのチームでシステムを構築することが一番大切だと思う．ここではアシスタントが最低限心がけておくと良いと思うことをまとめる．

1つ目は，術者が接眼レンズから目をなるべく離さずに施術できるようにすることだ．そのためには各チームが術式に沿ったアシスタントのルールを決めておくことが良いだろう（図13, 14）．アシスタントは自分が術者だったらどうしてほしいか常に考え，ルール外の術式となっても対応できるようにする．臨床では状況によって急に術式が変わることもある．

2つ目は，術野以外の周囲全体に注意を払うことだ．術者は術野に集中しているため，周囲の状況が把握しにくい．そのためアシスタントがフォローする必要がある．バーを使用していれば，患者さんの顔面に水がはねていないか，粘膜に触れて傷をつけていないかなどつねに気を配る（図15）．

3つ目は，術者の視野の確保だ．ミラー視をしていたらスリーウェイシリンジでミラークリアをし，術野を妨げる舌や口唇，唾液などがあれば排除する．アシスタントの指やバキュームで術者の視野を妨げるのはぜひ避けたい（図16）．

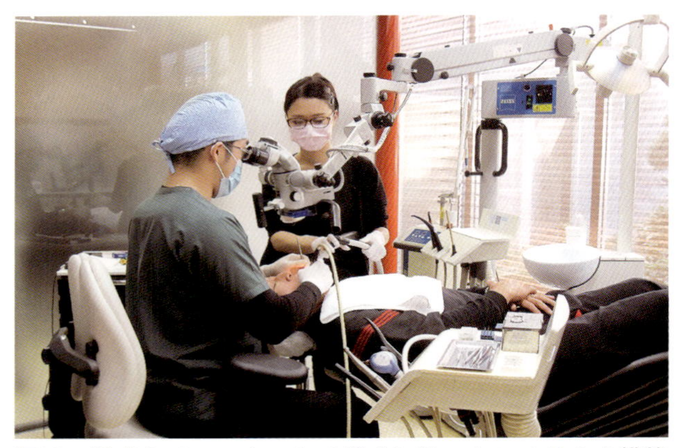

図13　術者とアシスタントで術式に沿ったシステムを構築する．

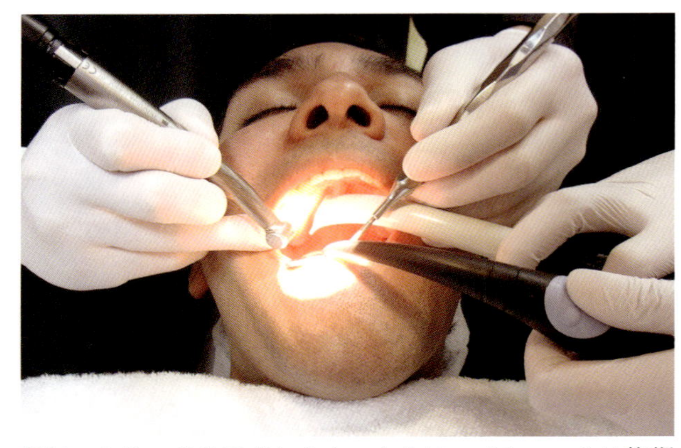

図14　ミラークリアがしやすいように，バキュームは施術歯の近くに，ミラーは遠めにおくとよい．

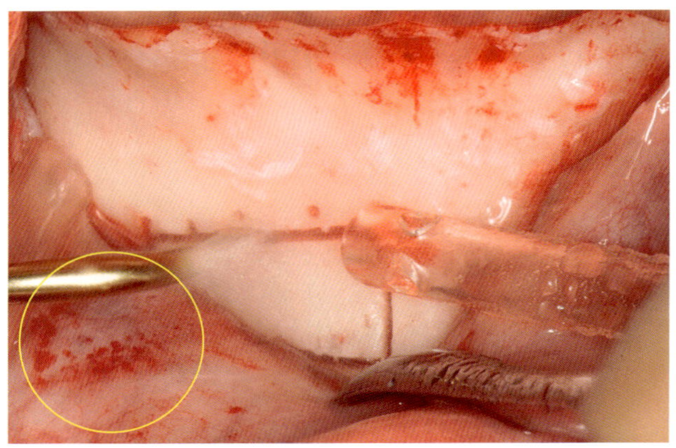

図15　アシスタントは患者さんの全体の様子にも注意を払う（千栄寿先生ご提供）．

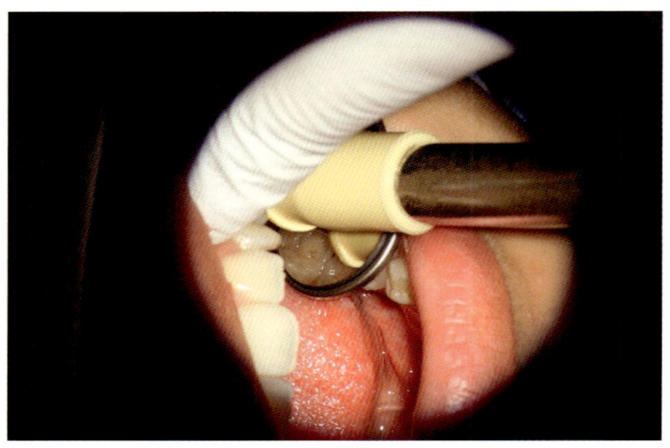

図16　術者の視野がアシスタントの指やバキュームで妨げられている．このようなことは避けたい．

5 実習セミナー時に受講者からよく受ける質問

歯科衛生士向けに，マイクロスコープの使い方の実習セミナーを15年ほど前から行っている．その際に受講者からよく受ける質問を紹介する．

Q マイクロスコープをどのタイミングで使えばよいのでしょうか？肉眼で見て問題を見つけてから使うのでしょうか？

A いいえ．肉眼で見て問題がないと思えても，拡大して見ると問題があるということは多々あります．そのためすべての患者さんの全顎を見ることを強くお勧めします．

Q ポジショニングはどうしたらよいでしょうか？

A 基本的には肉眼で行っているポジショニングで良いと思います．しかし，ミラー視で全顎をきれいに見られる，オススメのルールはあります．上顎の場合には患者さんの上顎咬合平面が床に対して垂直に，下顎の場合には，上顎の姿勢で見えにくかったら少し頭を起こします．右側の場合には患者さんの顔を右に，左側の場合には左にやや傾けると良いでしょう．

マイクロスコープを使うときはバックポジションでなくてはならないと思い込んでいる方もいますが，決してそんなことはありません．フロントポジションやサイドポジションのほうが行いやすい部位も多いのです．とくに下顎はミラー像が上下反転することなく，器具も動かしやすいです（図17, 18）．

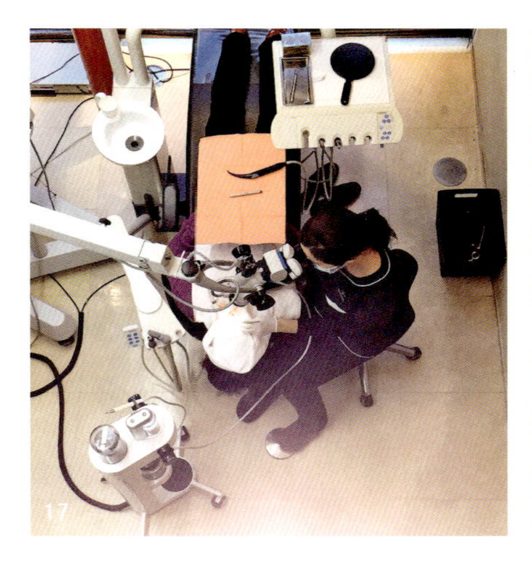

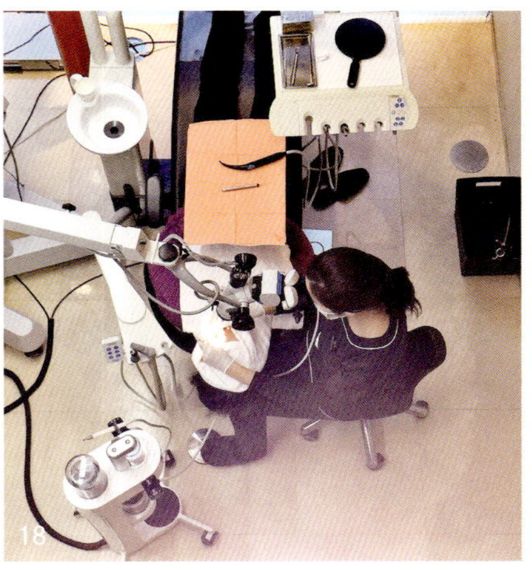

図17　フロントポジション．
図18　サイドポジション．

6 まとめ

近年，多くの歯科衛生士がマイクロスコープを使い始め，各々で工夫したり取り組んでいることもあるだろう．その情報を互いに共有し，マイクロスコープがさらに使いやすいものとなればと思う．そして多くの患者さんがその恩恵を受けられたらと願う．この記事がその一助になれたら幸いである．

Thinking ahead. Focused on life.

コンポジタイト 3D システム フュージョンキットⅡ

離開力、豊隆、操作性を取りそろえたⅡ級窩洞用3Dマトリックスシステム

・緊密なコンタクトポイントと天然歯に近い豊隆を再現
・離開力と適合性がキーポイント
・3ステップの簡単装着で「臼歯」の治療をスムーズに

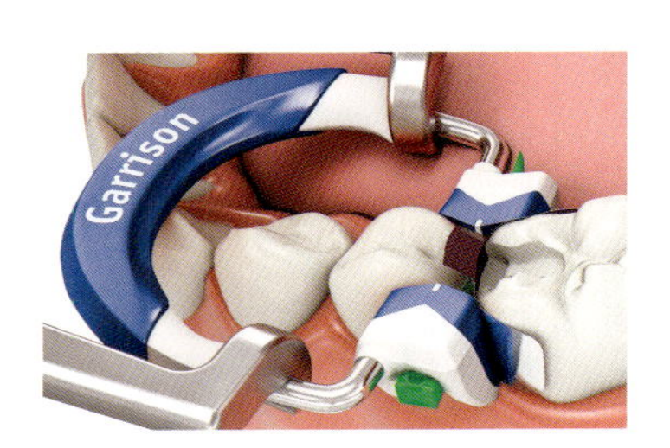

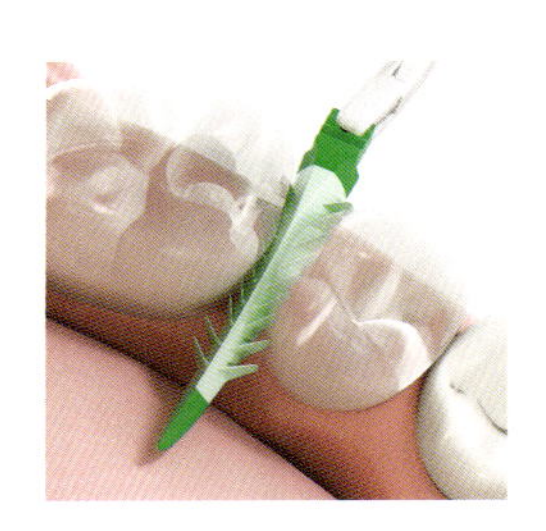

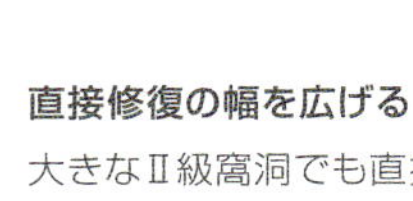

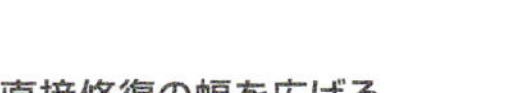
直接修復の幅を広げる

大きなⅡ級窩洞でも直接修復が可能です。
3Dリテーナーフュージョン L(グリーン)
標準価格:17,900円

セット内容:
3Dリテーナー フュージョン S 1入
フュージョンバンド 5種 ×各5入
フュージョンウェッジ 4種 ×各10入
リングフォーセップス フュージョン 1入
標準価格:41,800円

販売名:コンポジタイト 3D リテーナー　一般的名称:歯科用マトリックスリテイナ　クラス分類:一般医療機器(クラスⅠ)　医療機器届出番号:27B1X00109000233 / 販売名:コンポジタイト 3D システム　一般的名称:歯科用充填・修復材補助器具　クラス分類:一般医療機器(クラスⅠ)　医療機器届出番号:27B1X00109000236 / 販売名:コンポジタイト 3D リングフォーセップス　一般的名称:歯科用充填・修復材補助器具　クラス分類:一般医療機器(クラスⅠ)　医療機器届出番号:27B1X00109000234 / 販売名:フュージョンバンド　一般的名称:歯科用マトリックスバンド　クラス分類:一般医療機器(クラスⅠ)　医療機器届出番号:27B1X00109000330

発売 株式会社モリタ 大阪本社:大阪府吹田市垂水町3-33-18　〒564-8650 T 06. 6380 2525　東京本社:東京都台東区上野2-11-15　〒110-8513 T 03. 3834 6161
お問合せ:お客様相談センター T 0800. 222 8020 (フリーコール)
製造 ギャリソン・デンタル・ソルーションズ

●仕様及び外観は製品改良のため予告なく変更することがありますのでご了承ください。●ご使用に際しましては、製品の添付文書および取扱説明書を必ずお読みください。
●標準価格は、2019年2月21日現在のものです。標準価格には消費税等は含まれておりません。

More Infos about Products: www.dental-plaza.com

PART
3

New Topics

歯肉縁下に及ぶ臼歯部隣接面う蝕に対するコンポジットレジン修復

菅原佳広*[1]／大橋　誠*[2]／小椋一朗*[3]／水橋　史*[4]／関口博一*[5]／三枝尚登*[1]

*[1]日本歯科大学新潟病院総合診療科
*[2]日本歯科大学新潟病院歯科麻酔・全身管理科
*[3]日本歯科大学新潟生命歯学部歯科放射線学講座
*[4]日本歯科大学新潟生命歯学部歯科補綴学第1講座
*[5]日本歯科大学新潟病院歯科技工科
*[1]代表連絡先：〒951-8580 新潟県新潟市中央区浜浦町1-8

はじめに

臼歯部における隣接面う蝕にはエナメルクラックが認められ，このクラックに沿ってう蝕が歯肉縁下に及ぶこともめずらしくない．しかし，隣接面に限局するう蝕に対して間接法による修復を行う場合，歯質削除量が過大となり，残存歯質の強度を著しく低下させる危険性がある．そのため直接法によるコンポジットレジンの修復が望ましいと考えられる．

コンポジットレジンを用いた直接法修復においては適切な隣接面コンタクトの回復と窩壁適合性が重要であり，いくつかの方法がある．そのなかで，セクショナルマトリックスとセパレーションリングを用いた方法が最適であると考えられるが，適応範囲が狭く，歯肉縁下にう蝕が及ぶ場合には適応できない．そこで，歯肉縁下の部分に対する充填と隣接面コンタクト部の充填を2段階に行う方法について，臨床例を通して報告する．

臼歯II級のコンポジットレジン充填法

マイクロスコープを用いて観察すると，臼歯部の隣接面う蝕の部位には必ずエナメルクラックが認められる（図1）．エナメルクラックが原因でう蝕が発生したのか，う蝕が原因でエナメルクラックが発生したのかは現在のところ解明されていない．しかし，その治療においてはエナメルクラックに沿って象牙質にもう蝕の進達がみられるため，窩洞外形が歯肉縁下に及ぶこともしばしば見受けられる．

一方，臼歯II級のコンポジットレジン充填法は多くの種類があり，求められる要件としては隣接面コンタクトの回復と窩縁の適合性である．一般にセクショナルマトリックスとセパレーションリングを組み合わせた方法（図2）とサーカムファレンシャルマトリックスとトッフルマイヤーリテイナーを組み合わせる方法（図3）がある．そのなかで，セクショナルマトリックスとセパレーションリングを組み合わせたほうが隣接面のコンタクト圧が強くなるといわれている[1]．

また，サーカムファレンシャルマトリックスシステムを用いた場合とフレキシブルなセクショナルマトリックス（ポリエチレンテレフタレート製）を用いた場合に，メタルのセクショナルマトリックスを用いた場合よりもマージン部のオーバーハングが少なくなるといわれている[2]．

形態学的な分析ではセクショナルマトリックスとセパレーションリングを用いた場合が解剖学的な輪郭を示し，サーカムファレンシャルマトリックスシステムを用いた場合のほうが平面的な輪郭を示した

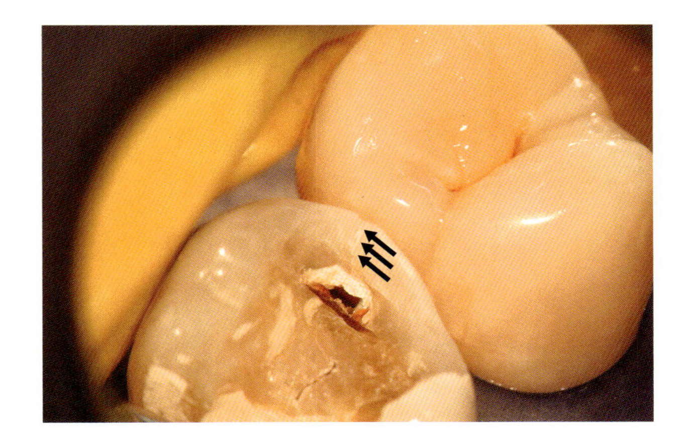

図 1　隣接面う蝕とエナメルクラック（矢印）.

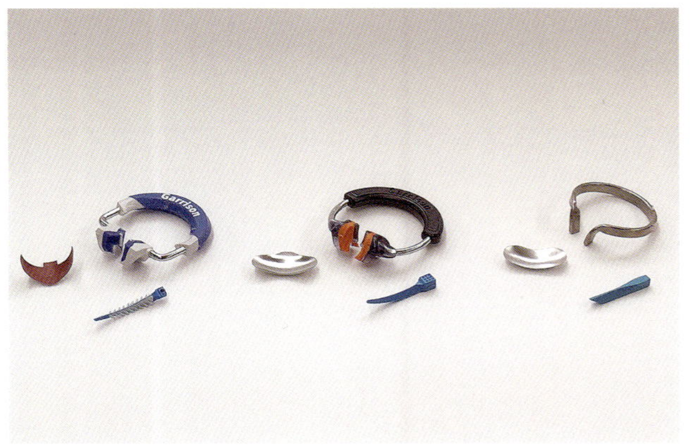

図 2　プレカーブの付いたセクショナルマトリックスとセパレーションリングのシステム．左から，コンポジタイト 3Dフュージョン（モリタ），コンポジタイト 3D（モリタ），バイタインリング（パロデント）.

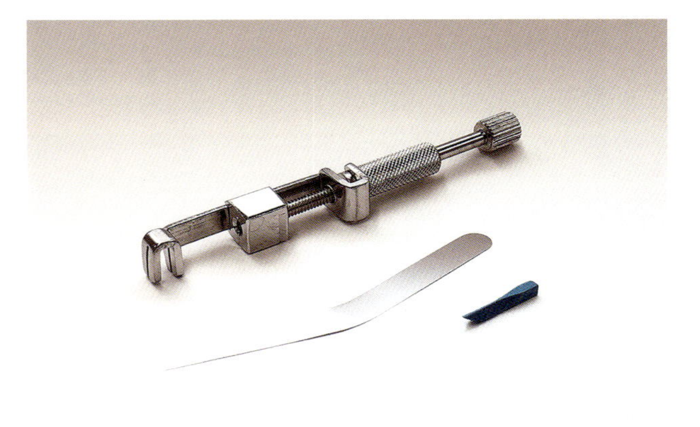

図 3　サーカムファレンシャルメタルマトリックスとトッフルマイヤーリテイナー（YDM）.

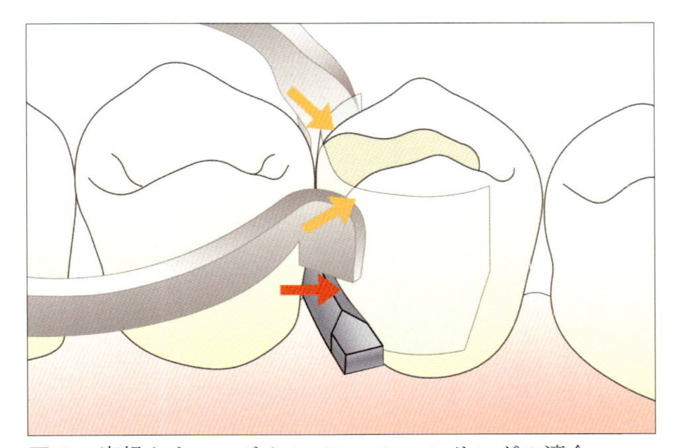

図 4　窩縁とウエッジやセパレーションリングの適合.

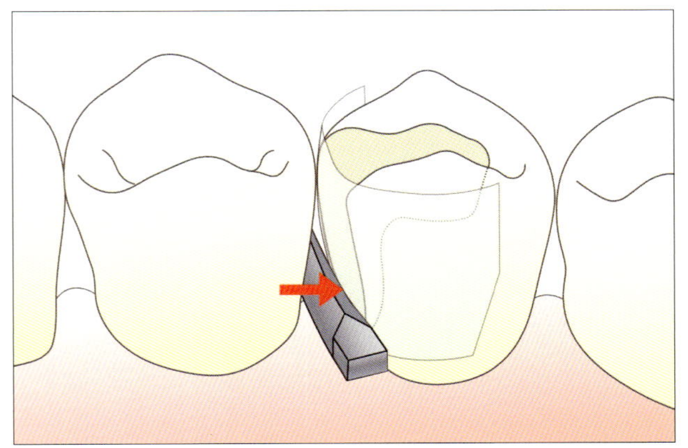

図 5　ウエッジ設置部位の歯質欠損.

とされている[3].

　これらのことから，臼歯部隣接面う蝕の比較的小さめの窩洞形態に対してフレキシブルなセクショナルマトリックスとセパレーションリングを用いた方法が適切であると考えられる．これらのシステムの共通点は，セクショナルマトリックスと窩縁を適合させることと，リングの力によって歯間離開させセクショナルマトリックスの厚みを補償することである．そのため，ウエッジが接触する歯肉側の窩縁部分とリングが接触する頬舌側の窩縁部分に十分な歯

Case 1

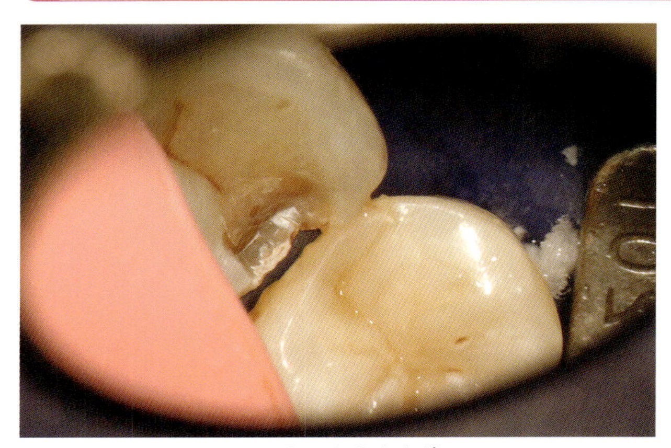
図6　エナメルクラックをともなうう窩.

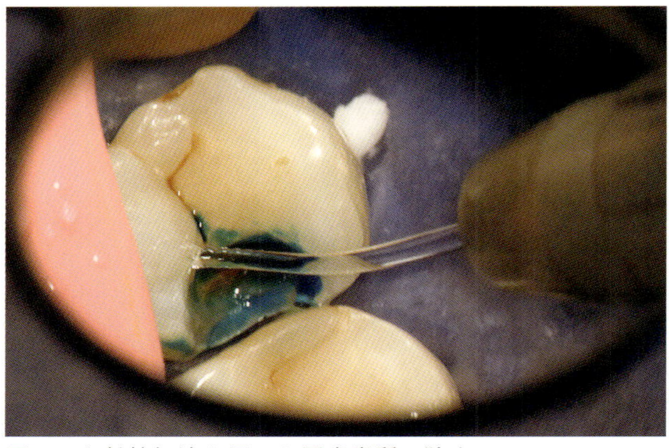
図7　う蝕検知液を用いた罹患歯質の除去.

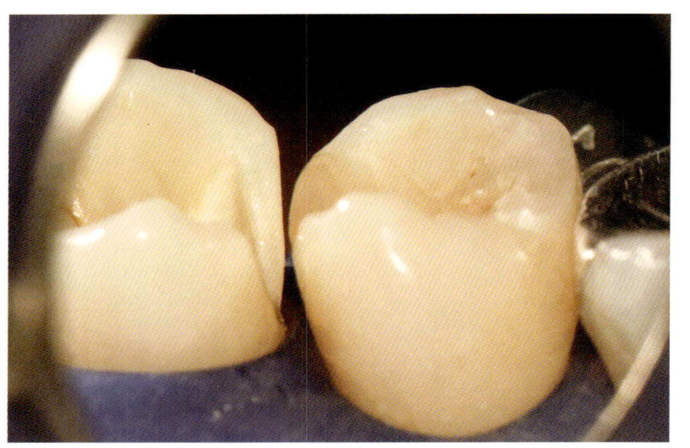
図8　歯肉縁下に及ぶ歯肉側窩縁.

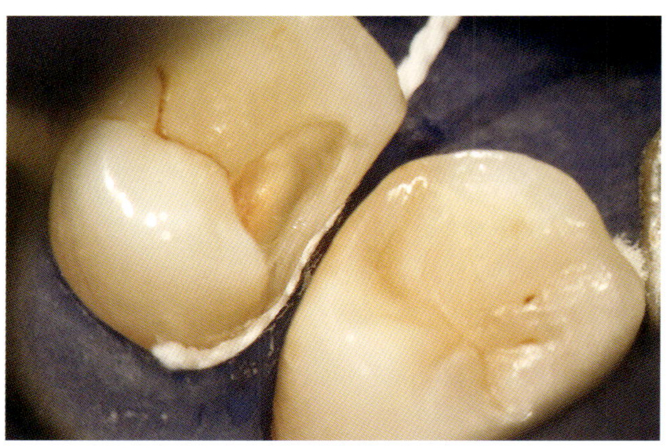
図9　ラバーダム防湿の上からの圧排糸挿入.

質が残存している場合のみが適応症となる(図4).

とくに前述の歯肉縁下にう蝕が達している場合には窩洞外形が大きくなり，ウエッジを設置する場所に歯質が残存していないため，セクショナルマトリックスをウエッジにより適合させることが不可能となる(図5).このような場合は，あらかじめコンポジットレジンを充填し窩洞外形を縮小し，セクショナルマトリックスが窩縁に適合する形態を付与する対応が必要と考える.

臨床例による充填方法の解説

上顎右側第一小臼歯遠心隣接面にエナメルクラックをともなうう蝕が認められる(図6).ラバーダム防湿を行い，確実に歯肉溝内にラバーダムシートを送り込むためにフロスを用いて結紮する.さらに，フロスを歯肉縁下に探針を用いて挿入していく.この作業によって歯間乳頭をラバーダムシートで歯根側に押さえ込むことができる.う蝕が歯肉縁下に到達していることが予想される場合は，確実なラバーダム防湿がとくに重要である.う蝕検知液で染色し確実に罹患歯質を除去していく(図7).ベベルを付与し窩縁部を整えると歯肉側窩縁はラバーダムシートより歯根側に位置することになり，歯肉縁下に達していると考えられる(図8).このため，ラバーダム防湿の上から圧排糸を挿入し，窩縁とラバーダム

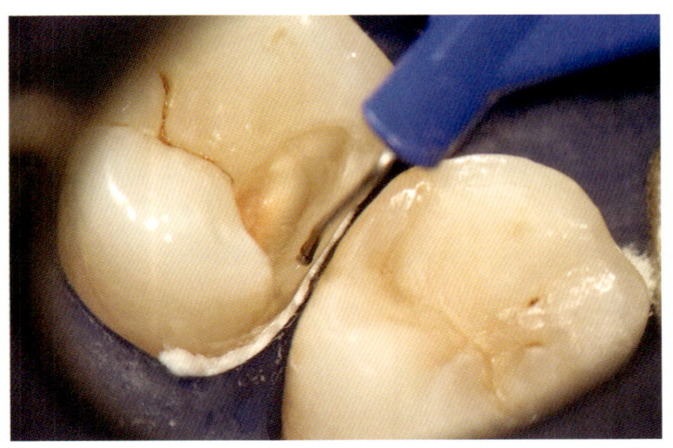
図10 セクショナルマトリックスを適合させるための窩洞外形の縮小.

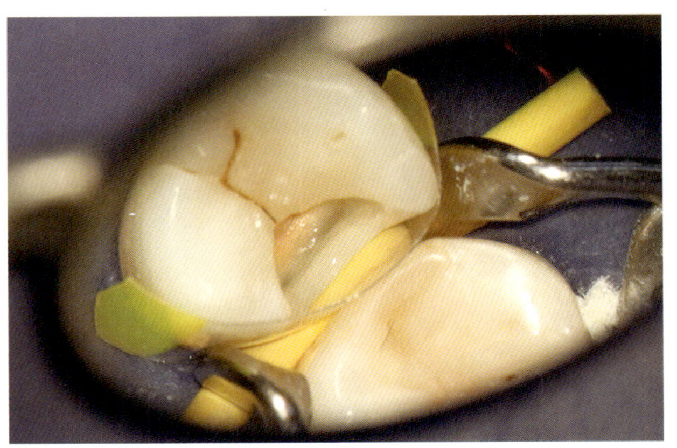
図11 セクショナルマトリックスとセパレーションリングの設置.

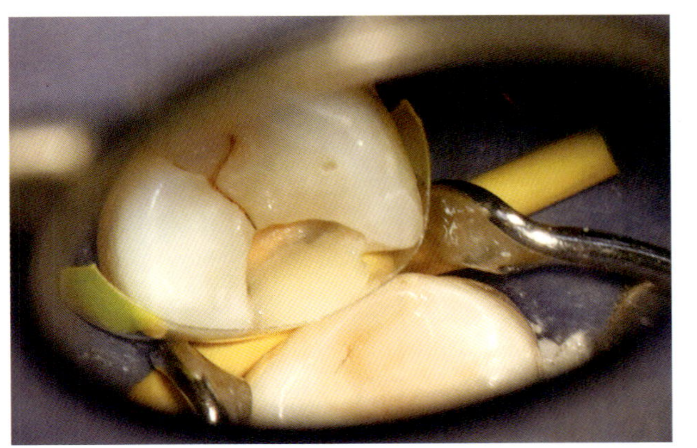
図12 歯肉側窩縁からコンタクトポイントまでの充填.

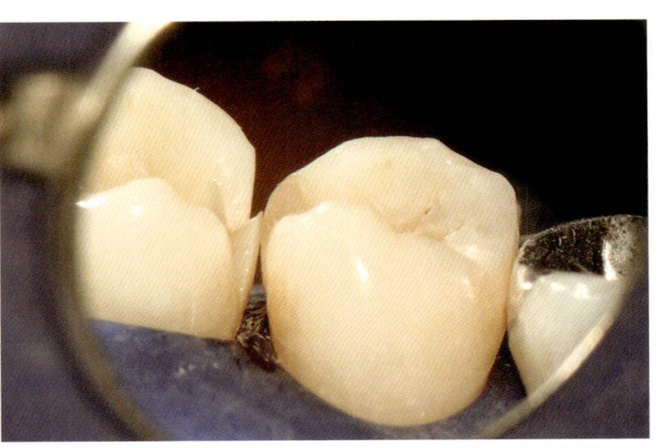
図13 歯肉側窩縁からコンタクトポイントまで適合状態.

シートの間にスペースを設ける(図９).

セレクティブエッチングとセルフエッチングプライマー系のボンディング処理を行い，フロアブルコンポジットレジンの表面張力を利用して歯肉側窩縁に適合させ重合する(図10).この時，圧排糸の太さ分の隙間が存在し，圧排糸にフロアブルコンポジットレジンが接触しないため圧排糸が接着されることはない.これによりセクショナルマトリックスが歯肉側窩縁に適合する形態が付与される.セクショナルマトリックスを設置し，ラバーウエッジを用いて歯肉側窩縁を適合させる(図11).このような大きな窩洞外形ではすべての窩縁に適合させるのは困難なため，歯肉側窩縁の適合とコンタクトの回復を優先し，その部分のみ充填していく(図12, 13).窩洞内の大部分は重合収縮応力の小さいバルクフィルタイプのコンポジットレジンを用いて，コントラクションギャップや新たなエナメルクラックを生じさせない配慮が必要となる.その後，バイタインリングとセクショナルマトリックスを外し，頬舌側の窩縁と適合するようにフリーハンドで充填していく(図14).

隣接面の充填が完了したら，ウッドウエッジを挿入し新たに歯間離開を行い，遠心の辺縁隆線を作っていく(図15).咬合面は佐藤の方法[4]に準じて行い色調と形態を忠実に再現していく(図16).咬合調整前に一通り研磨を行い，すべての窩縁部の適合を確認した(図17).ラバーダム防湿を撤去した後に咬合調整を行い，再度研磨を行う.後日，最終研磨を行い適合や咬合を確認した(図18〜20).

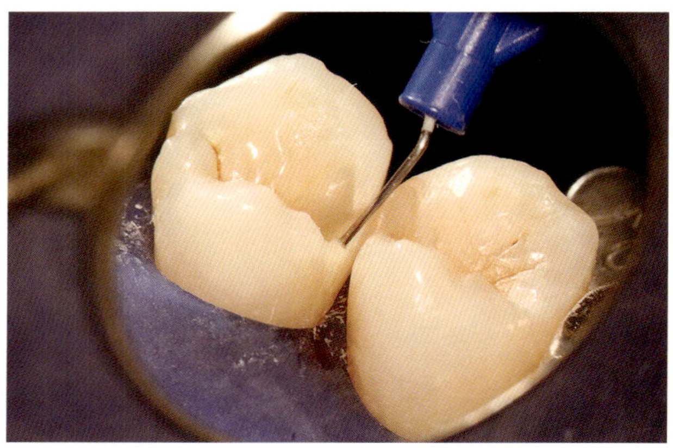

図14　口蓋側窩縁部の充填.

図15　ウッドウエッジによる歯間離開と辺縁隆線の充填.

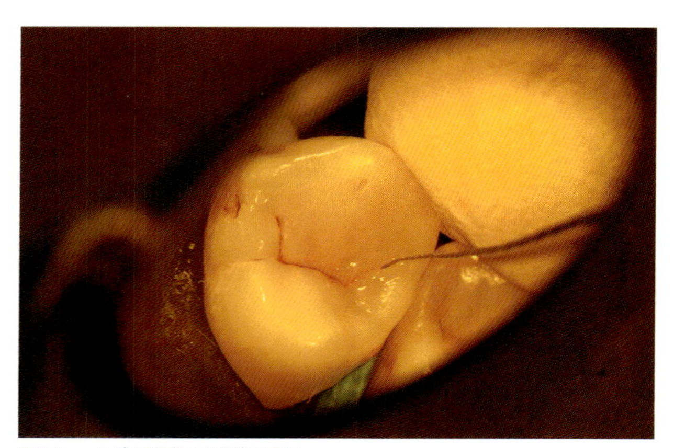

図16　小窩裂溝の形態再現.

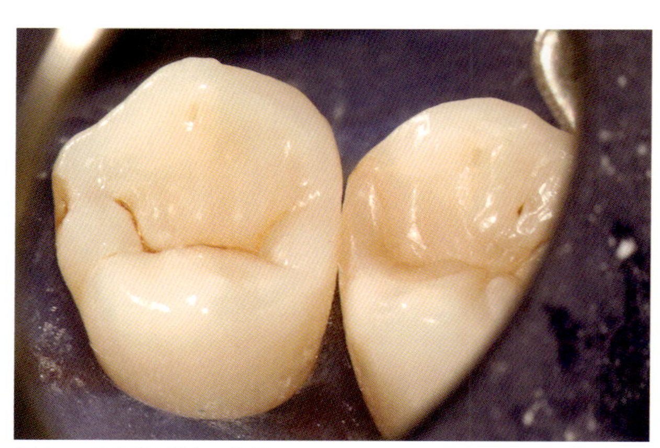

図17　充填完了時の状態.

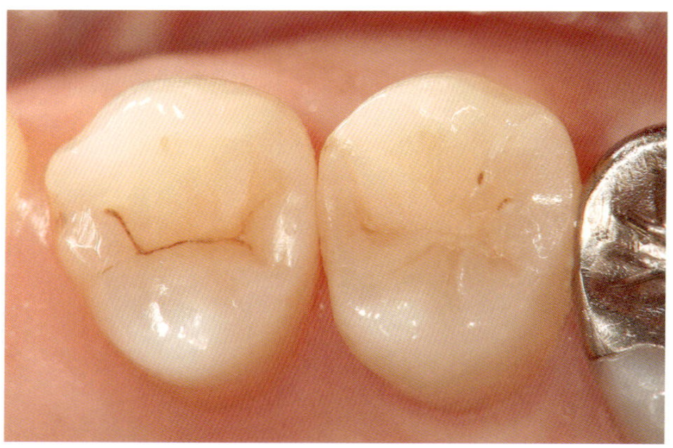

図18　術後３週間の咬合面観.

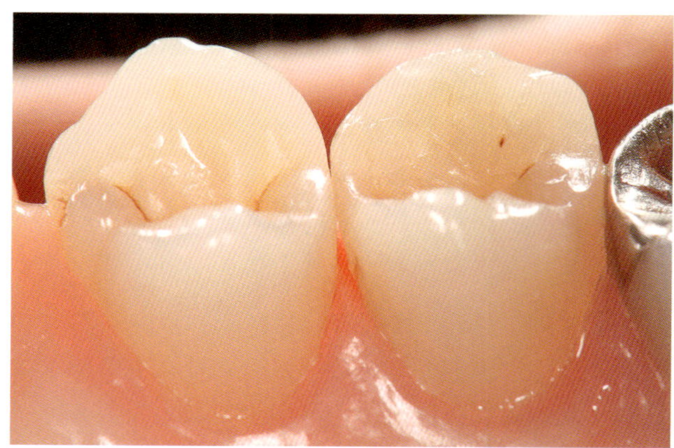

図19　術後３週間の口蓋側面観.

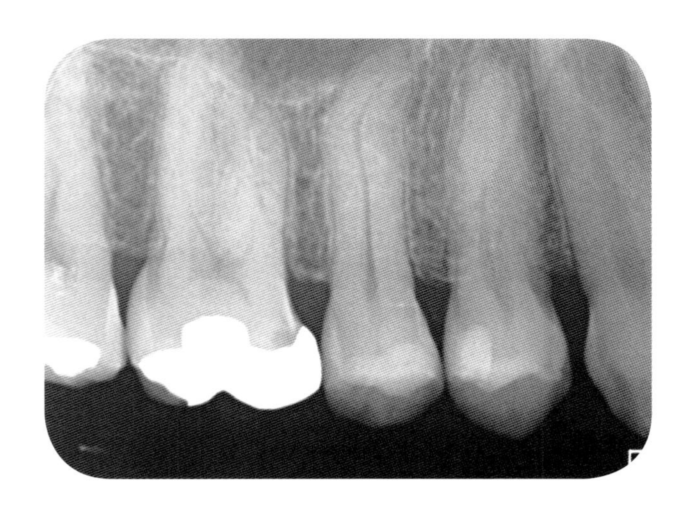

図20　術後のエックス線写真.

まとめ

臼歯部隣接面において，初期う蝕の場合はコンポジットレジン修復が第一選択となる．しかし，インレーからの再修復や，歯肉縁下に及ぶう蝕に対しては，直接法と間接法の選択に悩む．直接法修復では健全歯質の犠牲が最小限となるメリットがあるが，治療の難易度はきわめて高い．これに対し間接法修復では健全歯質の犠牲が増加し，残存歯質の強度が低下することが考えられる．治療の難易度に関しては，ラバーダム防湿によるフィールドコントロールやマイクロスコープによる拡大視野によって対応可能と思われるが，残存歯質の強度低下に関しては対応不可能である．よって，マイクロスコープを用いるメリットを最大限に活かして直接法で行うことが望ましいと考える．

参考文献

1．Loomans BA, Opdam NJ, Roeters FJ, Bronkhorst EM, Burgersdijk RC, Dörfer CE. A randomized clinical trial on proximal contacts of posterior composites. J Dent 2006；34(4)：292-297.

2．Loomans BA, Opdam NJ, Roeters FJ, Bronkhorst EM, Huysmans MC. Restoration techniques and marginal overhang in Class II composite resin restorations. J Dent 2009；37(9)：712-717.

3．Chuang SF, Su KC, Wang CH, Chang CH. Morphological analysis of proximal contacts in class II direct restorations with 3D image reconstruction. J Dent 2011；39(6)：448-456.

4．Sato T. A novel technique of maxillary molar class I restoration incorporating resin-composite under dental operating microscope. Int J Microdent 2018；9(1)：6-12.

PART 1
PART 2
PART 3
PART 4

臼歯部多数歯ラバーダム防湿におけるパンチング位置と防湿範囲の考察

辻本真規

福岡県開業　辻本デンタルオフィス
連絡先：〒810-0062 福岡県福岡市中央区荒戸2-1-18 アスエリア大濠公園2F

はじめに

ラバーダム防湿には多くの利点があることは，歯科医師であれば大学で教育を受けたことと思われる．しかし，日本におけるラバーダム防湿の実施頻度は低いのが現状である．繊細な作業を要するマイクロスコープを使用した臨床において，ラバーダム防湿は頬粘膜や舌の排除により，治療範囲に集中できるので非常に有用であると考える．

Wada-Yoshidaら[1]が日本顕微鏡歯科学会会員の歯科医師（1,148名中349名回答，回答率30.4％）に対して行った調査では，根管治療時のラバーダム防湿実施状況は，「すべての症例で行う」が57％であり，吉川ら[2]の調査における日本歯内療法学会会員の「必ず使用する」者25.4％の使用率を大きく上回る．また，「症例によって行う」も合わせると93％となり，日本顕微鏡歯科学会会員の意識の高さがうかがえる．しかし，コンポジットレジン充填やレジン築造など，接着操作を行う処置で「すべての症例で行う」が10％と23％，「症例によって行う」は69％と40％であり，接着操作時の使用率は低くなっている．その背景として，大学教育や卒後教育の不足が考えられる．とくに今回のテーマである多数歯防湿に関しては，歯科大学や歯学部で教育した実績等の報告は見当たらない．多数歯防湿についての情報はほとんどないため，どのようにすれば適切なラバーダム防湿ができるのかを検討することは重要である．

多数歯ラバーダム防湿における問題点として，パンチング位置や間隔の不備による防湿範囲での歯肉の露出やラバーダムシートのしわ（ラバーダムシートが余っている），防湿側のラバーダムシートの辺縁の長さ不足による患者口角の圧迫，防湿範囲をどこまでとるか，などが挙げられる（図１）．

そこで，本研究では臼歯部多数歯防湿における適切なパンチング位置および防湿範囲を，模型を使用して検討した．

材料と方法

シンプルマネキンⅢ（ニッシン）に頬粘膜ボックスフルカバーSPMⅢ（ニッシン），顎模型（P6FE-OOP.4）（ニッシン）を装着した．防湿対象とする歯は実験１，２では，上顎左側犬歯－第二大臼歯（以下＃23－＃27），実験３では上顎右側中切歯―左側第二大臼歯（以下＃11－＃27）とした．ラバーダムシートはDermaDamノンラテックス（６インチ×６インチ）（ウルトラデントジャパン）を使用した．基準となるテンプレートとしてN.D.Uラバーダムテンプレート（以下N，デンテック），Hu-Friedyラバー

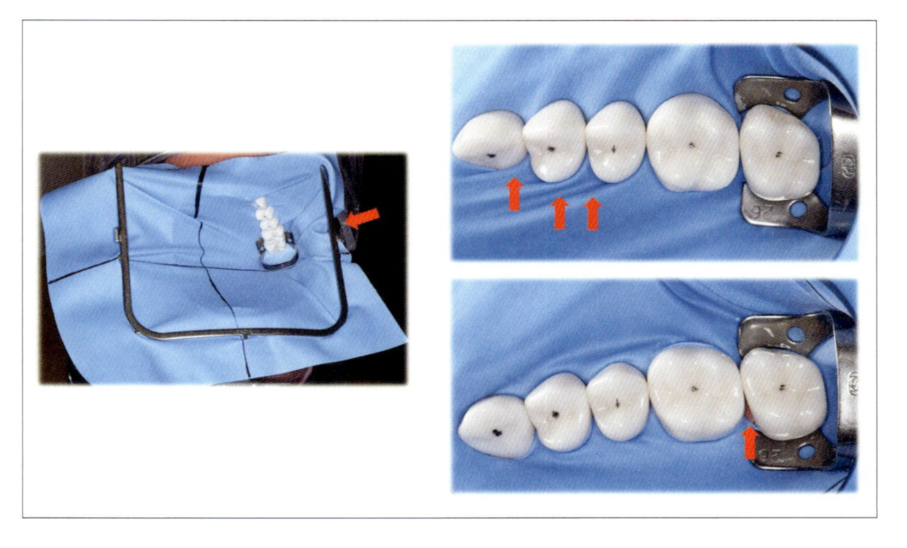

図１　ラバーダムシートの偏りや，しわ，隙間など多数歯防湿時の問題点は多い．

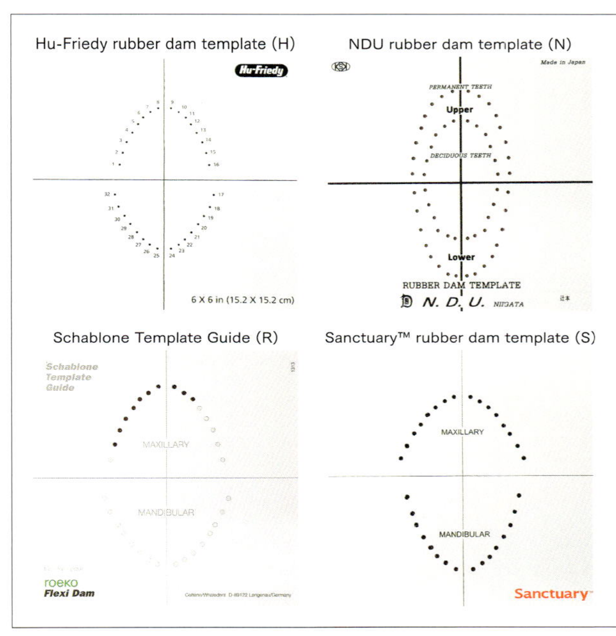

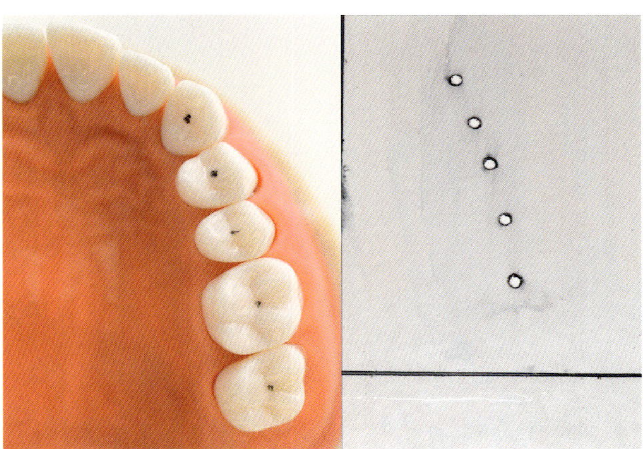

図３　カスタムテンプレート．

図２　各種テンプレート．

ダムテンプレート(以下H，ヒューフレディ・ジャパン)，Schablone Template Guide(以下R，roeko，Germany)，SanctuaryTMラバーダムテンプレート(以下S，Sanctuary Health，Malaysia)および，菅原ら[3]のパンチングの方法を参考に作成したカスタムテンプレート(以下カスタム)を使用した．カスタムは模型の歯，大臼歯では中心窩，小臼歯では，咬合面中心にプロットし，その位置をパンチング位置とし，透明なプラスチックのシートに位置を印記し，カスタムのパンチング位置とした．

パンチングは，ラバーダムパンチ(スプリングクロー，Ciメディカル)で大臼歯は直径2.0mm，小臼歯，犬歯，前歯は直径1.6mmでパンチングを行った．ラバーダムクランプは26(デンテック)，207(YDM)を使用した．各テンプレートを図２，３に示す．

実験１－１：テンプレートによるラバーダムシートの左右的位置関係の検討

多数歯防湿の際，ラバーダムシートが患側で辺縁長さが不足する要因を検討した．５種類のテンプレートを使用して比較を行った．その際，ラバーダムシートに縦横の中央となる線を記し，中心をテンプレートと合わせ，＃23－＃27のパンチングを行い，ラバーダム防湿を行った．写真を撮影し，左右のラバーダムフレームから出ている余剰なラバーダムシートの幅を観察した．

実験１－２：パンチングの左右的位置の変更によるラバーダムシートの左右的位置関係の検討

カスタムを使用して，ラバーダムシート中心から左右的に－10mm，－５mm，＋５mm，＋10mmと位置を変化させ，実験１－１と同様に＃23－＃27までラバーダム防湿を行い，写真撮影をし，左右のラバーダムフレームから出ている余剰なラバーダムシートの幅を観察した．

実験２－１：５種類のテンプレートの穴の位置の違いと防湿時の問題点の比較

５種類のテンプレートを基準にパンチングをし，＃23－＃27までラバーダム防湿を行った．各テンプレートの問題点を検討した．各歯種間の評価をラバーダムシート間で，各歯間のラバーダムシートの状態の評価をシートにしわがよっている（間隔が広い：＋），適正（０），歯肉が見えている（間隔が狭い：－）とし，評価を行った．

実験２－２：実験２－１から５種類のテンプレートにはパンチング位置が外側のカーブを描くカスタムとN，内側のカーブを描くH，R，Sがあることがわかった

内側のカーブを描くもののなかで結果が良かったRと外側のカーブを描くカスタム，それぞれのパンチングの間隔はそのままに位置関係（カーブ）を逆にして比較を行い，カーブの設定が防湿のクオリティに及ぼす影響を検討した．

実験３：ラバーダム防湿範囲がシートに与える影響の検討

実験２から得られた結果をもとに適切な間隔を決定し，その値を今回の模型に対する理想的間隔とした．ラバーダム防湿の範囲を＃11－＃27までとし，理想的間隔でRのカーブに沿わせてパンチングをしたものと，カスタムのカーブに沿わせてパンチングをしたものを比較した．次いで，防湿範囲は同様とし，ラバーダムシートの上から＃15に対してラバーダムクランプ（207，YDM）を口蓋側のしわを延ばしながらかけ，状態を比較した．

結果

実験１－１

５種類のテンプレートいずれもシートとフレームの位置関係には大差がなかった．つまり，左側のシートの余剰部が少なく，右側のシートの余剰部が多くなった（図４）．

実験１－２

カスタムで左右的位置関係を変化させたものでは＋にいくほど左側のシートの余剰が少なくなり，フレームをかけるのが困難になっていった．－にいくほどシートの余剰の差がなくなった．今回のなかでは－10mmがもっとも適切であった（図５）．

実験２－１

５つのテンプレートを比較するとNとカスタム，HとRとSが近い位置関係を示した．各テンプレートの歯間距離を表１に示す．各歯間のラバーダムシート評価の結果，カスタムが＃23－＃24間，＃24－＃25間，＃25－＃26間，＃26－＃27間の順に＋，＋，＋，＋，Nが＋，＋，＋，＋，Hが０，０，０，－，Rが０，０，０，－，Sが０，＋，＋，－となり，間隔が近似しているHとRが良い結果を示した．

図６に各テンプレートの結果を示す．H，Rともに＃26－＃27間が短いので，カスタムとの中間をと

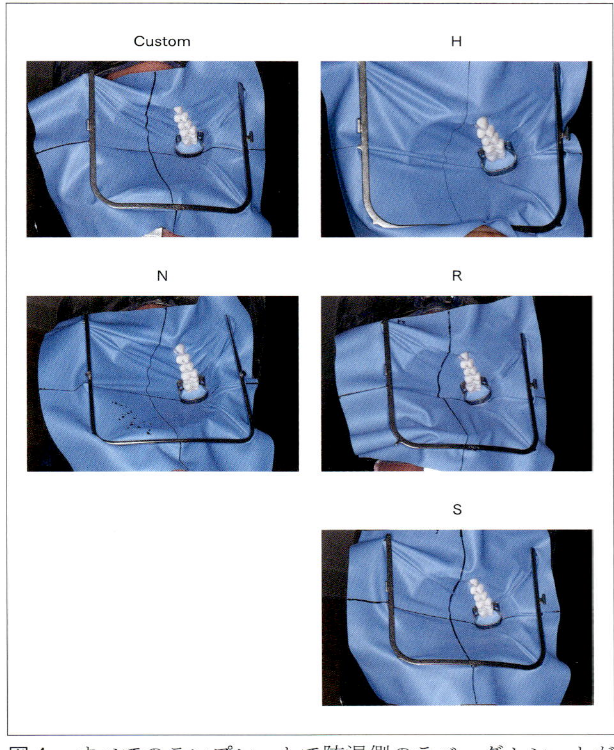

図4　すべてのテンプレートで防湿側のラバーダムシートが短くなっている．

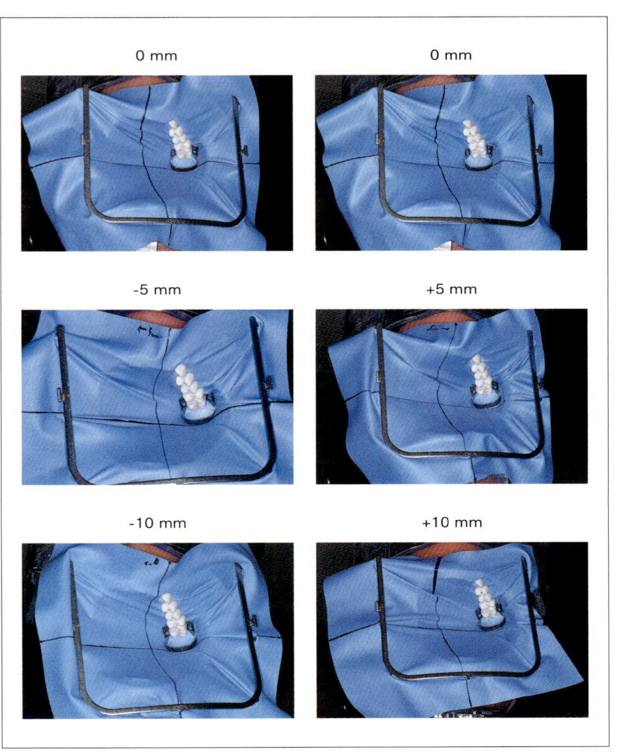

図5　パンチング位置が＋にいくほど，左側のラバーダムシートの余剰がなくなっている．－にいくほど左側の余剰部が残っている．

表1　各テンプレートの歯間距離(パンチングした穴の中心から中心)を示す．

	Distance (mm)				
	Custom	N	H	R	S
Canine– 1st premolar	7.5	8	5	5	5.5
1st premolar– 2nd premolar	7	7.5	6.5	6.5	6
2nd premolar– 1st molar	9.5	9	6.5	6	5
1st molar– 2nd molar	10	9	7	7	7

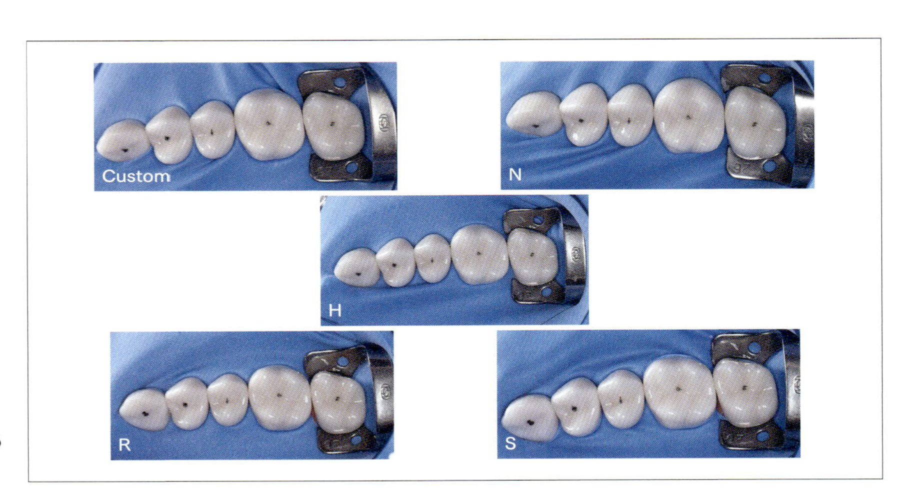

図6　各種テンプレートで防湿したものを示す．

PART 1
PART 2
PART 3
PART 4

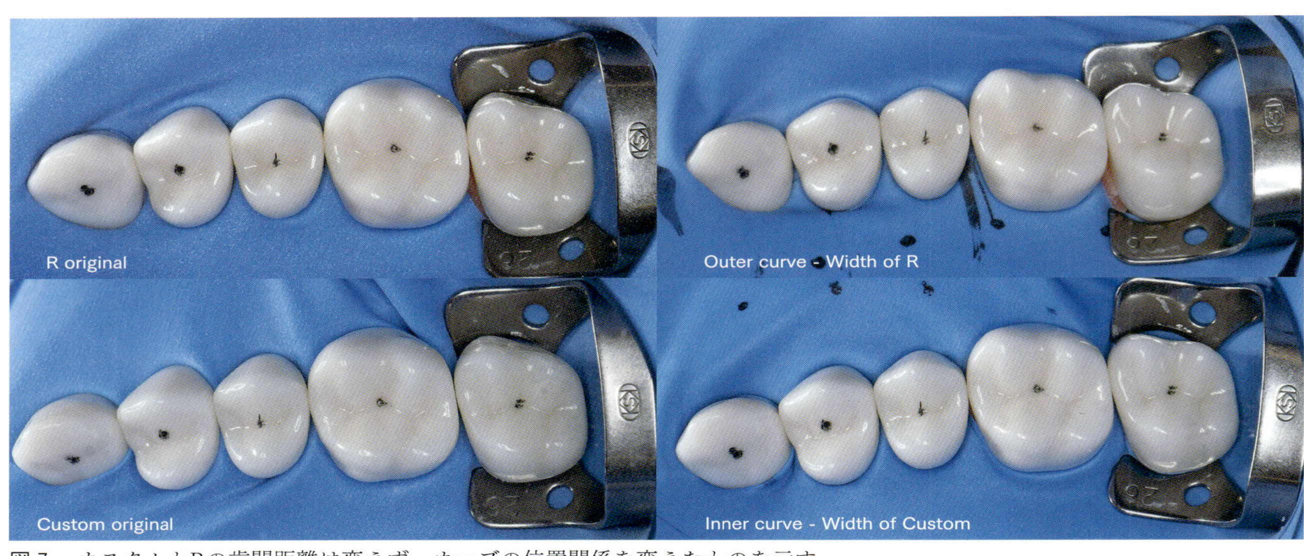

図７　カスタムとRの歯間距離は変えず，カーブの位置関係を変えたものを示す．

り，＃26－＃27間を８mmにするのが適切と思われ，理想的間隔とした．

実験２－２

カスタムのカーブに合わせてＲの幅では各歯種間で０，０，０，－，Rのカーブに合わせてカスタムの幅だと＋，０，０，０となった（図７）．

実験３

全体的に右に10mm中心からずらした位置で，外側のカーブ，内側のカーブに合わせ理想的な幅でパンチングを行った結果，各歯間でカスタムの位置０，０，０，０，Rの位置０，０，０，０となった．しかし，カスタムの位置では頬側にわずかにしわがよった．通常の歯列関係よりパンチング位置が内側に入っているＲのほうが良好な結果が得られた（図８）．

つづいて防湿範囲を＃11-＃27とした場合，どちらの方法でも歯とは離れた位置で，口蓋側のしわがよっていたが，カスタムのほうがしわが多くできていた（図９）．

また，＃15に対して口蓋側のしわを延ばしながらクランプをかけた場合，カスタム，Rともに口蓋のしわはなくなったが，カスタムでは＃21－＃22，＃24－＃25，＃25－＃26間で頬側にしわができていた（図10）．

考察

実験１－１の結果からどのテンプレートでも，ラバーダムシートの中心に合わせると防湿側でラバーダムシートが短くなることが観察された．テンプレートによる差はなく，実験１－２で行った防湿側と逆側に10mm移動させてパンチングを行うことにより，左右のラバーダムフレームから出ている余剰なラバーダムシートの幅が同様になることが判明した．一般的にはテンプレートはラバーダムシート中心に合わせて使用されるが，臼歯部多数歯防湿においては，防湿側と反対に10mmほど移動させて使用するほうが良いことが示された．

ラバーダムテンプレートの歯間距離や歯列弓の設定はさまざまである，今回５種類のテンプレートはそれぞれ違っていたが，S，R，Hの３つと，Nとカスタムは比較的似た歯列弓のカーブを描いていた．つまり内側のカーブと外側のカーブを描く，歯間距離もそれぞれで近い数値であった．実験２－１からH，Rが＃26－＃27間以外では良い成績を示したが，＃26－＃27間はどのテンプレートでも適切な状態を得られなかった．カスタムは咬合面中心に設定しているため，パンチング位置は，歯と歯の中心距離よ

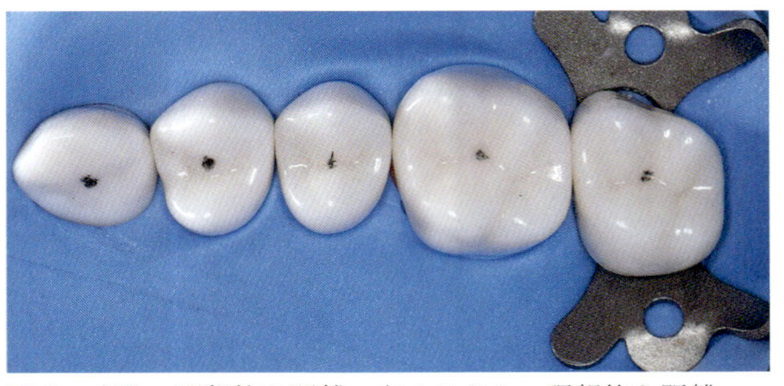

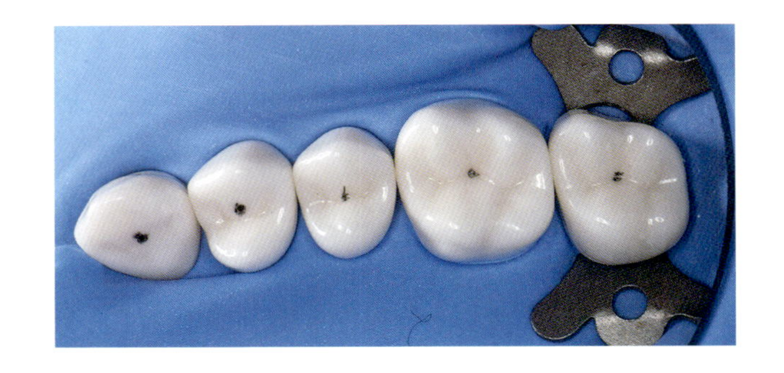

図 8　左R－理想的な距離，右カスタム－理想的な距離．

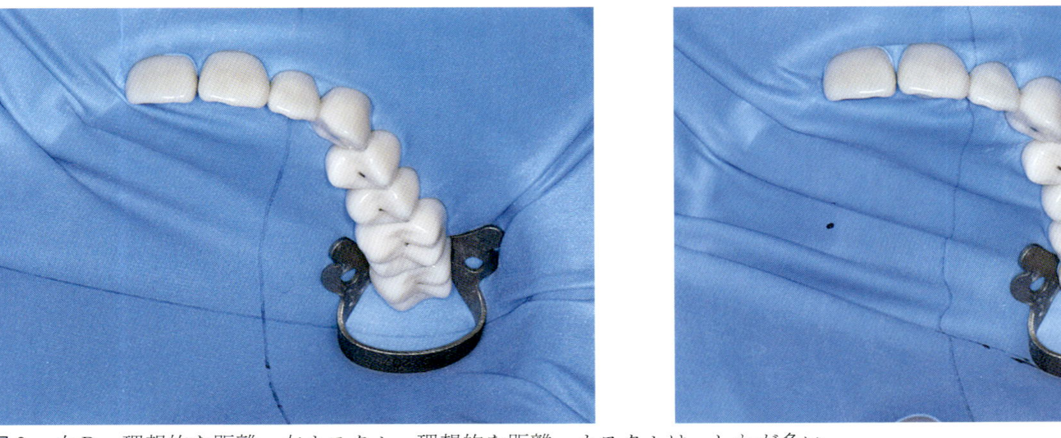

図 9　左R－理想的な距離，右カスタム－理想的な距離．カスタムは，しわが多い．

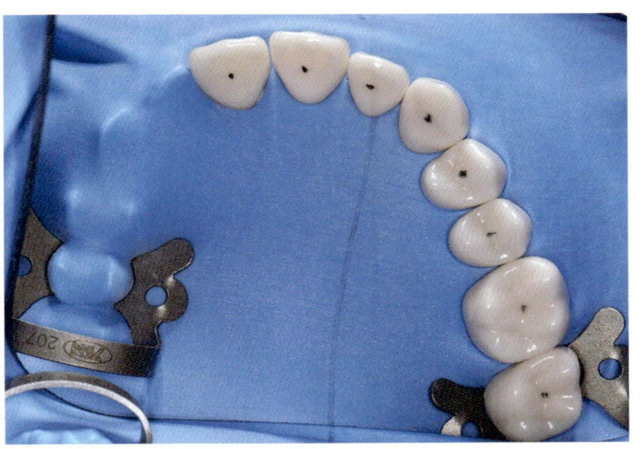

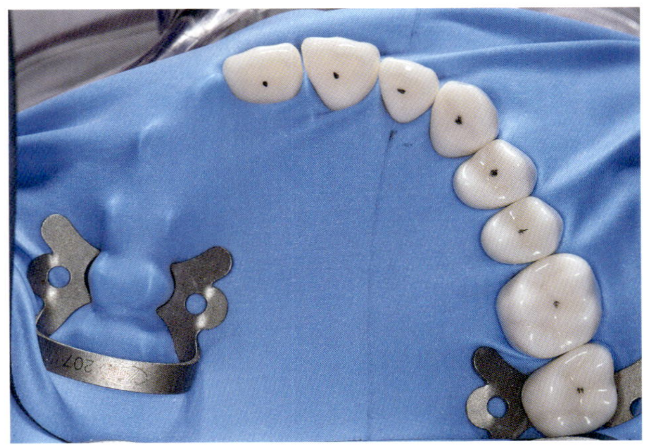

図10　左R－理想的な距離＋＃15にクランプ，右カスタム－理想的な距離＋＃15にクランプ．カスタムでは頬側にわずかにしわができている．

りも短いほうが良いことが示唆された．

実験２－２ではカーブの影響について観察した．カスタムは実験２－１で結果が＋，＋，＋，＋となっていたが，Rのカーブに沿わせてパンチングすることにより＋，０，０，０と結果が改善した．一方，カスタムのカーブに沿わせたRの幅では０，０，０，－であった．この結果から歯間距離が適切であれば，カーブの違いはあまり関係ないが，歯間距離が不適切な場合は内側のカーブのほうが結果は改善するため，臨床においては歯列弓に対して内側のカーブを描くようにパンチングをするほうが良いことが示唆された．

実験１，２から，全体的なパンチング位置は防湿側と逆側に10mm，理想的なパンチング距離はRの

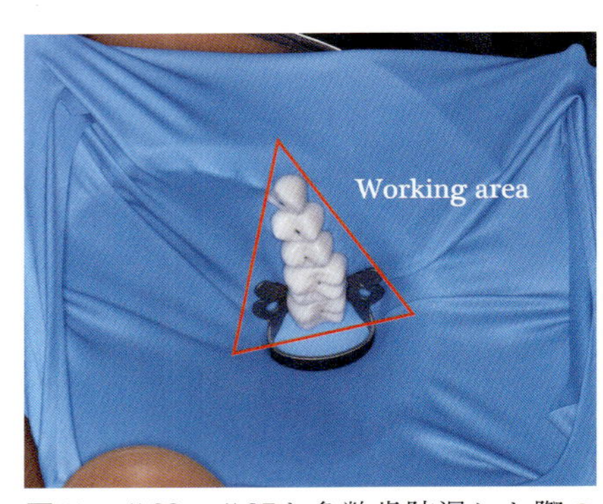

図11　#23－#27を多数歯防湿した際の作業範囲.

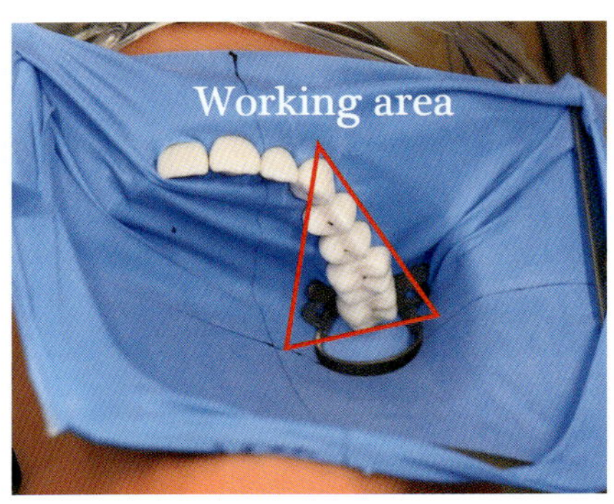

図12　防湿範囲を#11－#27に変更しても左側小臼歯付近の作業範囲はあまり改善しない.

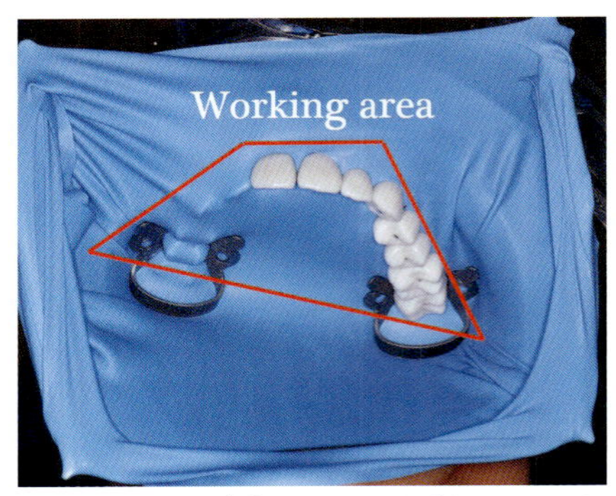

図13　#15に追加でクランプをかけると同時にラバーダムのしわを伸ばすことにより，左側小臼歯部の作業範囲が拡大した.

テンプレートで行い，#26－#27はNとRの間をとり，8mに設定し，理想的距離とした．実験3では，臼歯部の防湿範囲について検討した．**図11**に示すように#23－#27の多数歯防湿を行った場合，作業エリアは三角になり，大臼歯部では良いが，小臼歯部で作業性が悪くなる．そこで，#11－#27の多数歯防湿を行ったが，**図12**に示すように小臼歯部の作業エリアが著しく良くなったとはいえない．また，ラバーダムシート口蓋側にしわがより，視認性が悪くなる可能性がある．しわを伸ばした状態で#15にクランプを追加すると，**図13**のように作業エリアは台形に大きくなり，口蓋側のしわもなくなり，視認性も良くなった．

理想的距離でR，カスタムのカーブでパンチングをすると歯間部では問題がないが，外側のカーブでは#21－#22，#24－#25，#25－#26間で頬側にしわができていた．

今回は模型を用いたものであり，実際の患者では歯列弓や歯の大きさ，位置など画一的な状況は望めない．しかし，本実験から多数歯ラバーダム防湿時に左右的には防湿側と逆側に10mm程度ずらし，本来の歯列弓よりも内側にし，歯間距離も短めに設定することで良好なラバーダム防湿が実施できることが示唆された．

結論

今回の模型では#11－#27の防湿範囲に加え#15にクランプをかけ，テンプレートより，右に10mmの位置に#23－#26の間隔はRと同様に，#26－#27間は8mmに設定するのがもっとも適切なラバーダム防湿が行えることが示唆された．また，多数歯ラバーダム防湿時のパンチング位置は，左右的には防湿側と逆側に10mm程度ずらし，本来の歯列弓よりも内側にし，歯間距離も短めに設定することで良好なラバーダム防湿が実施できることが示唆された．

参考文献

1．Wada-Yoshida Y, Suzuki M, Uemura H et al. The Questionnaire for use of Rubber Dam to the member of Japan Association of Microscopic Dentistry. Int J Microdent 2018；9：86-91.

2．吉川剛正，佐々木るみ子，吉岡隆知，須田英明．根管処置におけるラバーダム使用の現状．日歯内療誌 2003；24(3)：83-86.

3．菅原佳広，櫻井善明，戸田成紀，松本智恵子，水川悟，宮川雄志．マイクロスコープ下における直接修復法のためのフィールドコントロール：確実な多数歯露出によるラバーダム防湿のコツ．日本歯科評論 2017；77(11)：97-104.

日本顕微鏡歯科学会における CBCTの使用に関してのアンケート調査

鈴木　誠*[1]／吉田(和田)陽子*[1]／植村　博*[2]／三橋　晃*[3]／小塚昌宏*[4]／鈴木真名*[5]／石井隆資*[6]／吉田　格*[7]／北村和夫*[6]／三橋　純*[8]／辻本恭久*[9]

*[1]日本大学松戸歯学部歯内療法学講座
*[2]有限会社ファーストタイム
*[3]神奈川県開業　鎌倉デンタルクリニック
*[4]静岡県開業　小塚歯科医院
*[5]東京都開業　鈴木歯科医院
*[6]日本歯科大学附属病院総合診療科
*[7]東京都開業　吉田歯科診療室デンタルメンテナンスクリニック
*[8]東京都開業　デンタルみつはし
*[9]日本大学松戸歯学部先端歯科治療学講座
*[1]代表連絡先：〒271-8587 千葉県松戸市栄町西2-870-1

要旨

エックス線撮影は診断，治療になくてはならない方法である．従来，口内法デンタル撮影，パノラマエックス線撮影などが使用されてきたが，1999年にCone Beam Computed Tomography(以下，CBCT)が実用化された．撮影したデータを再構成することにより，三次元画像を用いた診断ができるようになった．

本研究では，日本顕微鏡歯科学会員に対してCBCTについてのアンケート調査を行った．日本顕微鏡歯科学会正会員の歯科医師1,148名にアンケートした結果，回答は252件で回収率22.0％であった．使用しているCBCTのメーカーはモリタ(30.2%)がもっとも多く，次いでヨシダ(26.2%)が多かった．CBCTを導入した歯科医院は近年増加傾向であった．CBCTの撮影目的は歯内療法(230名)がもっとも多く，次いでインプラント(110名)が多かった．

トルコとノルウェーの報告では，CBCTの使用率がもっとも高いのはインプラント計画であった．今回，日本顕微鏡歯科学会会員のみを対象にしたアンケートであったため，すべてを対象とした結果とは乖離があると思われる．

緒言

エックス線撮影は，診断や治療計画および術後の評価まで，歯科において古くから広く使われている方法である．歯科臨床でよく行われるエックス線撮影は口内法デンタル撮影，パノラマエックス線撮影，CBCTなどがある．CBCTは1999年に新井らによって実用化された[1]．口内法デンタル撮影やパノラマエックス線撮影はCBCTよりも距離測定の精度が低いとされている[2]．CBCTはエックス線を投影したデータを再構成することにより，歯列のみならず顎骨形態も三次元での診断を可能にした．CBCTが導入された当初はインプラントを主とする歯科医院に普及が進んだが，パノラマ，セファロが撮影できる複合機器の登場により一般開業医に普及が進んでいる．2017年までCBCT販売数は19,048台と推定されるため，2018年には20,000台を超えると考えられる[3]．

日本顕微鏡歯科学会の活動目的は，マイクロスコープを用いた正確な診断，治療を行うことである．マイクロスコープで視野を拡大，術野を明るく照らすことにより未発見の根管の検出が向上する．さらにマイクロスコープとCBCTを併用することにより根管の検出の向上が認められたと報告されている[4]．そこで今回，日本顕微鏡歯科学会員のCBCTに関す

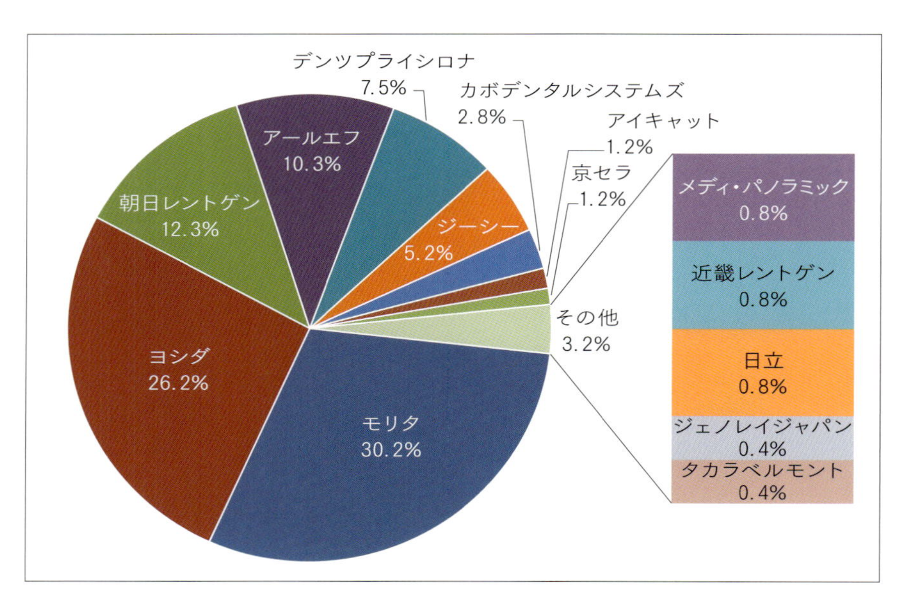

図1　CBCTメーカー分布.

る現状を把握することを目的としてアンケート調査を行った.

対象と方法

調査対象を日本顕微鏡歯科学会員(1,148名)とし，アンケート用紙をメールにて添付した．アンケートは匿名記入方式とした．回答肢は，使用しているCBCTのメーカー，CBCTの導入時期，CBCTの使用目的を挙げた.

結果

アンケートに対して日本顕微鏡歯科学会員から252件の回答があった．CBCTの状況は以下のとおりであった.

①CBCTのメーカー

使用しているCBCTのメーカーはモリタ76名，ヨシダ66名，朝日レントゲン31名，アールエフ26名，デンツプライシロナ19名，ジーシー13名，カボデンタルシステムズ7名，京セラ3名，アイキャット3名，日立2名，近畿レントゲン2名，メディ・パノラミック2名，ジェノレイジャパン1名，タカラベルモント1名であった(図1).

②CBCTの導入時期

CBCTの導入時期は図2に示したように1997年1名，2001年1名，2004年1名，2005年2名，2006年1名，2007年3名，2008年6名，2009年2名，2010年8名，2011年6名，2012年15名，2013年8名，2014年6名，2015年17名，2016年12名，2017年9名，2018年2名であった(図2).

③CBCTの撮影目的

CBCTの撮影目的では歯内療法230名，インプラント治療110名，抜歯88名，診断87名，歯周治療61名，外科処置47名, 全症例19名, 矯正治療10名であった(図3).

考察

日本顕微鏡歯科学会員のCBCTメーカーの使用率はモリタがもっと多く，次にヨシダが多かった．2019年の英国におけるCBCTのアンケート調査では，デンツプライシロナがもっとも多かったと報告されている[5]．日本においては，日本のメーカー使用率が高くなったものと推測された.

歯科領域では口内法撮影，パノラマ撮影がもっと

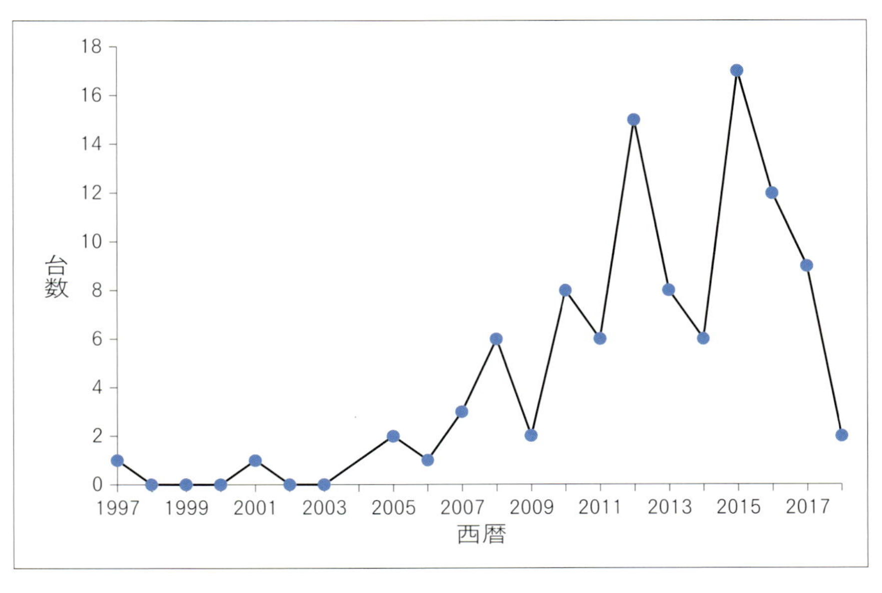

図2　CBCT導入時期.

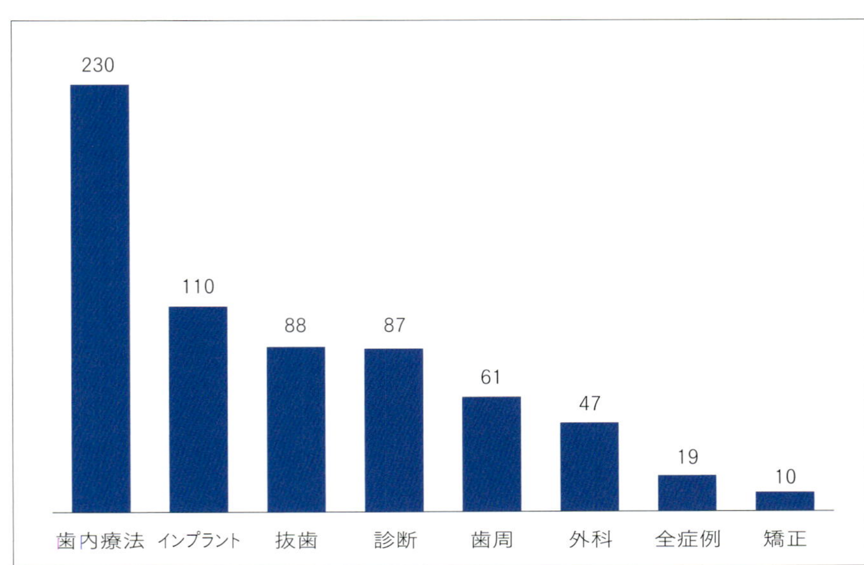

図3　CBCT使用目的.

も多く使用されている．しかし，これらは二次元画像のため，骨や上顎洞，下顎管などの三次元的な情報を得ることができない．顎骨の三次元的な情報を必要とするインプラントの普及にともなってCBCTの普及も進んだ．CBCTが保険算定できるようになり，パノラマやセファロを撮影できる複合機の登場によってさらに普及が進んでいると考えられる．

以下に，歯科におけるCBCTの保険算定導入の流れを記載する．

2010年の疑義解釈で，難治性の根尖性歯周炎，根分岐部病変を有する中等度以上の歯周炎，下顎管と接触しているおそれがある下顎智歯の抜歯，顎骨嚢胞，変形性顎関節症，下顎頸部骨折，エナメル上皮腫，骨腫，集合性歯牙腫，骨浸潤をともなう悪性腫瘍などの治療を行ううえで，必要があってCBCT撮影を行った場合は，医科点数表第４部画像診断により保険請求できることが明確になった．

2012年の診療報酬改定において「歯科用３次元Ｘ線断層撮影」が新設され，デンタル撮影，パノラマ撮影で診断が困難である場合かつ「埋伏智歯など下顎管との位置関係」「顎関節症など顎関節の形態」「顎裂など顎骨の欠損形態」「腫瘍など病巣の広がり」などを三次元的に確認する場合に限り算定できるようになった．

2016年には４根管または樋状根に対してマイクロスコープおよび歯科用３次元エックス線断層撮影を用いて，歯の根管数や形態を正確に把握したうえで根管治療を行う場合，400点が加算できる歯内療法分野の算定項目が追加された．

今回のアンケートの結果から，CBCTの撮影目的は歯内療法がもっとも多く，次にインプラントが多かった．近年，CBCTが高解像度化することにより，歯根，根管形態の詳細な情報のみならず，穿孔，歯根吸収やファイル破折の情報を得ることができ，歯内療法の成功の一助になるためだと考えられる．トルコの歯内療法専門医における歯内療法分野のCBCTの撮影理由は嚢胞がもっとも多く，次に外傷，吸収，根管形態と報告されている[6]．根管探索における撮影理由では，マイクロスコープを使用する場合に発見率の向上が見られ，CBCTを併用した場合はさらに発見率の向上が見られることが報告されている[4]．このことから，すべての根管治療の症例に第一選択としてCBCTを使用するのではなく，適応症例，照射野を小さくするなどの行為によって人体への被曝を最小限にすべく努力すべきである．

2017年には日本歯科放射線学会から『歯科用コーンビームCTの臨床利用指針(案)第１版』が発刊されており，CBCTを使用する際に適応症例などの知識，撮影方法，読影のトレーニングが必要とされている．

CBCTは歯の形態のみならず，骨の形態の三次元的な情報を得ることができるため，トルコ，ノルウェーではインプラント計画の割合がもっとも多いと報告されている[7,8]．今回，日本顕微鏡歯科学会会員のみを対象にしたアンケートであったため，すべてを対象とした結果とは乖離があると思われる．

2017年度までで国内における累計販売数は19,048台と推定され，歯科医院の約28%の普及率と推計される[3]．CBCTを所有していない歯科医院は，CBCTを所有している歯科医院に依頼してCBCTを活用できればよいと考える．今後，多くの歯科医院がマイクロスコープ，CBCTを使用してより良い歯科治療をすることが望まれる．

参考文献

1．Arai Y, Tammisalo E, Iwai K, Hashimoto K, Shinoda K. Development of a compact computed tomographic apparatus for dental use. Dentomaxillofac Radiol 1999；28(４)：245-248.

2．Adarsh K, Sharma P, Juneja A. Accuracy and reliability of tooth length measurements on conventional and CBCT images：An in vitro comparative study. J Orthod Sci 2018；７：17.

3．アールアンドディ(編)．歯科機器・用品年鑑．名古屋：アールアンドディ，2019；106-111.

4．Parker J, Mol A, Rivera EM, Tawil P. CBCT uses in clinical endodontics：the effect of CBCT on the ability to locate MB2 canals in maxillary molars. Int Endod J 2017；50(12)：1109-1115.

5．Yalda F, Holroyd J, Islam M, Theodorakou C, Horner K. Current practice in the use of cone beam computed tomography：a survey of UK dental practices. Br Dent J 2019；226：115-124.

6．Yalcinkaya SE, Berker YG, Peker S, Basturk FB. Knowledge and attitudes of Turkish endodontists towards digital radiology and cone beam computed tomography. Niger J Clin Pract 2014；17(４)：471-478.

7．Dölekoğlu S, Fişekçioğlu E, İlgüy M, İlgüy D. The usage of digital radiography and cone beam computed tomography among Turkish dentists. Dentomaxillofac Radiol 2011；40：379-384.

8．Hol C, Hellén-Halme K,Torgersen G, Nilsson M, Møystad A. How do dentists use CBCT in dental clinics? A Norwegian nationwide survey. Acta Odontologica Scandinavica 2015；73：195-201.

手術用顕微鏡治療下の静止画・動画記録に関する欠点を解決する装置の開発

井上卓之

神奈川県開業　あとりえ矯正歯科クリニック
連絡先：〒252-0143 神奈川県相模原市緑区橋本3-29-6 井上ビル4F

はじめに

手術用顕微鏡を利用した歯科治療中に静止画・動画を記録すること（以下，術中映像記録）は，患者教育だけでなく，スタッフ教育，医療訴訟対策等のためにも大変有用であることは誰も異論はないだろう．この術中映像記録を行うためにはさまざまな撮影・記録機器が存在し，それぞれ撮影ボタンの位置や操作方法も異なる（図１～５）．

術中映像記録を行うには，いくつかの解決すべき課題があると考えている．最大の課題は，医療専門録画機器の価格が非常に高いことである．機能が豊富で使い勝手も良いことは確かだが，複数台購入することをためらう医療機関も数多くあることと推測される．そこで，多くの医療機関では市販の比較的安価な撮影機器を，工夫をしながら利用している現状があると筆者は認識している．

本稿の前半では，術中映像記録機器として市販の撮影機器を利用する場合に，価格以外の要素でどの

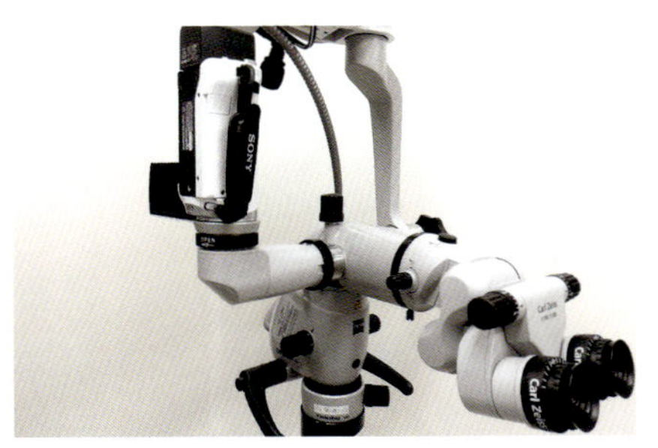

図１　ビデオカメラ．

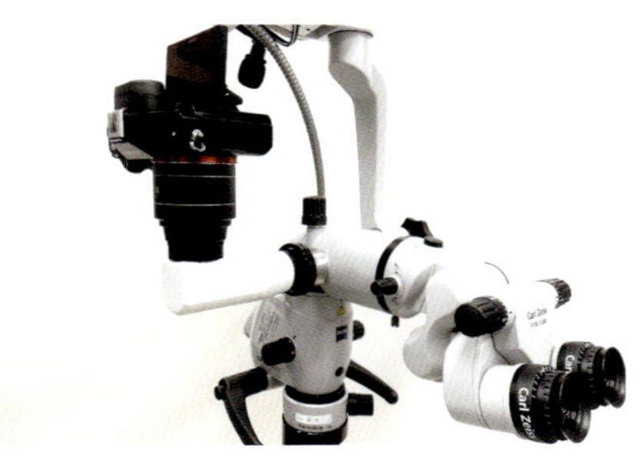

図２　一眼カメラ．

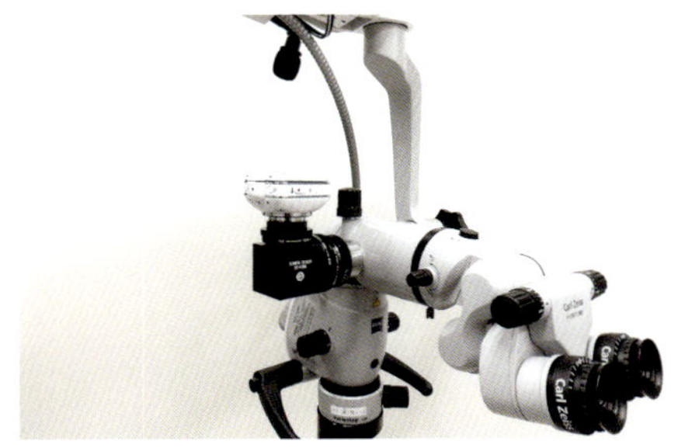

図３　Cマウントカメラ．

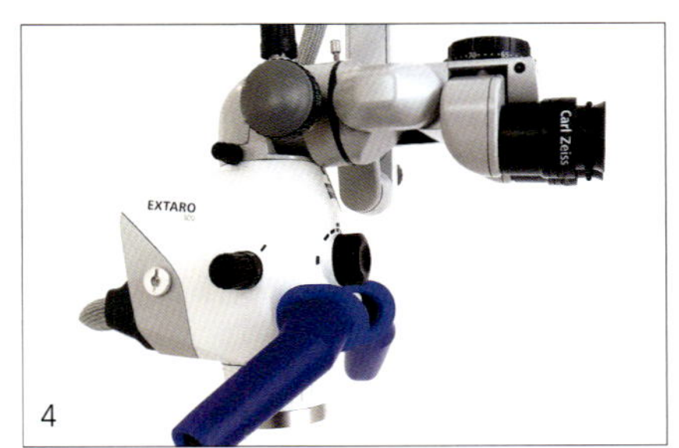

4

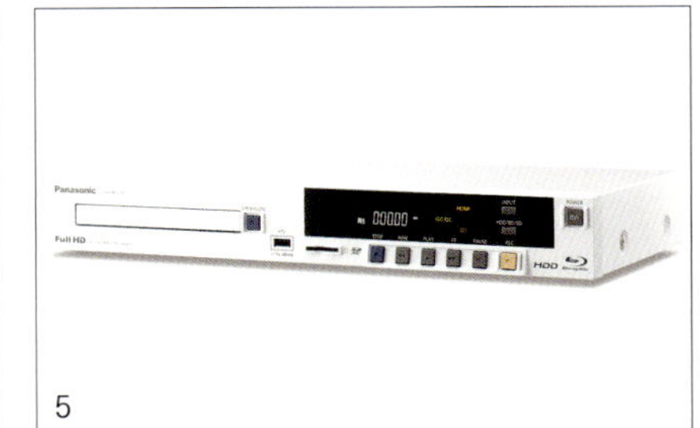

5

図４　顕微鏡内蔵レコーダー．
図５　外部レコーダー．

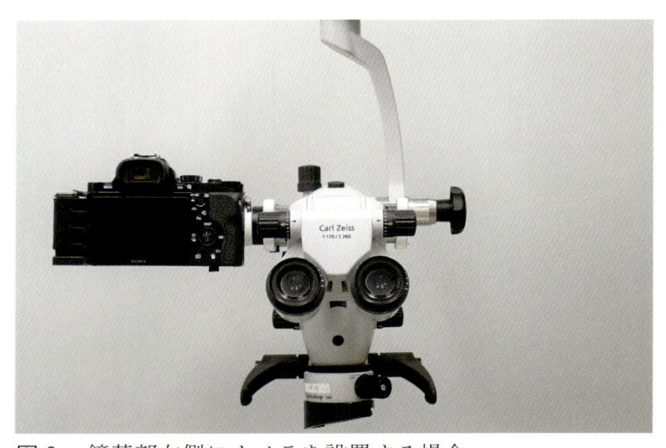

図 6　鏡基部左側にカメラを設置する場合.

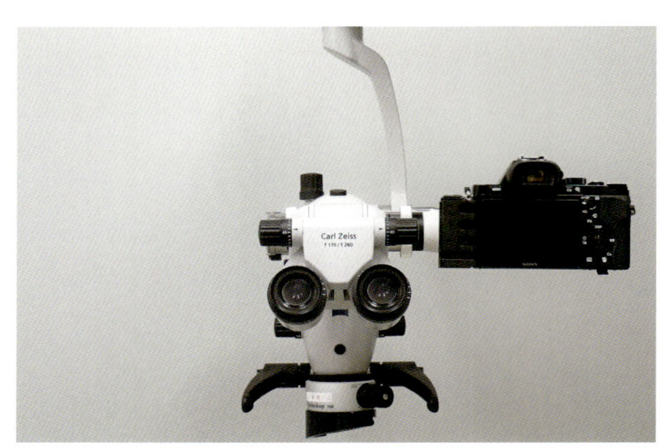

図 7　鏡基部右側にカメラを設置する場合.

顕微鏡下における撮影の課題

ぶれ：ピントぶれ

ずれ：視野ずれ

いつ：いつボタンを押すのか？

誰：誰がボタンを押すのか？

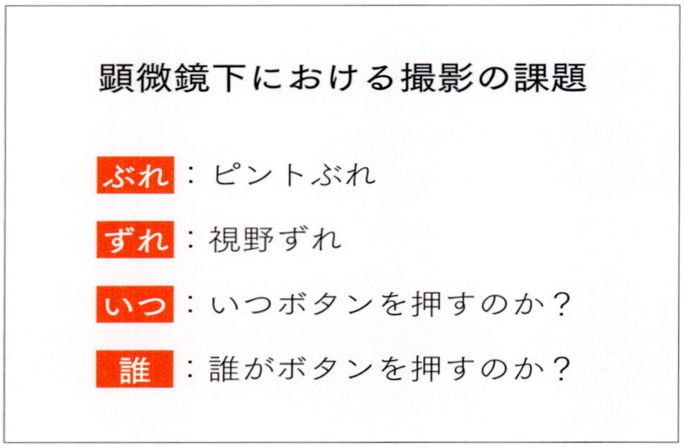

図 8　顕微鏡下における撮影の課題.

ような課題があるのかを考察し，筆者の考える解決方法を説明する．後半では，高価な医療専門録画機器に備わっていることが多く，使用頻度も高いと考えられる「録画中のチャプター記録」を，市販品を利用して実現する方法を説明する．

1．術中映像記録における課題

1　ピントぶれ，視野ずれ

手術用顕微鏡にビデオカメラや一眼カメラを取り付けて撮影する場合，カメラのボタンを直接押して撮影することが通常であろう．ボタンを押した瞬間に顕微鏡がわずかに動き，“ピントぶれ”“視野ずれ”することがある．とくに高倍率下で処置している場合，そのわずかな顕微鏡のずれにより視野の中心から観察・撮影したい部位が大きくずれることがストレスとなりうる．顕微鏡のアームが機械的機構によりロック，アンロックできるものではこのような“ピントぶれ”“視野ずれ”は生じないので，そのような機種を選択することも解決策の 1 つではあると考える．

2　いつ

カメラの撮影ボタンをアシスタントが押すという環境を考えてみる．術者がボタンを押してほしいタイミングを合図して，アシスタントがボタンを押す．これには大きなタイミングのずれが生じることは容易に想像できるだろう．とくに静止画撮影においては，このタイミングのずれにより，1 回しか得られないような貴重な瞬間を撮り逃す可能性が生じる．また，タイミングがずれることにより撮影画角内に余計なものが写り込むこともあるだろう．

図9　筆者が製作した「フットスイッチ式赤外線学習リモコン」の試作版ver. 3.0.

3 誰

術者とアシスタントのペアで診療を行う場合，術者とアシスタントのどちらが撮影ボタンを押すのが良いだろうか．あるいは1人で診療することが多い歯科衛生士の場合はどのようにすべきだろうか．

カメラを鏡基部左側に設置して撮影する場合を考えてみる(図6)．1人診療でデンタルミラー越しに撮影する場合は，デンタルミラーを左手から右手に持ち替えて，カメラに左手を伸ばし撮影しなければならない．これは非効率であるといえる．アシスタントとのペア診療ならアシスタントがボタンを押すことが多いだろう．

逆に，鏡基部右側にカメラを設置する場合を考えてみる(図7)．1人診療の場合，デンタルミラーの持ち替えはなくなるが，術者が右手を伸ばして撮影ボタンを押すことになる．ペア診療の場合は，このカメラ配置だとアシスタントがボタンを押すことは考えづらい．

これらの問題を整理すると，以下の4つの解決すべき課題があることがわかる(図8)．

①ピントぶれ
②視野ずれ
③いつボタンを押すのか？
④誰がボタンを押すのか？

これら4つの課題を解決するには，フットスイッチを利用して術者が撮影することがもっとも良い方法であると筆者は考える．医療専門録画機器はその多くにフットスイッチがあるが，市販の撮影機器にフットスイッチを接続して撮影・記録できるものはいったいどれくらいあるだろうか？　筆者が調べた限りだが，メーカー純正品，非純正品を含めフットスイッチ対応機器はカメラ製品以外ではほとんどない．

2．フットスイッチ式赤外線学習リモコン

そこで，筆者が製作したものが「フットスイッチ式赤外線学習リモコン」(以下，当フットスイッチ)である(図9)．赤外線リモコン対応の電子機器であれば当フットスイッチで代用できる．学習リモコンという名のとおり，他のリモコンの赤外線信号を学習，つまりコピーすることができる．

すでに各主要カメラメーカー向けの有線式フットスイッチはサードパーティー製ではあるが存在し，これを利用している人がいることも承知している．筆者が製作したものは赤外線リモコンのフットスイッチ化であり，やや方向性は異なる．赤外線リモコンを利用するので，長いケーブルをフットスイッチから顕微鏡に設置したカメラまで延長して這わせる必要がないことも，大きな利点の1つと考えている．

1 構成

当フットスイッチは，リモコン本体，フットスイッチ，赤外線発光部，電源ケーブルの4点で構成され

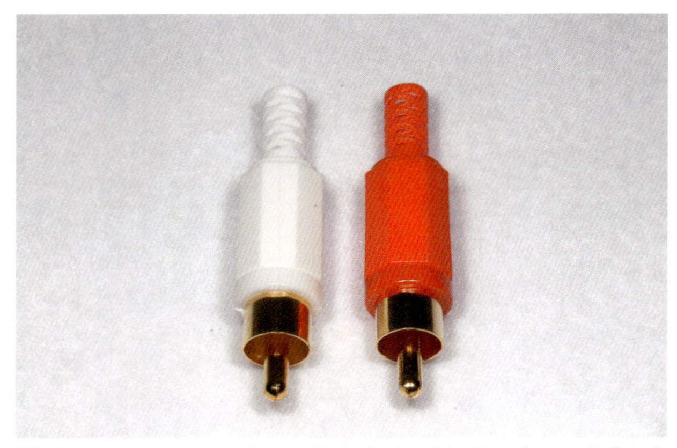

図10　フットスイッチのコネクタはRCAピンジャック（アナログ信号のいわゆるビデオ，音声端子）を流用．

図11　赤外線発光部の接続端子は3.5mmステレオミニジャック（いわゆるイヤホン端子）を流用．

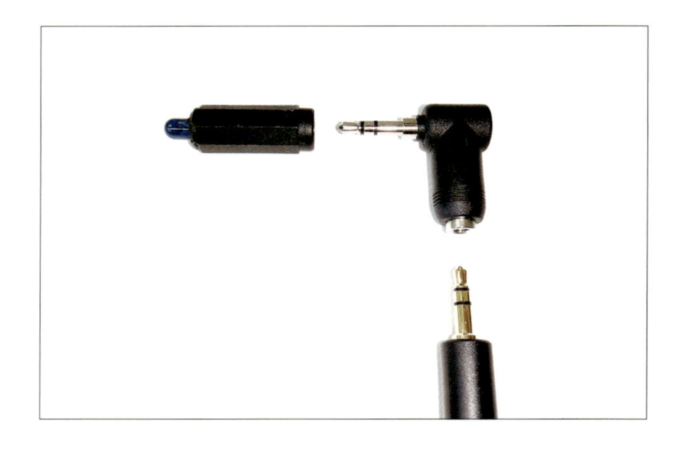

図12　赤外線発光部のLED部分は90°向きを変更できるように「3.5mmステレオミニジャックL字変換アダプタ」を追加している．

る（図９）．

リモコン本体内部にはプログラミングされたマイコンが内蔵されている．このプログラムの著作権は筆者にはないが，プログラム制作者から使用と販売許可を得ており，筆者の考える利用目的に合わせて特別に改造されたプログラムが書き込まれている．フットスイッチのコネクタはRCAピンジャック（アナログ信号のいわゆるビデオ，音声端子）を流用している（図10）．ケーブルの長さが不足する場合，ユーザーが容易に延長できるようにこれを選択した．同様の理由で赤外線発光部の接続端子は3.5mmステレオミニジャック（いわゆるイヤホン端子）を流用している（図11）．ステレオ端子を用いているが，モノラル端子用の延長コードでも使用できる結線で製作してあるため，深く考える必要なく延長可能である．赤外線発光部のLED部分は90°向きを変更できるように「3.5mmステレオミニジャックL字変換アダプタ」を追加している．これは設置環境に柔軟に対応できるようにするためである（図12）．電源はmicroUSB端子ケーブルであり，これもスマートフォンの充電用ケーブルとして馴染みのあるものである．３本のケーブルともに延長したい場合は100円ショップなどで容易に手に入る．

2　特徴

①理論上どのメーカーの赤外線リモコン信号でもコピーが可能である

赤外線リモコン信号にはいくつか規格があり，またメーカー，機器によっては規格外の信号パターンを使用しているものもあるため，内蔵プログラムで

図13　当院では顕微鏡にミラーレス一眼カメラSONY製α7Sを設置して静止画撮影に利用している．

図14　SONY純正の赤外線リモコンキット「リモートコマンダー&IRレシーバーキットRMT-VP1K」．

その違いに対応しコピーできるようになっている．

②1つのフットスイッチで6つまでリモコン信号が使い分けられる

フットスイッチの押す回数で送信する信号を指定している．使用方法としては，もっとも即時性が求められる機能のリモコン信号は，1回押しに割り当て，それ以外は2～6回押しに割り当てると良い．

③電源はmicroUSB端子から5Vを供給する

ユニット脇に置くことが多いパソコンのUSB端子から電源供給することを想定した設計である．100VコンセントによるUSB電源アダプタやモバイルバッテリの使用もできる．電流は1mAにも満たず，12秒間操作がないとパワーダウンモードになり消費電力を抑える機能もある．超低消費電力なのでモバイルバッテリでも余裕で長時間の診療に対応できる．パワーダウンモードからの復帰もフットスイッチを押してすぐ復帰し赤外線信号を送信できる．

3　利点

①カメラに触れる必要がなくなる

1人診療でも，アシスタントとのペア診療でも，赤外線リモコンが使用できる撮影・記録機器であれば，カメラに触れずに当フットスイッチで撮影・記録が可能になる．カメラに触れないので，“ピントぶれ”，“視野ずれ”も起こりにくくなる．唾液や血液で汚れたグローブでカメラや純正リモコンに触れる必要がなくなるので，交叉感染対策のためにも極めて衛生的である．

②術者の最適なタイミングで撮影・記録が可能になる

術者が直接フットスイッチを押すことで，誰かにボタンを押してもらうというタイミングずれの問題が解決する．

③両手が空いていなくても撮影・記録が可能になる

左手にデンタルミラー，右手に超音波スケーラーなど，両手が塞がっていてもまったく問題なく撮影・記録ができる．

④赤外線リモコン使用機器がフットスイッチにより操作できる

赤外線リモコンが使用できる電子機器であればフットスイッチ化が可能なので，汎用性が極めて高い．カメラだけでなくテレビの入力切換やブルーレイディスクレコーダーの操作など，応用範囲は多岐にわたる．

4　設置と利用

当院での設置方法と利用例を紹介する．当院では顕微鏡にミラーレス一眼カメラSONY製α7S(図2,13)を設置して静止画撮影に利用している．これに，SONY純正の赤外線リモコンキット「リモートコマンダー&IRレシーバーキットRMT-VP1K」(以下，RMT-VP1K)(図14)の赤外線受光部を接続し，純正赤

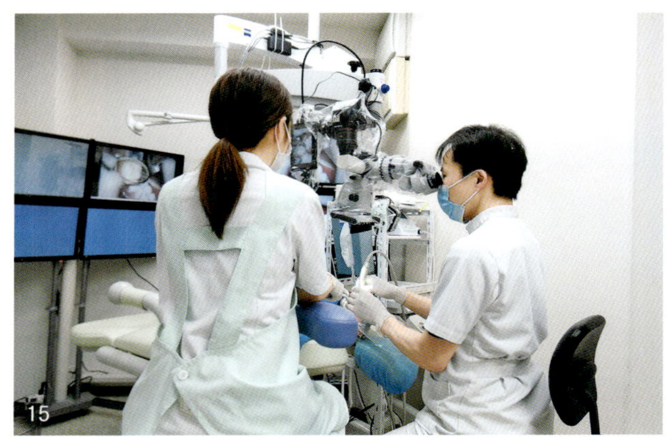

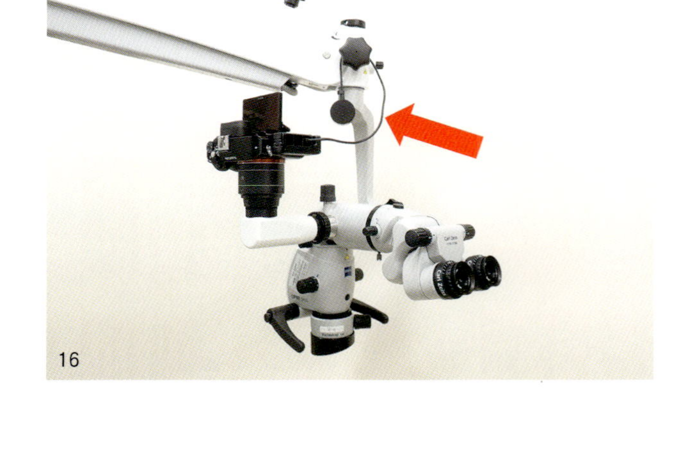

図15, 16　赤外線受光部は当院ではpicoのこの位置に設置．
図17　赤外線発光部はモニター上部に設置．

外線リモコンのシャッターボタン信号を当フットスイッチに学習させ使用している．赤外線発光部はユニット正面にある液晶モニター上部に設置している．赤外線受光部の設置位置は非常に重要で，顕微鏡を診療中に動かしても赤外線発光部から照射された赤外線が，遮られることなく赤外線受光部に届く位置関係にすることがポイントである（図15〜17）．

勘違いしている人がいることがあるので解説するが，赤外線リモコンは電波式リモコンとは違い，赤外線という目に見えない光が直接届かないことにはリモコンとして機能しない．SONY製ミラーレス一眼カメラα7シリーズはグリップ部分正面に赤外線受光部があるので，これも利用可能ではある（図18）．しかし顕微鏡にこのカメラを設置したときに，顕微鏡の種類，環境によりカメラの設置向きはさまざまであろう（図19〜23）．その時にカメラグリップ部分の赤外線受光部が常に当フットスイッチの赤外線発光部の方向に向いていれば良いが，現実にはそうならないことが多いと想像する．だからこそ，RMT-VP1Kに付属の丸い赤外線受光部が必要なのである．この受光部は円形のため360°どの方向からの赤外線でも受信できる機能をもっている．

動画の録画はα7SのHDMI出力からの映像信号を，パソコンによるビデオキャプチャとともにブルーレイディスクレコーダーも用い，２系統で録画している．このとき，ブルーレイディスクレコーダー付属リモコンのなかで５つのボタンを当フットスイッチに学習させて，録画やチャプター記録に利用している（後述）．

5　注意点と動作確認機器

RMT-VP1Kの対応機器は，SONY製カメラで「マルチ／マイクロUSB端子」があるものに限る（図24）．SONYによると2013年以降に発売されたカメラ製品

図18　SONY製ミラーレス一眼カメラα7シリーズはグリップ部分正面に赤外線受光部がある．

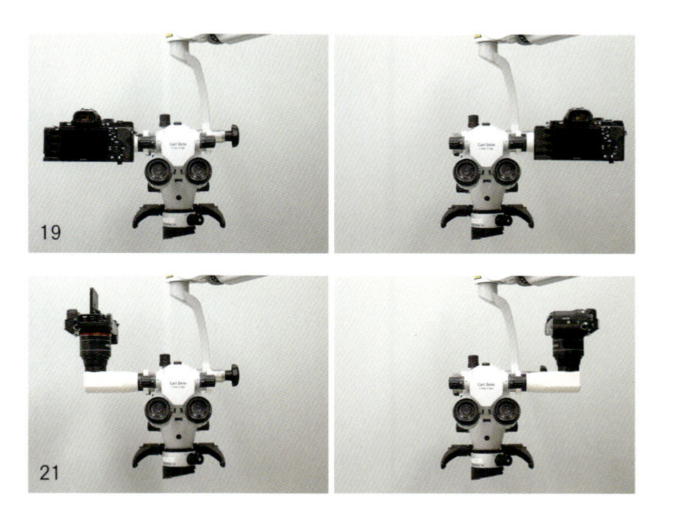

図19～23　カメラの設置向きの例．

ということである．普通のマイクロUSB端子のみのものや，ビデオカメラ製品でA/Vリモート端子があるものは対応していない．購入する際には，ご自身のカメラの仕様をよく調べ，対応の有無を確認してほしい．

当フットスイッチで学習し，正常に動作確認できた電子機器を紹介する．

①SONY製ミラーレス一眼カメラα7SとRMT-VP1Kの組合せ（図13）

前記のとおり，静止画撮影ボタンの学習，動作確認済み．

②SONY製ビデオカメラ　HDR-CX480とRMT-VP1Kの組合せ（図25）

動画の録画スタート，ストップ，静止画キャプチャ，ズーム機能ボタンの学習，動作確認済み．

③SONY製ブルーレイディスクレコーダー　BDZ-FW1000と付属リモコン（図26）

付属リモコンのうち，録画，停止，チャプター記録，決定，十字左ボタンの学習，動作確認済み（後述）．

④AverMedia製ビデオキャプチャ機器Game capture

[入出力端子]

マルチ/マイクロUSB端子*	
	USB通信　Hi-Speed USB (USB 2.0)
HDMI端子	HDMIタイプD マイクロ端子
(マイク)端子	∅3.5 mmステレオミニジャック
(ヘッドホン)端子	∅3.5 mmステレオミニジャック

* この端子にはマイクロUSB規格に対応した機器をつなぐことができます。

図24　RMT-VP1Kの対応機器はカメラに「マルチ／マイクロUSB端子」があるものに限る．SONY α7S取扱説明書より抜粋．

図25　SONY製ビデオカメラHDR-CX480とRMT-VP1Kの組合せ．

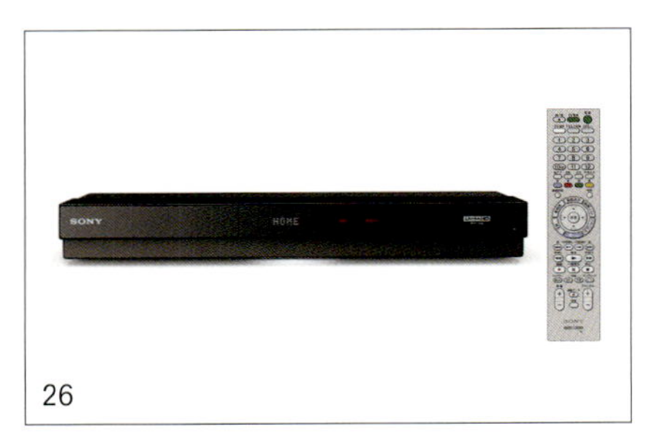

図26　SONY製ブルーレイディスクレコーダーBDZ-FW1000と付属リモコン．
図27　AverMedia製ビデオキャプチャ機器Game capture HD II AVT-C285と付属リモコン．

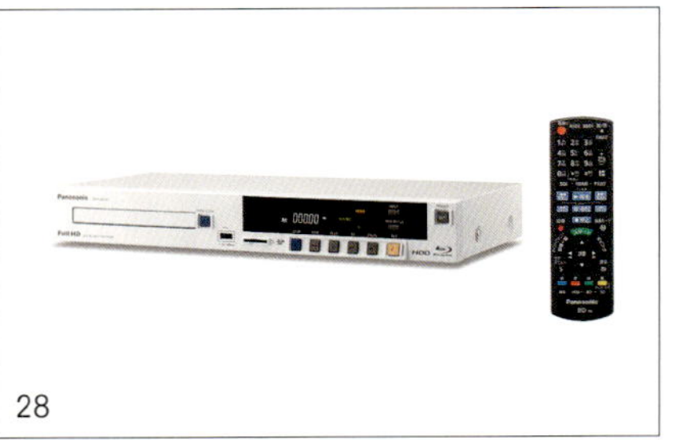

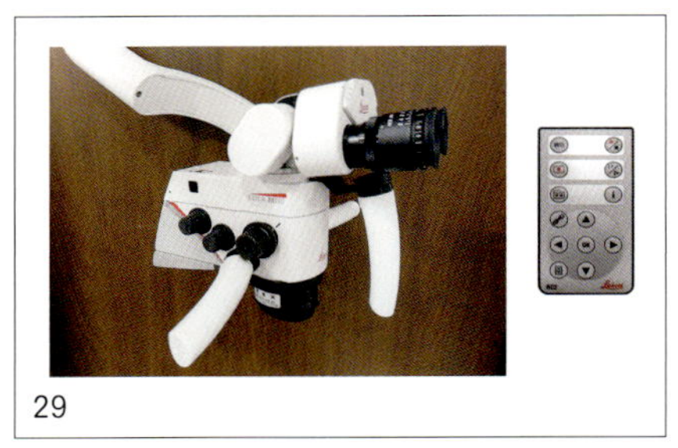

図28　Panasonic製業務用デジタルインプットレコーダーDMR-MC500と付属リモコン．
図29　Leica Microsystems製顕微鏡 M320-D内蔵レコーダーと付属リモコン．

HD II AVT-C285と付属リモコン(図27)

付属リモコンすべてのボタンで学習，動作確認済み．

⑤Panasonic製業務用デジタルインプットレコーダーDMR-MC500と付属リモコン(図28)

付属リモコンのうち，録画，停止，一時停止，チャプターマークのボタンで学習，動作確認済み．

⑥Leica Microsystems製顕微鏡　M320-D内蔵レコーダーと付属リモコン(図29)

付属リモコンのすべてのボタンで学習，動作確認済み．

ここまで述べてきたように，筆者が開発した「フットスイッチ式赤外線学習リモコン」を利用することで，顕微鏡下の映像撮影時に生じる，「ぶれ，ずれ，いつ，誰」の問題が解決可能となり，１人で行わざるを得ない診療環境下でも診療効率が上がることが予想できる．また学習リモコンなので汎用性が高く，応用範囲も非常に広いといえる．当フットスイッチと市販の撮影・録画機器を組み合わせることで，比較的安価で使い勝手の良い記録環境を整えることが可能となった．

3．市販のビデオレコーダーを用いてチャプター記録する方法

ここから後半である．冒頭でも述べたが，医療専門録画機器は高価なだけあって，さまざまな機能が装備されている．なかでも非常に便利で誰もが使いたいと思う機能に，「録画中のチャプター記録」がある．チャプター記録とは，動画のなかの任意のポイント

図30　地デジ対応OFDM変調器マイコンソフトXHEAD-2.

表１　筆者が実際に学習させているボタンの種類とフットスイッチの押す回数との対応.

フットスイッチを押す回数	レコーダー付属リモコンの割り当てボタン
１回	チャプター書き込み
２回	録画
３回	停止
４回	十字キー左
５回	決定

に頭出しのマークを付けることと筆者は理解している．動画を撮影し，患者さんに必要なシーンを提示して説明するときに，そのシーンを探すことにストレスを感じることは誰もが経験することだろう．そのときチャプター記録があれば，瞬時にそのシーンに移動することが可能となる．

この機能は高価な専門機器のみに備わった専門機器ならではの機能という認識があると思う．術中映像記録に市販のカメラだけを使っていれば当然この機能はないので，安価にこの方法を実現していた人は過去に誰もいないと想像する．そこで，筆者は市販品を利用した動画録画中のチャプター記録方法を考案したので紹介する．

1　使用機材

- ブルーレイディスクレコーダーSONY BDZ-FW 1000（図26）
- 地デジ対応OFDM変調器 マイコンソフト XHEAD - 2（図30）
- フットスイッチ式赤外線学習リモコン（本稿前半で解説）

2　チャプター記録

最重要ポイントは，SONY製ブルーレイディスクレコーダー（以下，当レコーダー）を利用することにある．理由は，録画中に任意の位置にチャプター記録が可能な機種であることと，そのリモコン操作がボタン１つ，１ステップ操作で可能なことにある．

他社製のビデオレコーダーでもチャプター記録が可能な機種はある．しかしSONY製レコーダーのような，１ボタン，１ステップ操作でもなく，“録画中”のチャプター記録ができないものが大半である．これでは術中映像記録でのチャプター記録にはまったく利用できない．

実際にチャプター記録を行うには，前半で説明した「フットスイッチ式赤外線学習リモコン」を利用する．筆者が実際に学習させているボタンの種類とフットスイッチの押す回数との対応は表１のとおりである．

3　映像入力

もう１つの重要なポイントは，どのように当レコーダーに映像を入力するかである．テレビがアナログ放送だった頃のビデオレコーダーには映像入力端子があった．現在でも装備されているレコーダーはある．当レコーダーにもアナログ入力端子はある．ただし，これはアナログ信号のための端子であり，デジタルハイビジョン放送が主流となった現在においてアナログ映像端子を利用して録画するのでは，映像の解像度が圧倒的に不足するため，術中映

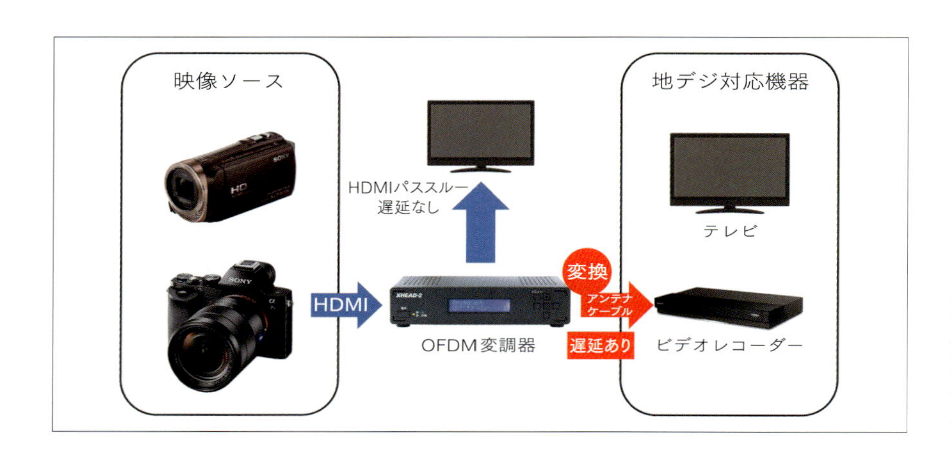

図31　カメラのHDMI端子から出力されたデジタルのフルHD解像度(1920×1080)映像をOFDM変調器を介して信号変換してレコーダーの地デジ入力端子に入力する．

像記録の用途としては満足できるものではない．

そこで利用したのが，地上デジタル放送アンテナ入力端子(以下，地デジ入力端子)である．カメラのHDMI端子から出力されたデジタルのフルHD解像度(1920×1080)映像をOFDM変調器を介して信号変換してレコーダーの地デジ入力端子に入力する(図31)．

4　OFDM変調器とは？

HDMI端子から入力されたデジタル映像信号を地上デジタル放送規格の電波信号に変換するもので，使用機材で示している「XHEAD-2」がそれである(図30)．

カメラのHDMI端子から出力されたフルHD解像度の映像を，解像度を変化させずに地上デジタル電波信号に変換して当レコーダーの地デジ入力端子に入力する．当レコーダーにとっては地上デジタル放送電波を受信していることと同意になる．当レコーダーはその電波信号を復調して，元の解像度の映像信号を録画することになる．

ただし，画質劣化がまったくないわけではない．筆者もカメラからの出力映像をパソコンでビデオキャプチャ録画した映像と，当レコーダーで録画した映像を見比べたが，当レコーダーの映像はわずかに劣化があることがわかった．しかし比べてみて認識できるレベルであり，実際問題としては気にするほどではないと思われる．

5　OFDM変調器を利用した便利機能

今回選択したXHEAD-2には地上デジタル放送の番組表データを送出する機能がある．XHEAD-2のWEB設定画面から番組表データとして，番組名，番組内容の書換えもできる(図32, 34)．文字数制限はあるが，そこに患者名，処置内容などを入力しておくと，当レコーダーで録画したときにその内容が記録される．こうすることで後から目的の動画を探しやすくなるが，毎回全患者にそれを行うことは現実的ではないので，適宜利用すればよいと思う．日時はどんな設定でも正確に記録される(図33)．

6　録画時間について

デジタル放送をビデオレコーダーで録画するときは電子番組表の放送時間に従って予約録画される仕様になっている．またXHEAD-2が送出する番組表データは電源オンになった時刻の00分から番組表データを作る仕様になっている．したがって，今回のように術中映像記録に利用するときには，XHEAD-2の設定にある番組放送時間を最大値８時間(XHEAD-2のファームウェアバージョンによる，旧バージョンは12時間)にしておくことを強く推奨する(図34)．

番組放送時間を１時間に設定した場合を考えてみる．録画ボタンを押した時刻が番組表の番組開始時刻から３分後の△時03分であれば，57分経過後に予

図32　ブルーレイディスクレコーダーの番組表の一例.

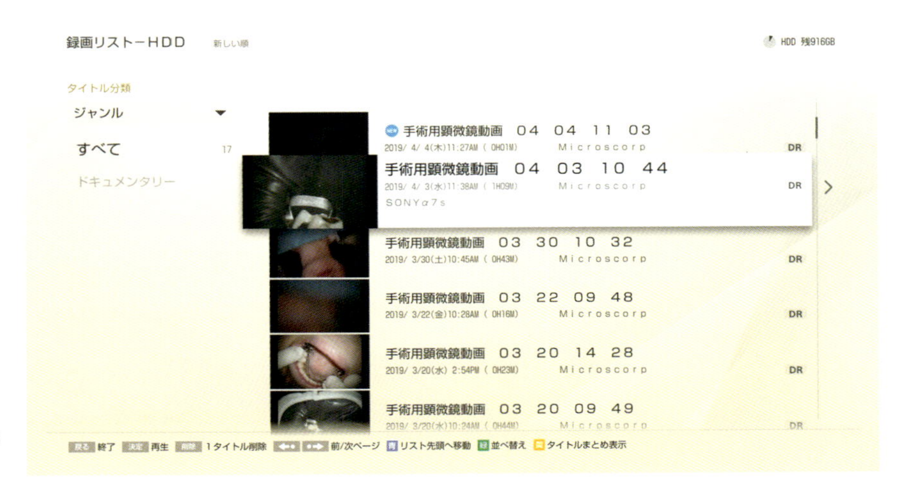

図33　ブルーレイディスクレコーダーの録画リストの一例.

約録画終了となる.同じく25分後の△時25分であれば,35分経過後に予約録画終了となる.このような仕組みで予約録画されるので,最大値8時間にしておき,顕微鏡治療が終わったら停止ボタンで予約録画を停止させるという使い方をする(図35).これが,番組放送時間終了時刻による予約録画自動停止という,術中映像記録失敗の可能性を低く抑えることにつながる.

ただし,使用するレコーダー側にも最大予約録画時間の制限がある.SONY製の当レコーダーの最大予約録画時間は12時間である.その他のメーカーでは8時間以上の番組予約でエラーが出て録画できないものがあるようなので,レコーダーの仕様に合わせてXHEAD-2の番組放送時間設定を変更していただきたい.なお,XHEAD-2の電源を入れ直せば,その都度番組表データも更新される仕様なので,番組放送時間を3時間など短く設定して,患者さんごとに電源を入れ直すという使い方もできる.しかし現実的には朝から夜まで電源を入れたままにしておく医院が多いと想像する.そのためにも放送時間は可能な限り最大値設定にしておくほうが良い.

7　レコーダーで録画したときにダビング制限はないのか?

今回選択したXHEAD-2は「ダビング10」のようなコピー制御を“なし”に設定することができる.そもそも自分のカメラの映像を自分のレコーダーで録画するので,そこに著作権の問題は発生しない.レコーダー内蔵のHDDからブルーレイディスクへのダビ

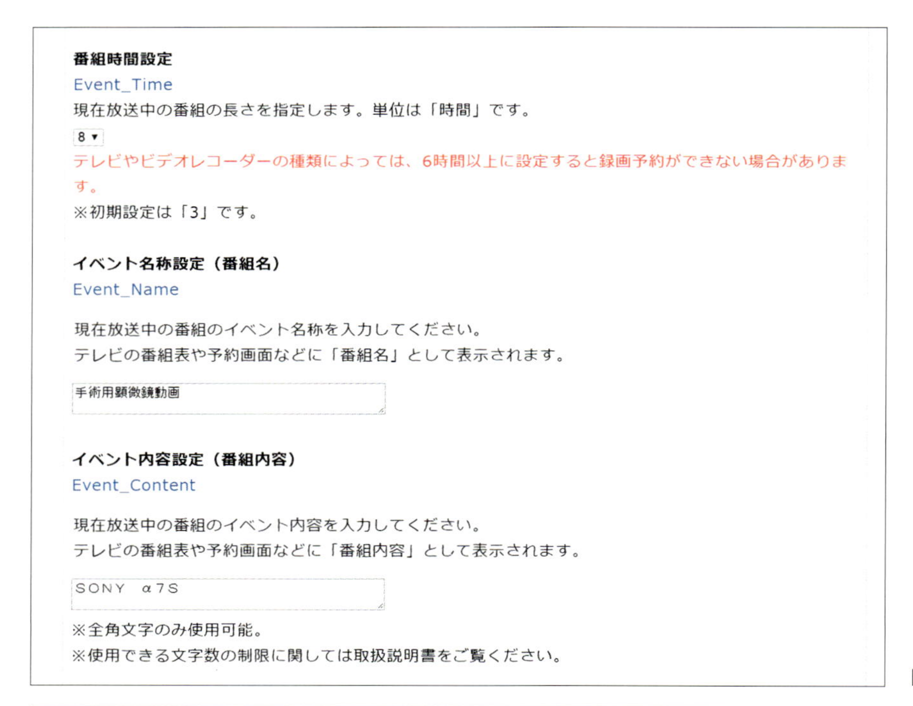

図34　XHEAD-2のWeb設定画面抜粋.

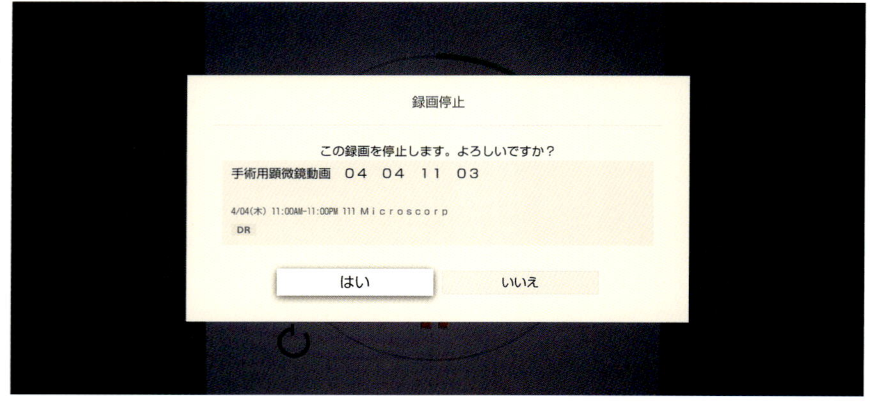

図35　録画停止時の画面.

ング(コピー)も制限なく，ブルーレイディスクからパソコンへのデータコピー，再生もまったく問題なくできることを確認している.

8 OFDM変調器は難しそう？

XHEAD-2の設定に関して，複雑なことをしようと思うと専門的な知識が必要となることは確かである.しかし術中映像記録としてXHEAD-2を単体で使うだけなら，初期設定で何ら問題ない．ただし，前述のとおり番組放送時間だけは最大値に変更しておくことを重ねて強調しておく.また，XHEAD-2の設定データのファイル保存，復元機能を利用することができるので，複数台をまったく同じ設定に瞬時に変更することも可能である．もし不安な方がいれば，筆者に連絡をいただければ設定データを提供することも可能である.

9 安価で使い勝手の良い動画記録機器の組み合わせ

術中映像記録環境の構築コストを抑えるには，カメラや録画機器を市販品で賄えば良いことは誰でもわかるだろう．ただし，コストカットしすぎると使い勝手が悪くなることにつながるので，そのバランスが重要である．

筆者が考えるコストと使い勝手のバランスが取れた組み合わせは下記のとおりである．

- カメラ：SONY製ビデオカメラとRMT-VP1Kと前述の当フットスイッチ
- 録画機器：SONY製ブルーレイディスクレコーダーとXHEAD-2と当フットスイッチ

簡単に録画ができて，便利なチャプター記録も利用できるこの組み合わせが，もっともコストパフォーマンスに優れたものだと考える．使い方は，ビデオカメラで録画をしつつ，レコーダーでも録画，チャプター記録を行う．患者説明時はビデオカメラの録画映像ではなく，レコーダーの録画映像を利用する．レコーダー付属のリモコンでチャプター頭出しなどの操作ができるので，ビデオカメラの小さな液晶画面で動画を操作するよりはるかに使い勝手がよい．

診療後は，ビデオカメラの動画データは手動でパソコンなどに移動し症例発表等に利用する．レコーダーの動画データはバックアップのためにブルーレイディスクにダビング(コピー)して，HDD内の映像は削除してもよいだろう．

10 OFDM変調器を利用した応用

長い距離のある位置に映像を配信したいとき，通常は高価な長いHDMIケーブル，HDMI分配器などが必要となる．しかしここでXHEAD-2を利用すると，高価なHDMIケーブルではなく安価なアンテナケーブルに置き換えられる．アンテナケーブルとアンテナ分配器や地デジアンテナブースターを利用することで，長距離の映像配信や複数の地デジ対応機器(テレビ，レコーダー)への映像配信が非常に安価に構築できる．

11 この録画システムの欠点

最大の欠点と考えるのは，レコーダー経由で見る映像は，実際の動きより遅延があることである．目視で1秒くらいのズレが生じる．これはOFDM変調器による信号変換の影響であり，避けられない．したがってアシスタントが診療補助として見る映像としては不適切である．解決方法は，XHEAD-2にあるHDMIパススルー端子を利用することである．ここから出力される映像は遅延がないので，アシスタント用などにはこれを利用することが望ましいと考える．つまりこの録画システムを利用するにあたっては，モニターが2台必要となる．1台はブルーレイディスクレコーダーに接続して録画状況の確認に，もう1台はアシスタントの診療補助用である(図31)．

12 レコーダー内の動画はどうやってパソコンに移動させるのか？

レコーダー内蔵HDDに録画した映像は，ブルーレイディスクへダビング(コピー)してからそのディスクをパソコンで読み込んで動画データを移動する．これは手間のかかる作業だと考えられるので，可能であれば前述のように他の録画方法と組み合わせて，レコーダー内の動画データの移動は極力少なくするほうが良いと考える．人間は面倒なことはしなくなるのが常である．なお，当レコーダーから移動させた動画データは動画編集ソフトによる編集も可能であるが，音声だけは読み込めないソフトがあることが判明している．解決方法も見出してはいるが，誌面スペースの都合上説明は割愛する．

筆者は先にも触れたが，パソコンによるビデオキャプチャと，当レコーダーの2系統で録画を行っているので，レコーダー内の動画はまったく移動させていない．

13 気になる価格は？

SONY製ブルーレイディスクレコーダー，OFDM変調器XHEAD-2ともに，インターネット通販で購入できるのでWeb検索して調べていただきたい．それほど高価ではないはずである．

ちなみにXHEAD-2以外にもOFDM変調器は存在するが，業務用に販売されているものばかりで，非常に高価である．それに比べXHEAD-2は安価であるにもかかわらず必要十分な機能が備わっているので，コストを意識した術中映像記録環境の構築には

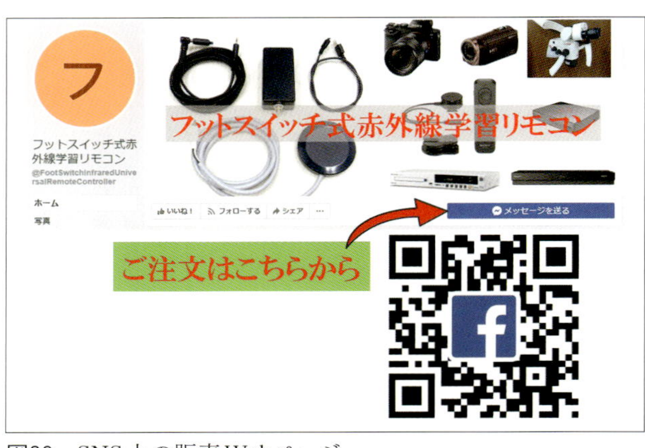

図36 SNS上の販売Webページ.

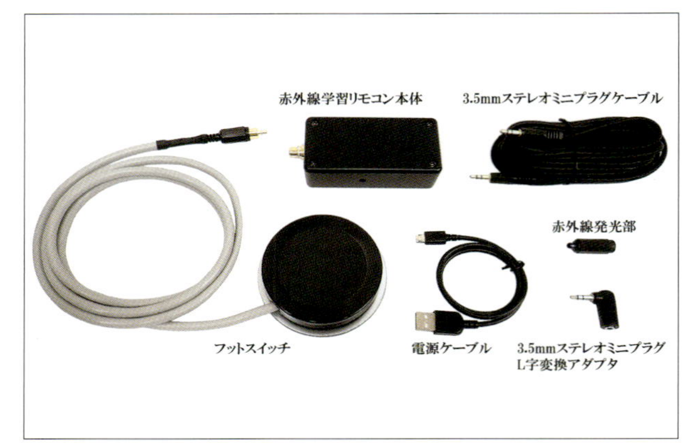

図37 製品版のフットスイッチ式赤外線学習リモコン.

お勧めだと考える.

おわりに

筆者製作の「フットスイッチ式赤外線学習リモコン」は本別冊発刊時には販売されている予定である(図36, 37). 気になる方は筆者まで連絡をしていただきたいと思う. しかしながら, 非常に残念なことに本稿執筆時点(2019年9月)で驚くようなことが判明した. SONY製赤外線リモコンキット「RMT-VP1K」が製造中止となってしまった. SONYに正式な回答を求めたところ, 製造中止で市場在庫のみとのことで, 本稿執筆時点では再販, 新製品開発の予定もないということであった. これは非常に残念なことであるが, 中古品でも良い方はインターネットで検索して探していただきたい.

また, 筆者考案の「OFDM変調器利用ブルーレイディスクレコーダー録画」は, 今までにない録画方法としての新たな提案であり, 当フットスイッチを含めどう活用するかは使う人次第である. 大いに活用していただきたい.

顕微鏡歯科治療に映像記録は欠かせない大きな武器である. その武器を多くの歯科医療従事者に最大限生かしてもらいたいと思い, 筆者の工夫の一端を説明させていただいた. 今回このような発表の機会をいただけたことに深く感謝申し上げたい.

3Dステレオスコープを応用した歯科用デジタル顕微鏡の基礎と展望

大河原純也*／中村勝之*[1]

*茨城県開業　ありす歯科医院
*[1]三鷹光器株式会社
*連絡先：〒305-0046 茨城県つくば市東2-30-4

はじめに

デジタル顕微鏡は光学顕微鏡のバリエーションの1つで，デジタルカメラで撮影した映像をモニターに映し出す顕微鏡のことである．これを歯科治療に応用したものが歯科用デジタル顕微鏡で，人間工学的な姿勢で治療できることや，複数人で術野を共有できるなどの利点がある[1,2]．しかし，これまでの歯科用デジタル顕微鏡にはいくつかの問題があり，まったく普及していないのが現状である．

デジタル顕微鏡のディスプレイには2Dもしくは3Dモニターが使用されている．しかし2Dモニターは立体視ができないため，その用途は制限されるだろう．一方の3Dモニター（メガネ式）は立体視が可能であるが，2つの映像を同一ディスプレイ上に表示するため，クロストーク現象（映像が2重に見え輪郭がぼやける現象）があり，また画質がディスプレイ本来の性能の半分になる．さらに立体メガネの使用は煩わしく，暗く見えるなどの問題[3]もあった．光学顕微鏡との違いは接眼レンズの代わりに3Dモニターを使っていることだけであり，人間の立体視機能（図1）を利用して立体表示[4]する顕微鏡の構造自体はまったく同じである．以上のことから，これら3Dモニター特有の問題が歯科用デジタル顕微鏡の普及を妨げていた要因と考えられる．

ところで，立体視可能なディスプレイ方式には3Dモニター以外にもいくつか存在する[3,4]．その1つが3Dステレオスコープで，2つのディスプレイを両眼の眼前に別々に配置し立体表示したものである．これは上記のような3Dモニター特有の問題が生じないため，すでに医科領域では遠隔操作型内視鏡下手術システム（ダ・ヴィンチ）の立体視ディスプレイとして臨床応用されている．しかし，3Dステレオスコープは高画質ディスプレイを2台配置する必要があり，サイスが大型になってしまうという欠点があった．これを歯科臨床で術者の眼前に配置するには小型化が必須で，より小型で高精細なディスプレイ開発が待たれていた．

近年，高性能スマートフォンやHMD（ヘッドマウントディスプレイ：以下，HMD），カメラのEVF（エレクトリック・ビュー・ファインダー）などへのニーズの高まりから，より小型で高精細なディスプレイ開発が急速に進められている．そこで，筆者は数年前から三鷹光器株式会社と共同で歯科臨床に適した小型の3Dステレオスコープ開発を進めてきた．今回，新しく開発された3Dステレオスコープを応用したデジタル顕微鏡システム（以下，歯科用デジタル顕微鏡）（図2，3）の基礎と展望について解説する．

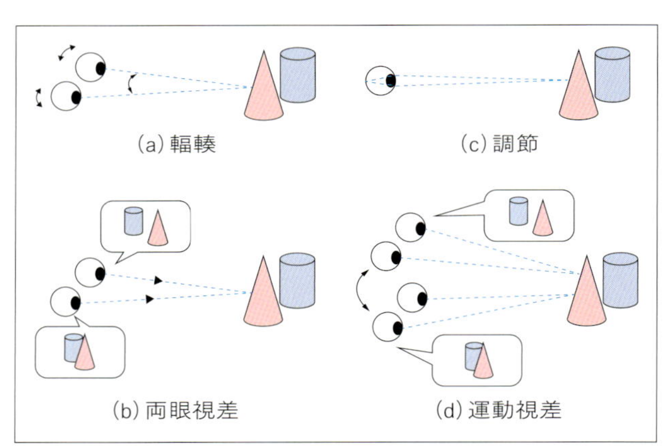

図1　立体視の生理的要因（高木康博，立体ディスプレイの基礎より引用）．輻輳は，1点を注視したときの左右の目の回転角から3角測量の原理で奥行きを知覚する．両眼視差は，左右の目の網膜像の対応点の水平ずれ量に基づく奥行き知覚である．調節は，目のピント合わせによる奥行き知覚である．運動視差は，視点移動にともなう網膜像の変化にもとに奥行きを知覚する．

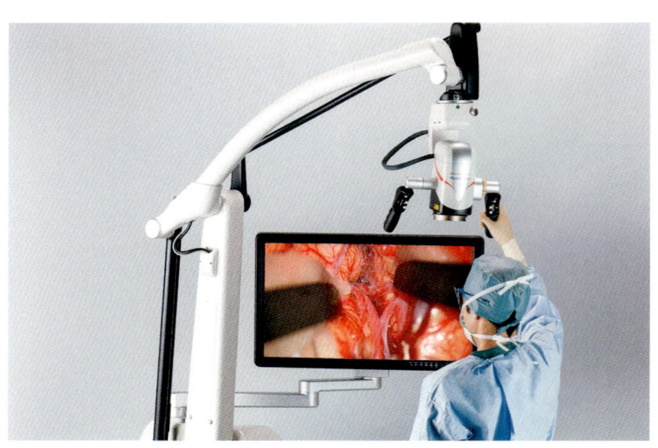

図2　Kestrel View II（三鷹光器社製）．倍率は32型モニター上の総合倍率で39.3倍，またフォーカス調整範囲が200mm〜1,000mmと広く，顕微鏡として使用しない時には術野カメラとしても使用される．

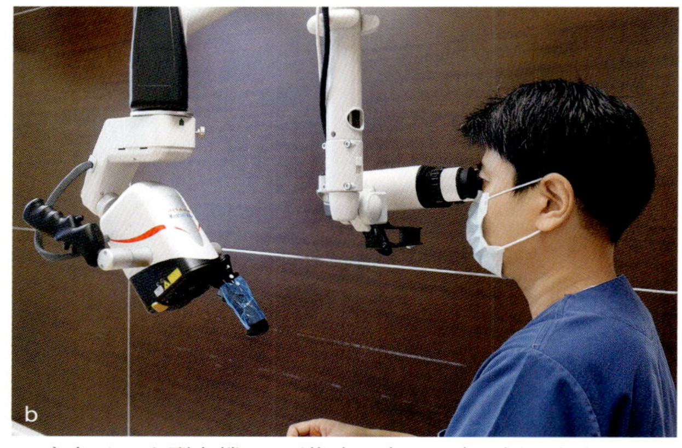

図3a, b　歯科用の3Dステレオスコープ．解像度Full HD（1920×1080）表示の小型有機EL画像素子（OLED）2個が左右に配置され，これに眼幅調整と視度調整環境が付属した接眼レンズが組み合わされている（a）．筆者の3Dステレオスコープを応用した歯科用デジタル顕微鏡システム（b）．

1．歯科用デジタル顕微鏡について

歯科用3Dステレオスコープ（三鷹光器社製）には，解像度Full HD（1920×1080）表示の小型有機EL画像素子（OLED）2個が左右に配置され，これに眼幅調整と視度調整環境が付属した接眼レンズが組み合わされている（図3a）．この歯科用3Dステレオスコープのアイポイントは非常に広く，従来の光学顕微鏡接眼レンズよりも圧倒的に見やすい（図4）．また，OLEDは光源スペクトル中のブルーライト領域が比較的少ないため，LED光源の光学顕微鏡よりも術者の目への負担が少ない可能性も考えられる．

3DステレオスコープはHMDとして市販されているが，術者の頭部や首への負担が大きく，また裸眼への移行が容易でないため，臨床での使用には操作性や視界性に課題がある．そこで，この問題を解決するために天井等に固定された接眼レンズ付きの歯科用3D ステレオスコープが新たに開発された．こうして開発された歯科用3Dステレオスコープは，

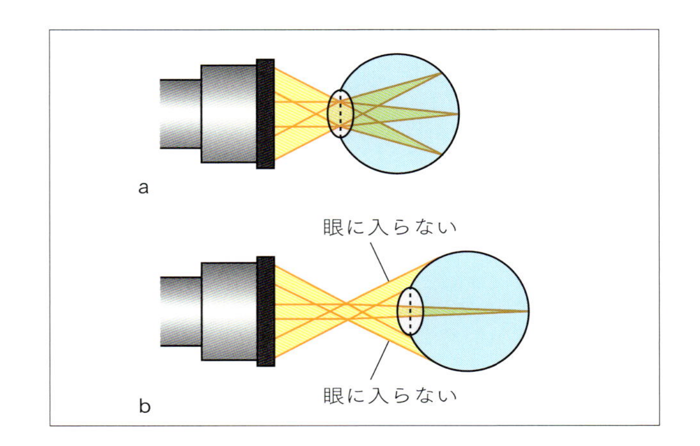

図4a, b　光学顕微鏡と3Dステレオスコープの接眼レンズの違い．左右の接眼レンズから出た光がもっとも小さくなるポイントをアイポイントというが，術者の両瞳がこれとピンポイントで合っていないと光束の一部が眼に入らず像の端に陰りがでる．

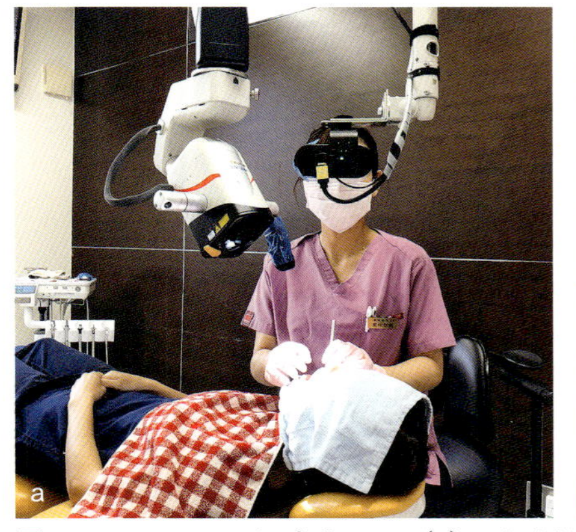

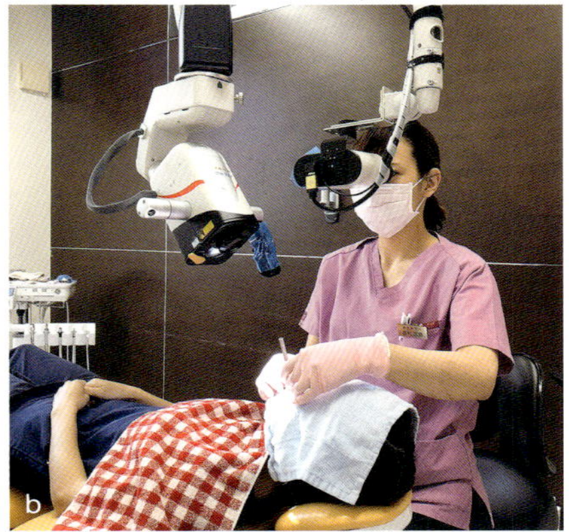

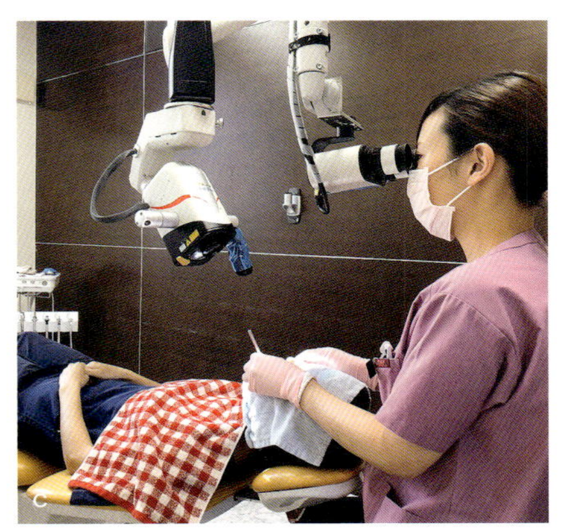

図5a〜c　フロントポジション(a)，サイドポジション(b)，バックポジション(c)．歯科用3Dステレオスコープは，デジタル顕微鏡と干渉しないよう別々に固定されている．術者は，患者の口もとから治療に適した距離を半径とした円を描くように動くことができる．

顕微鏡本体と干渉しないように別々に固定され，さらに歯科治療に適した任意のポジションにすばやく動かすことができるよう工夫されている(図5)．

一方，これまでさまざまなデジタル顕微鏡が発売されてきたが(図6)，筆者はKestrel View II(三鷹光器社製)を使用している．これには左右2個のFull HD(1920×1080)撮影素子が使用され，3Dステレオスコープの左右2個の画像素子にリアルタイムに表示されるよう調整されている．このKestrel View IIは，従来の顕微鏡と比較して可動域が圧倒的に広い(図7)．また付属のフットペダルを使ったリモートコントロールで対物レンズをX，Y軸上に動かすことができ，さらにズーム，フォーカス調整することも可能である(図8)．

歯科用デジタル顕微鏡の特徴として「顕微鏡とディスプレイの分離」と「デジタル画像処理」の2つがある．以下，これらについて詳しく説明する．

1　顕微鏡とディスプレイの分離

光学顕微鏡は，対物レンズと接眼レンズが構造的に一体化している．したがって術野を変えるために顕微鏡を動かすと接眼レンズの位置も変わるため，これに応じて術者のポジション変更も強いられる(図9a, b)．また必要に応じて，焦点調節や接眼レンズの角度，患者の頭位，デンタルチェアなどのポジション変更も必要となる(図9c, d)．

歯科用デジタル顕微鏡は，顕微鏡(対物レンズ)とディスプレイ(接眼レンズ)が分離しており，それらが別々に固定されている．したがって，顕微鏡を動かしてもディスプレイの位置は常に一定である．ま

3Dデジタル顕微鏡	3Dカメラの性能	特徴
Mora Vision（国内未発売）	Full HD × 2	歯科用として開発された3Dデジタル顕微鏡専用機種.
3D カム（東京歯材社）	Full HD × 2	従来の光学顕微鏡に取り付けるタイプで，3Dデジタル顕微鏡と光学接眼レンズを併用できるハイブリッドタイプ.
True Vision（国内未発売）	Full HD × 2	従来の光学顕微鏡接眼レンズを取り外して取り付けるタイプ．光学接眼レンズとの併用は不可．歯科用ソフト付属.
Kestrel View II（三鷹光器）	Full HD × 2	3Dデジタル顕微鏡専用機種で，可動範囲が広くスムーズなアームが特徴.
ORBEYE（オリンパス）	4K × 2	3Dデジタル顕微鏡専用機種．唯一4K×2の高性能カメラを使用.

図6　主な3Dデジタル顕微鏡.

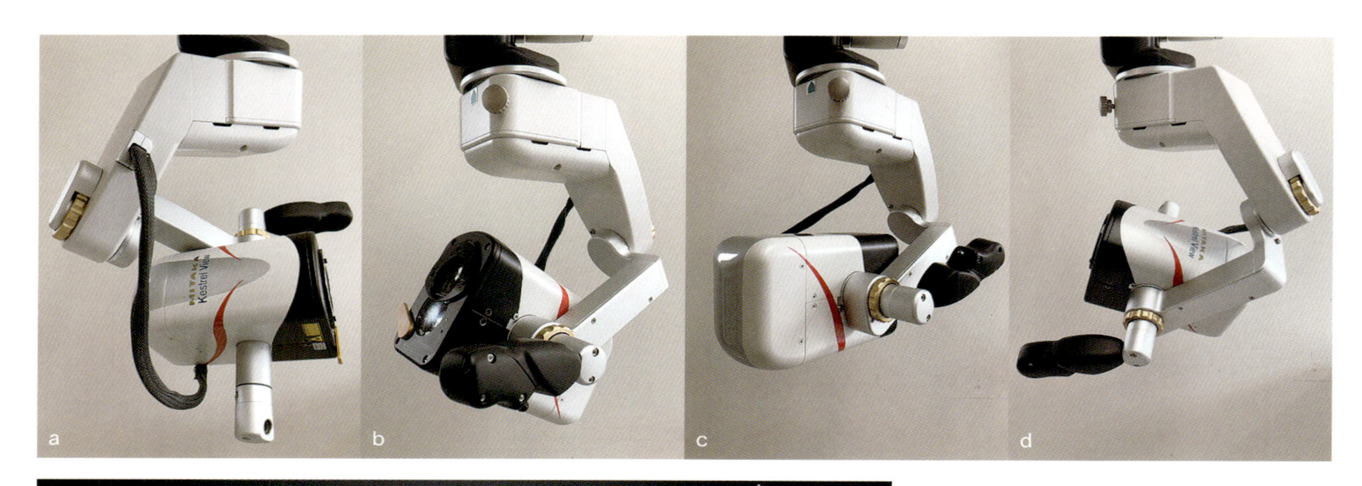

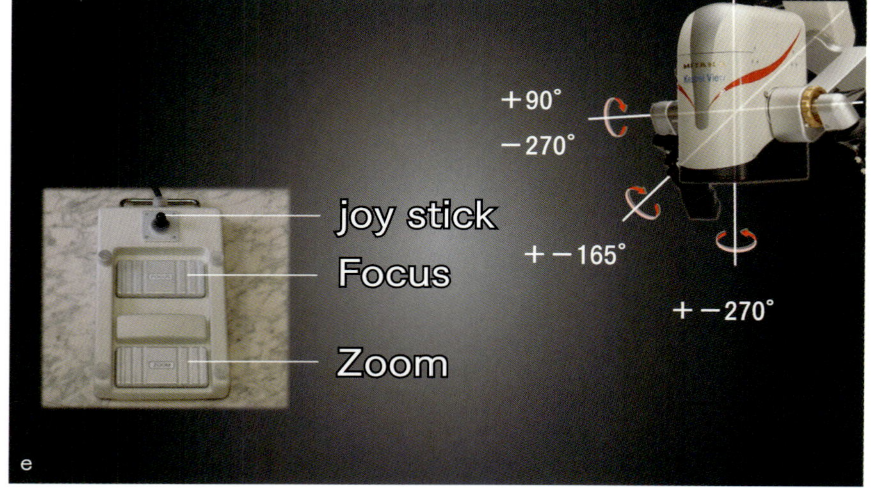

図7a〜e　Kestrel View II は可動域が非常に広いのが特徴(a〜d)．付属のフットペダル(e)によるリモートコントロールでデジタル顕微鏡をX，Y軸上に動かし，さらにズームやフォーカスを調整することも可能．なお，本体が患者などに接触すると停止する安全装置も組み込まれており，3Dステレオスコープを覗きながらでも安心してデジタル顕微鏡を動かすことができる.

た，Kestrel View II は従来の顕微鏡と比較して可動域が圧倒的に広く(図8)，術野の変更は顕微鏡を任意の位置に動かすだけで完了する(図10)．この時，ディスプレイ上で術野を確認しながら顕微鏡を動かすことができるため，一度の操作で任意の術野が得られ，同時に焦点調節も完了する.

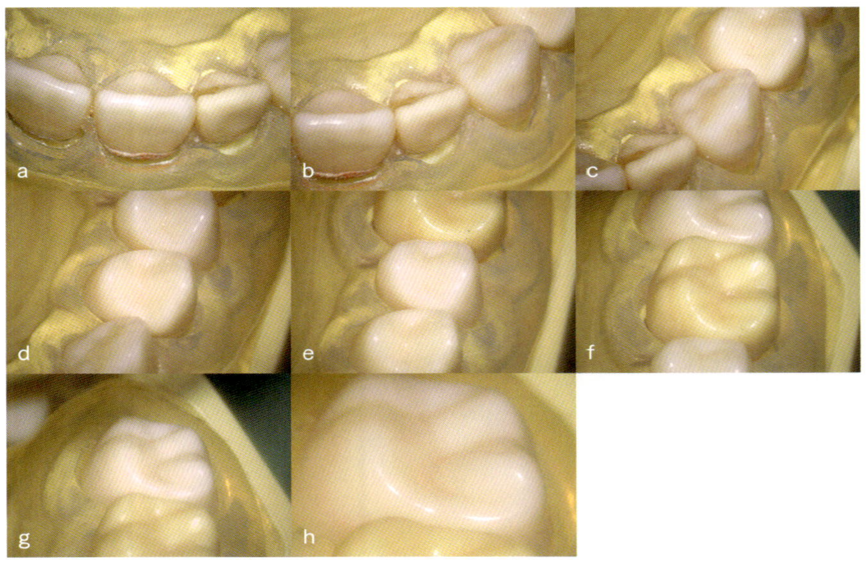

図８a〜i　右上中切歯(a)，右上側切歯(b)，右上犬歯(c)，右上第一小臼歯(d)，右上第二小臼歯(e)，右上第一大臼歯(f)，右上第二大臼歯(g)，右上第二大臼歯の拡大像(h)，撮影時の位置的条件(i)．aからhはデジタル顕微鏡にいっさい手を触れることなく，すべてフットペダルによるリモートコントロールだけで移動・焦点調節・拡大され撮影された．

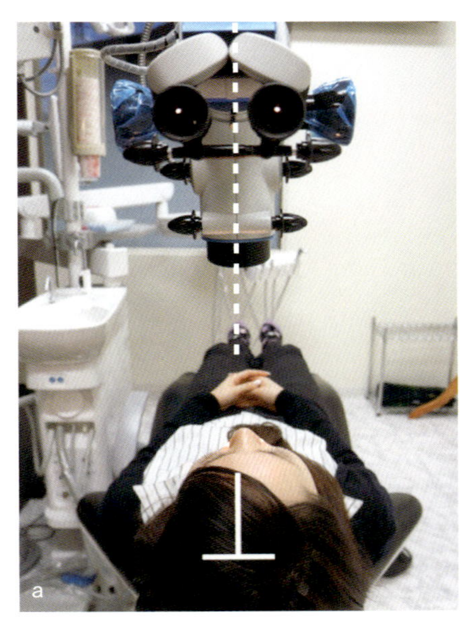
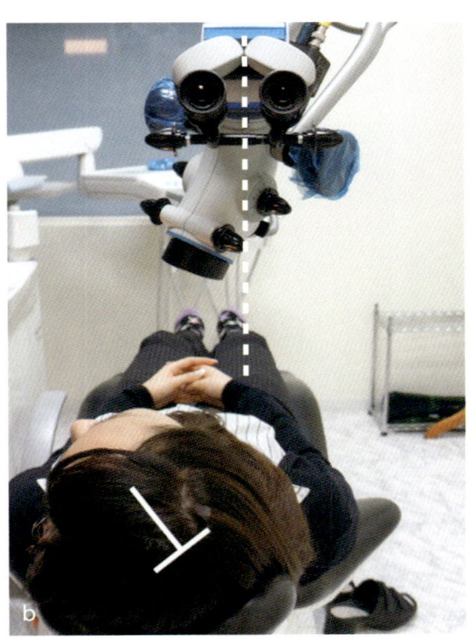
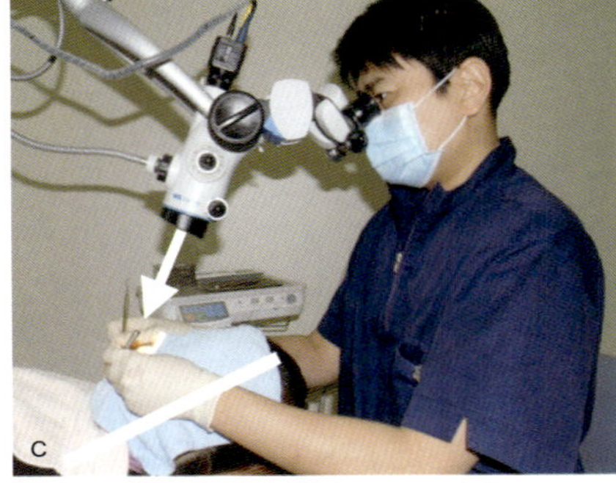
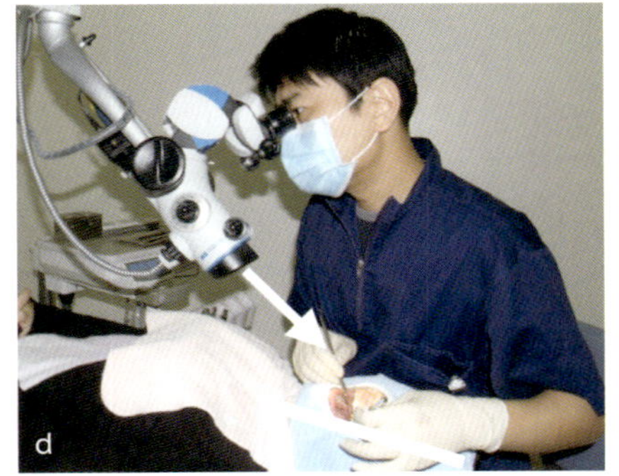

図９a〜d　歯科用光学顕微鏡におけるダイレクトビューのポジション例．前歯部の正面観時(a)，前歯部の側方面観時(b)，下顎咬合面観時(c)，上顎咬合面観時(d)を示す．aからbへの術野の変更にともない，少なくとも顕微鏡本体，接眼レンズ，術者のポジション，焦点の変更が強いられる．cからdへの術野の変更では，顕微鏡本体，接眼レンズ，術者のポジション，焦点に加えて，さらに患者の頭位やデンタルチェアポジションも変更されている．

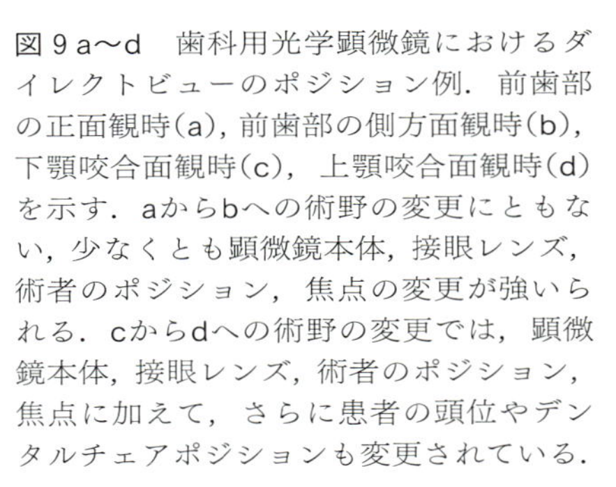

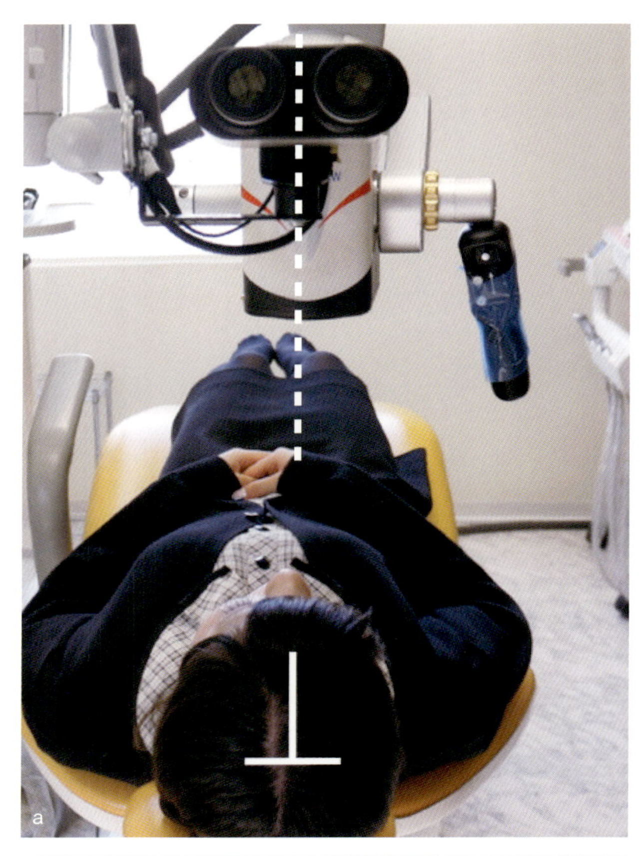

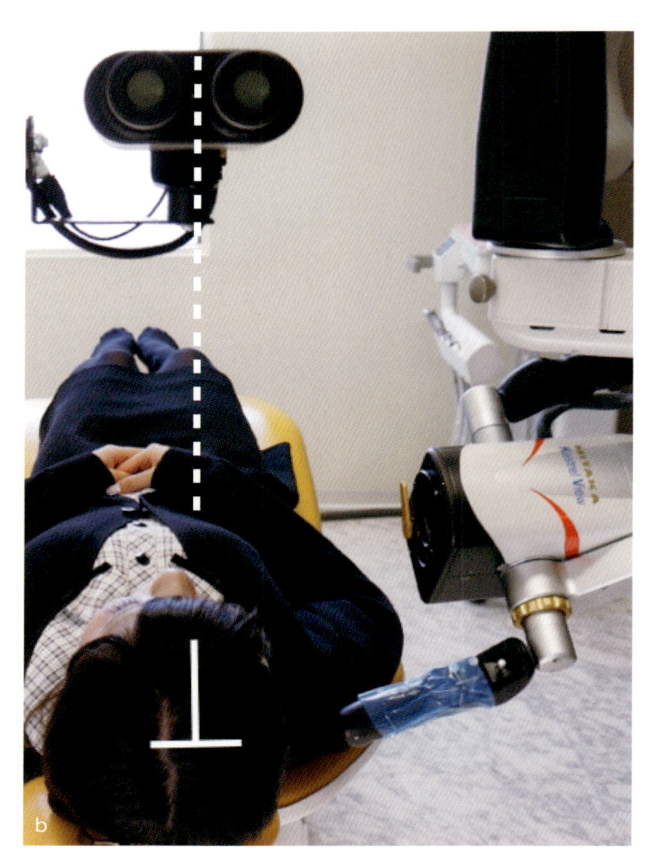

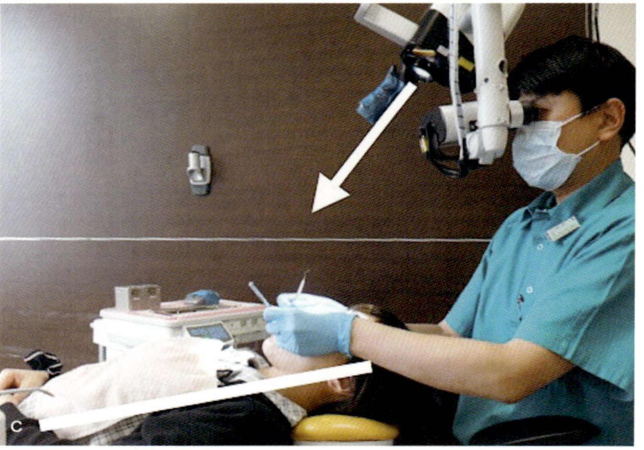

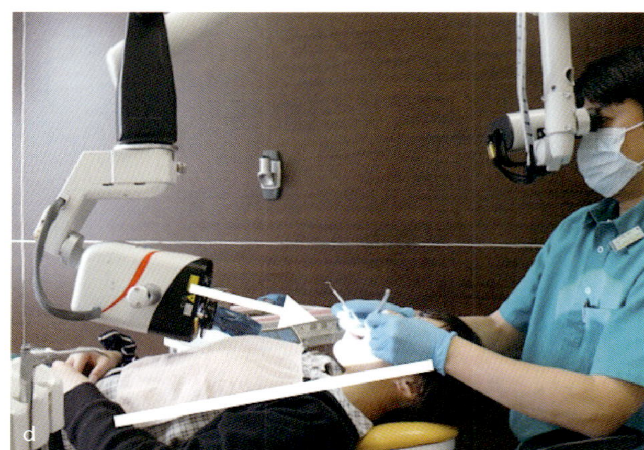

図10a〜d　歯科用デジタル顕微鏡におけるダイレクトビューのポジション例．前歯部の正面観時(a)，前歯部の側方面観時(b)，下顎咬合面観時(c)，上顎咬合面観時(d)を示す．これらすべての術野の変更は顕微鏡を動かすだけで完了する．このときディスプレイ上で術野を確認しながら顕微鏡を動かせるため，一度の操作で確実に任意の術野が得られ，同時に焦点調節も行える．術者と患者のポジションがまったく変わっていないところに注目．

これまでの3Dモニターを使用したデジタル顕微鏡では，術者とディスプレイの間に顕微鏡本体が設置されるため，術者の視野が遮られるという欠点[2]が指摘されていた．しかし，本システムでは術者と顕微鏡本体の間にディスプレイが設置されるため，そのような問題も生じることはない．さらにKestrel View IIは，付属のフットペダルを使ったリモートコントロールで対物レンズをX，Y軸上に動かし，ズーム，

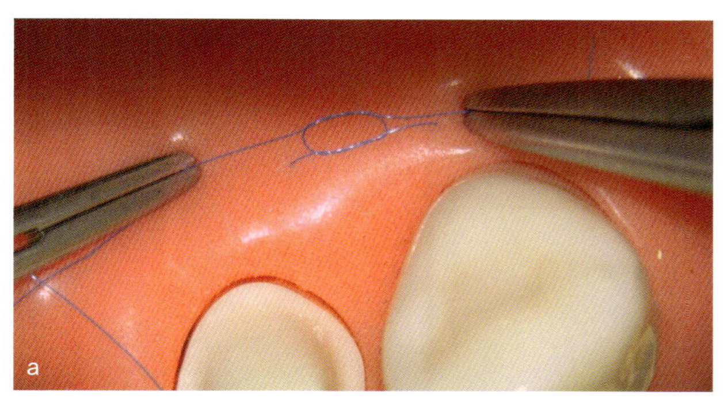
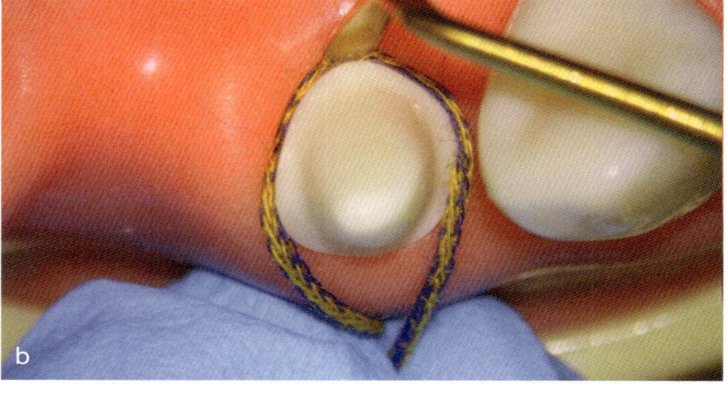
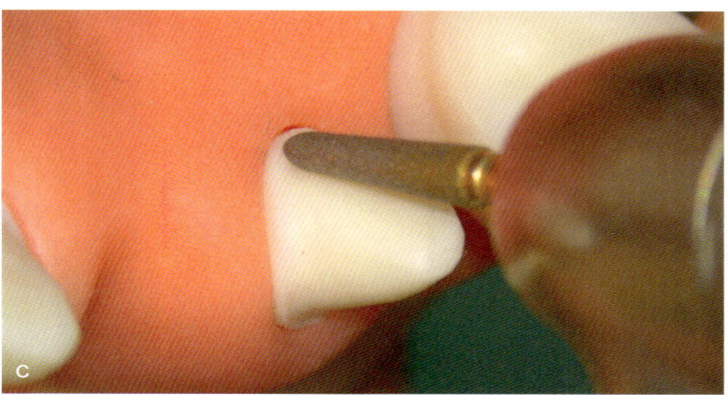
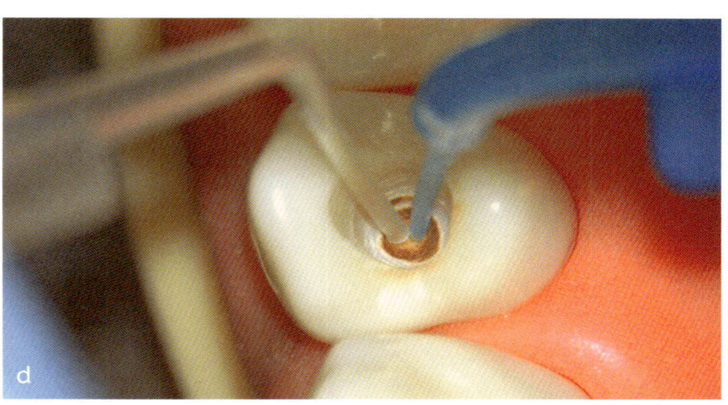

図11a～d　縫合(a)，リトラクションコードの挿入(b)，支台歯形成(c)，根管内吸引洗浄法(d)などダイレクトビューでの治療例．顕微鏡下で両手が使えると便利な処置は数多くあり，ダイレクトビューが容易に行える歯科用デジタル顕微鏡の臨床的意義は大きい．

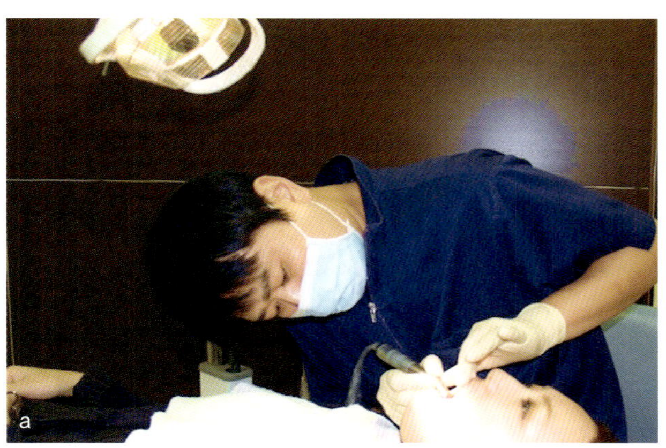
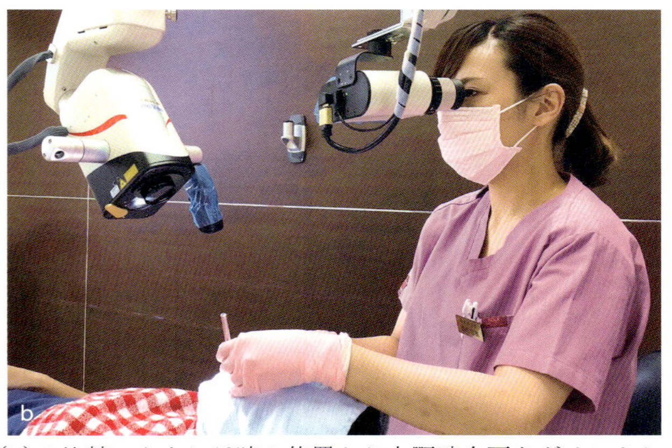

図12a, b　裸眼での治療例(a)と歯科用デジタル顕微鏡での治療例(b)の比較．ともに10時の位置から上顎咬合面をダイレクトビューで観察．裸眼での治療中，術者は口腔内を覗き込みながら常にライトを操作する必要がある．一方，歯科用デジタル顕微鏡では，術者は一定の姿勢を保ったまま顕微鏡をフットペダルで操作するだけである．

フォーカス調整することも可能で，術中に患者が動いたとしても手を止めることなく，術野をディスプレイ中央に戻すこともできる．必要であればフットペダルを使ったリモートコントロールだけで，前歯部から臼歯部まで術野を動かすこともできる(図８)．

筆者がこの歯科用デジタル顕微鏡を使い始めて２年以上経過したが，光学顕微鏡を使用していた頃よりダイレクトビューで使用する機会が増えた(図11)．それにともない，治療部位によって術者ポジショニングを８～２時の範囲で変化させるようになった(図12)．当然ながらダイレクトビューで観察できる範囲には限界もあるが，ミラービューへの変更もいたって簡単である．顕微鏡にいっさい手を触れることなく，フットペダルによるリモートコントロール

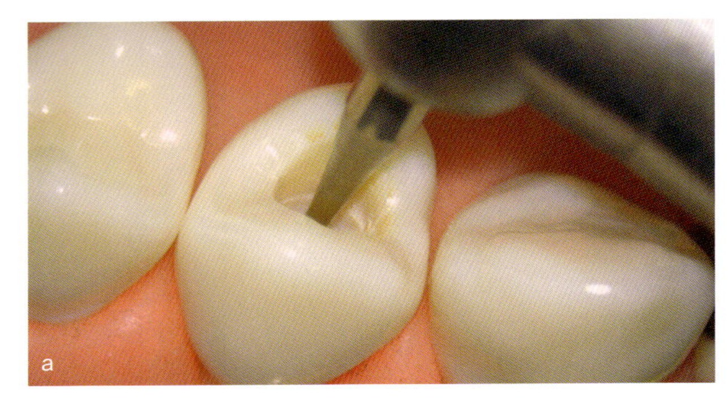

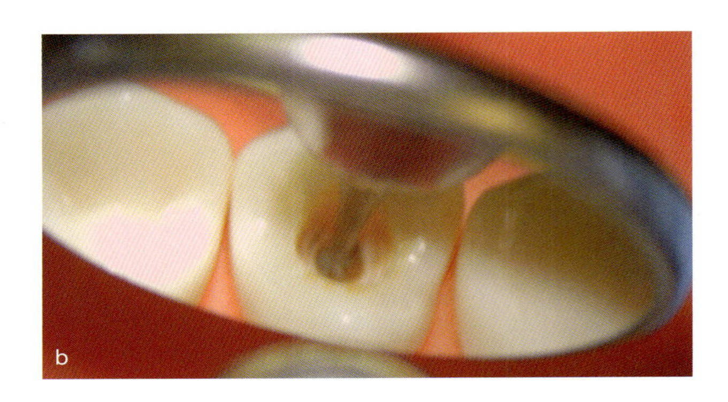

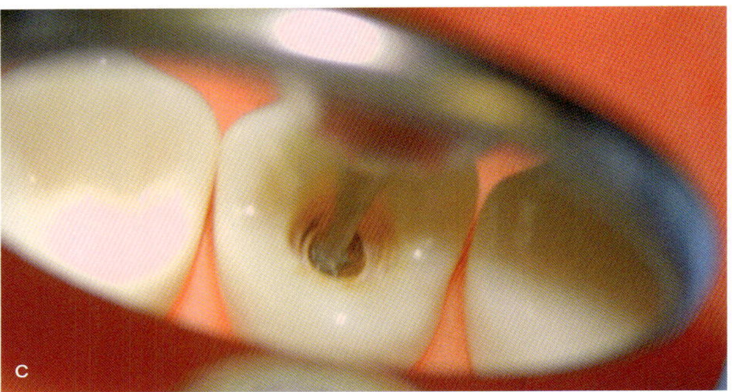

図13a〜c　ダイレクトビューからミラービューへの移行．ダイレクトビューで見える範囲は限定的である(a)，ミラーの位置まで顕微鏡を動かすと焦点が合わずぼやけて見える(b)，焦点調整後のミラービュー(c)．歯科用デジタル顕微鏡では顕微鏡にいっさい手を触れることなく，これら一連の操作をすべてフットペダルのリモートコントロールで行うことができる．

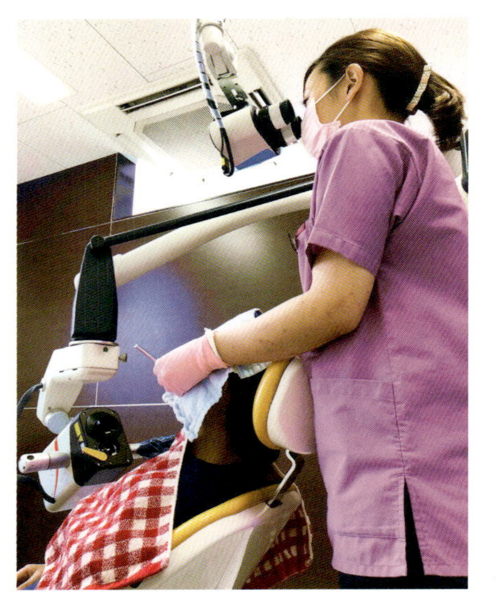

図14　立位診療のポジションで口腔内を観察している様子．図11や図13の処置を立位診療で行えるのは歯科用デジタル顕微鏡だけであろう．

のみでミラービューへの移行が完了するし，またその逆も然りである(図13)．歯科用デジタル顕微鏡を使った臨床では，これまでの固定観念にとらわれない柔軟な発想が必要になると感じている(図14)．

2　デジタル画像処理

ここまでポジショニングにおける優位性について解説してきたが，実は歯科用デジタル顕微鏡の最大の利点はデジタル画像処理ができることにあると考えている．この項では，以下の６つについて解説する．

①デジタル色調調整
②デジタル露出補正
③デジタル画像反転
④３D映像保存
⑤光力学的診断

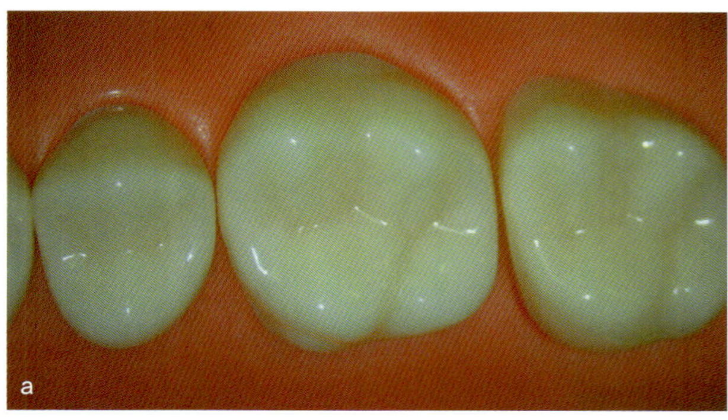
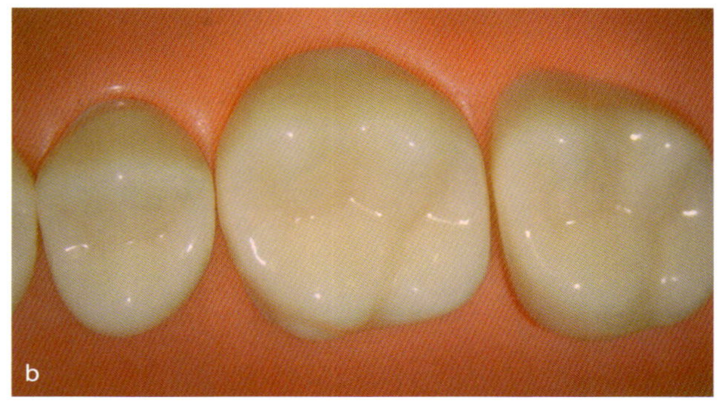

図15a, b　初期設定の状態で撮影されたLED光源の術野(a)と，ハロゲン光源調に色調補正されたLED光源の術野(b).

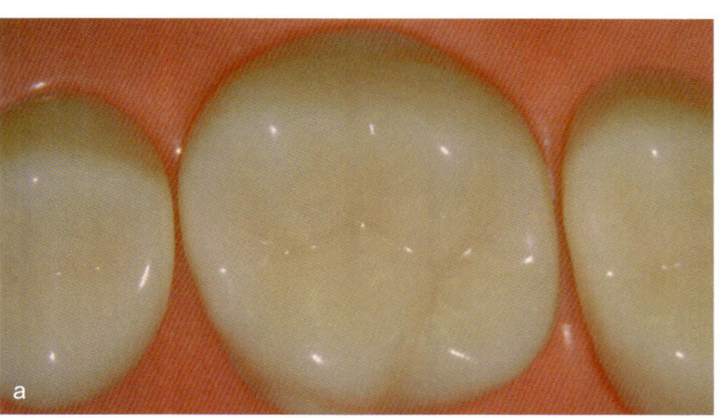
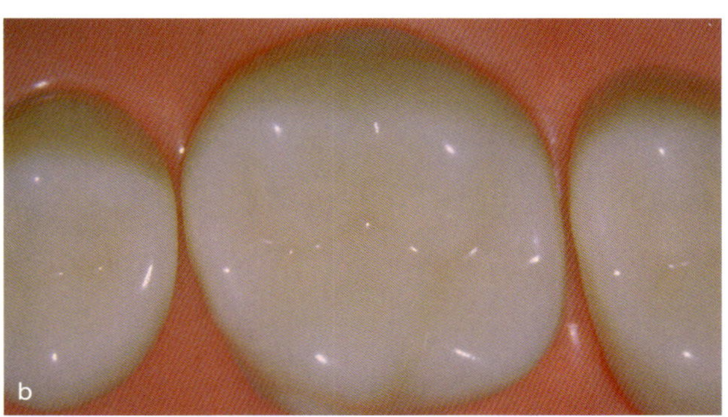

図16a, b　自動露出補正で最小限の光量時(a)と，最大限の光量時(b). 光量を最大にすると色温度が高くなり白っぽく見えるが，術野の明るさ(明度)自体は変わらない. なお，光学顕微鏡では拡大率を上げると暗く見えるが，デジタル顕微鏡の明るさは拡大率にかかわらず常に一定である(図15bと図16a比較).

⑥デジタル画像合成

①デジタル色調補正について

筆者の経験上，長年使用していたハロゲン光源からLED光源やキセノン光源の顕微鏡に変えると術野の色調が変化し，これまでの臨床で培った経験が失われ戸惑うことがあった. これに対して歯科用デジタル顕微鏡では，ディスプレイ表示を常に任意の色調で表示することができる. 筆者のKestrel View IIではLED光源が使用されているが，ディスプレイ上にはハロゲン光源のような色調(ハロゲンモード)で表示されるように設定されている(図15). 歯科用デジタル顕微鏡を使い始める際には，術者がこれまで使用してきた光源に合わせて色調設定することになる.

②デジタル露出補正について

歯科用デジタル顕微鏡では自動的に露出補正されるため，照度や拡大率にかかわらずディスプレイ上の術野は常に一定の明るさで表示される(図16). そこで筆者は，患者やアシスタントの目への影響を考慮し，最小限の光量で使用している. これにより，コンポジットレジン硬化抑制のオレンジフィルターを使うことなく，シェードを確認しながらコンポジットレジンを“ゆっくり”充填することができるようになった. また，手動で露出補正やコントラスト調整することも可能で，光が届きにくい根管内の根尖付近を観察する際に非常に役立つ(図17).

③デジタル画像反転

顕微鏡下の治療において，下顎のミラーテクニックは上顎のミラーテクニックよりも難易度が高い処置として知られる. すなわち，術者が12時の位置からミラーテクニックで下顎を観察すると，ミラーに映る術野が近遠心的(上下的)に逆転して見えるからである. 一方，歯科用デジタル顕微鏡では，映像を上下のみ反転(下顎ミラーモード)させて見ることが

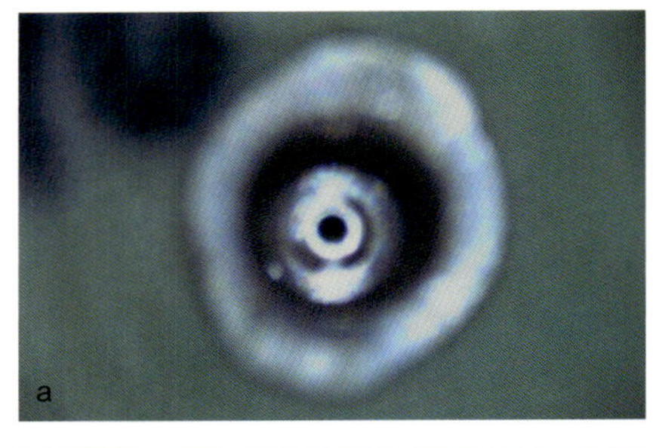

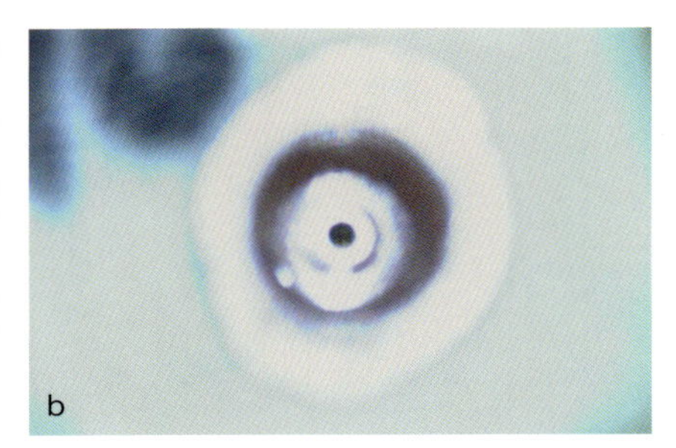

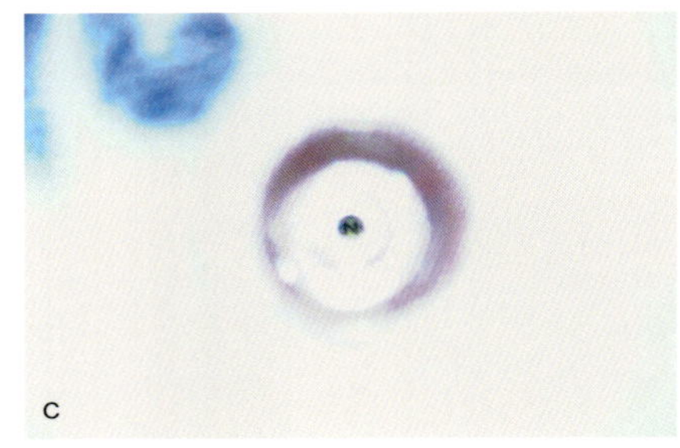

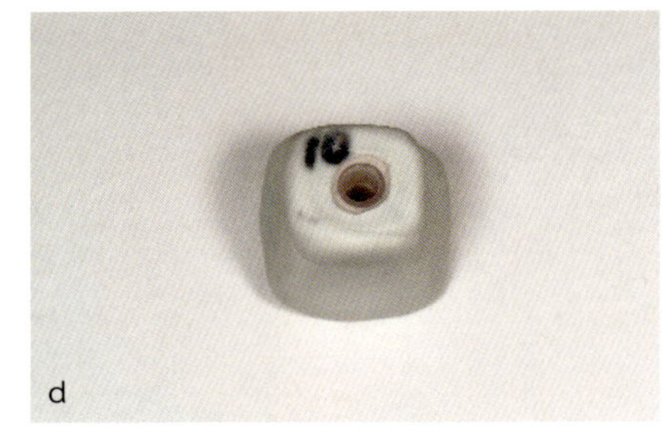

図17a～d　自動露出補正で撮影(a)，露出をプラスにして撮影(b)，露出を最大限プラスにして撮影(c)．18G針先端を10mmの長さにカットし，さらにシリコーンで覆って光を遮り根管内の環境を再現(d)．あらかじめ紙に印刷されたマイクロ文字に焦点を合わせている．自動露出補正では針の先端まで光が届かず何も読み取れない(a)．露出を最大限プラスにすると“N”の文字がハッキリ読み取れる(c)．

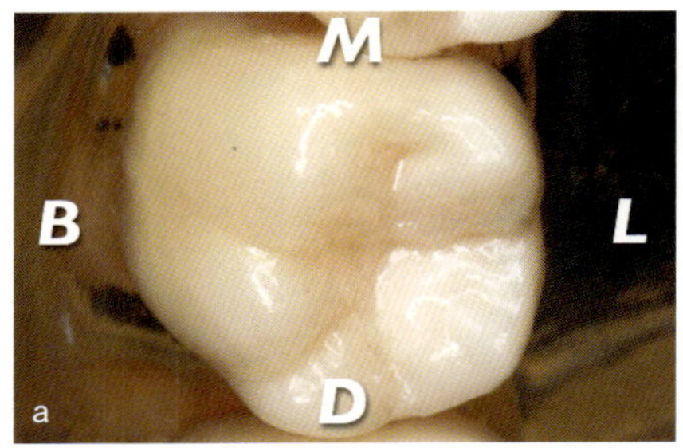

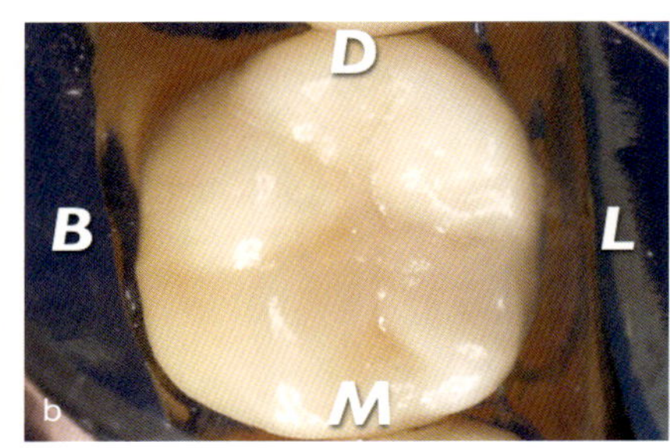

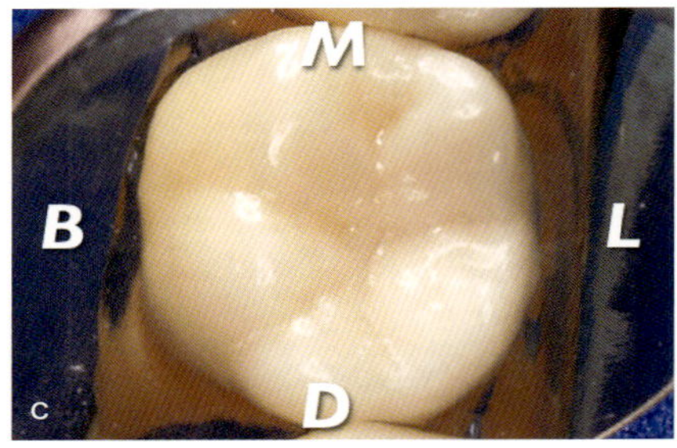

図18a～c　ダイレクトビューでの左下第一大臼歯(a)，ミラービュー(b)，下顎ミラーモード(映像を上下のみ反転)(c)を示す．ダイレクトビューでは大臼歯咬合面を真上から観察することはできない(a)．ミラービューでは真上から見ることができるが，術野が近遠心的(上下的)に逆転する(b)．下顎ミラーモードでは任意の角度から観察でき，かつダイレクトビューの感覚で器具を動かすことができる(c)．

できる(図18)．ミラーの扱いに慣れを要するかもしれないが，強拡大視野下のミラービューでもダイレクトビューの感覚で器具を動かせる臨床的意義はとても大きいと考えている．これまで下顎へのミラーテクニックを習得するには一定のトレーニングを要したが，今後はその必要もなくなるのかもしれない．

④３Ｄ映像保存

通常，歯科用光学顕微鏡の記録は２Ｄ映像(画像)で保存されているが，歯科用デジタル顕微鏡では３Ｄ映像(画像)の保存も可能である．市販のVRヘッドマウントディスプレイを利用すれば，コスト・時間・場所の制約を受けることなく，実際の治療で観察した術野を再現(再生)することが可能となる．歯科用デジタル顕微鏡は，学生やスタッフ教育においても非常に有効と考えられる．なお，筆者は患者説明に３Ｄモニターを使っているが，２Ｄにはない臨場感にいつも驚かれる．３Ｄ映像や３Ｄ画像は従来の編集ソフトでも編集できるので，歯科用デジタル顕微鏡が普及すれば学会などでも３Ｄを使ったプレゼンテーションが普及するかもしれない．

⑤光力学的診断

光力学的診断(Photodynamic Diagnosis：以下，PDD)は，ある一定の波長の光(励起光)を照射して発生する蛍光波長(励起蛍光)を検知することで肉眼では認識困難な病態や組織を識別する診断法である．歯科領域への応用として，う蝕の評価[5～7]

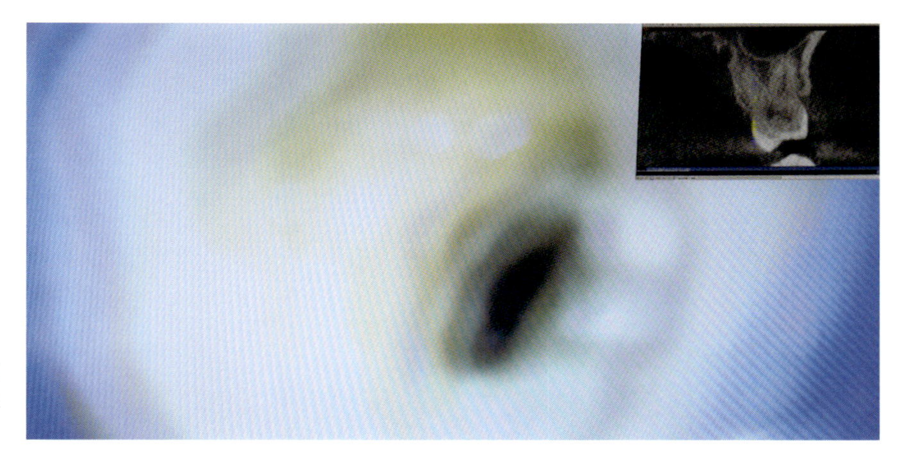

図19　モニター上の術野(模型)にCT画像を合成表示した状態．いくつかの画像を同一画面上に表示することも可能．

や再石灰化の評価[8]ができるレーザー励起蛍光法(Laser induced fluorescence：LF)，口腔バイオフィルムの評価[9]や根管内バイオフィルムの評価[10〜13]ができる光誘導蛍光定量法(Quantitative Lightinduced Fluorescence：QLF)，口腔がん[14]，歯周治療[15]，修復治療[16]，う蝕やインプラント治療[17]への応用が期待される光干渉断層画像診断法(Optical Coherence Tomography：OCT)，異物の検出[18]や血管の透視[19]が可能な近赤外線イメージング(Near-infrared radiation imaging：NIR)などが期待される．

これらのPDDはデジタル映像処理することでその識別を最適化できるため，デジタル顕微鏡での実用化が大いに期待される分野といえる．今後，歯科用デジタル顕微鏡は単に術野を明るく拡大するだけでなく，人間の目に見えない病態や組織，細菌などをリアルタイムに可視化できると考えられ，未来の歯科医療を大きく変える可能性を秘めている．

⑥デジタル画像合成

歯科用デジタル顕微鏡では，術野と同一画面上にCT画像やCG画像，生体モニター等の画像を表示することが可能で(図19)，術中に個々のモニターに目を移すことなく治療に専念することができる．また，術野にCG画像を重ね合わせる研究[20, 21]も進んでおり，実現されれば歯科用デジタル顕微鏡が大きな役割を担うことになるのかもしれない．

まとめ

ここまで，新しく開発された歯科用デジタル顕微鏡の基礎と展望について解説してきたが，また機会があればその臨床についても紹介してみたいと思う．

ところで，先日あるセミナーでコンポジットレジン充填のデモンストレーションを行った際，オレンジフィルターを使うことを忘れてしまい，レジンが硬化してしまうという失態を演じてしまった．考えてみれば，2年前にこの歯科用デジタル顕微鏡を導入して以来，それまでの光学顕微鏡はいっさい使っていないのだから当然である．それだけこのシステムが使いやすく，そしてこれまでの光学顕微鏡とは使用法が異なることを日常臨床で実感している．

最後に，歯科用デジタル顕微鏡システムの課題についても触れてみたい．今のところ筆者の日常臨床でとくに不満は感じていないが，人によってはFull HD画像素子×2の画質を物足りないと感じるかもしれない．また，有機EL画像素子の寿命や，長時間使用による術者の目への影響も気になるところではある．しかし，家庭用テレビやビデオカメラの性能がFull HD，4K，8Kと向上してきたように，いずれは歯科用デジタル顕微鏡の性能も向上するであろう．

今回，歯科用3Dステレオスコープが開発されたことで，歯科領域でもデジタル顕微鏡が普及すると予想される．今後は，PDDやデジタル医療機器，5Gと連携した魅力的な歯科用デジタル顕微鏡の登場を期待している．

参考文献

1. Kantor E, Berci G, Partlow E, Paz-Partlow M. A completely new approach to microlaryngeal surgery. Laryngoscope 1991；101(6 Pt 1)：676-679.
2. Mendez BM, Chiodo MV, Vandevender D, Patel PA. Heads-up 3D Microscopy：An Ergonomic and Educational Approach to Microsurgery. Plast Reconstr Surg Glob Open 2016；4(5)：e717.
3. 結城昭正．立体映像の技術変遷．電気学会誌 2003；123(7)：426-429.
4. 髙木康博．立体ディスプレイの基礎．映像情報メディア学会誌 2013；67(11)：966-971.
5. Sundström F, Fredriksson K, Montán S, Hafström-Björkman U, Ström J. Laser-induced fluorescence from sound and carious tooth substance：spectroscopic studies. Swed Dent J 1985；9(2)：71-80.
6. Hafström-Björkman U, Sundström F, de Josselin de Jong E, Oliveby A, Angmar-Månsson B. Comparison of laser fluorescence and longitudinal microradiography for quantitative assessment of in vitro enamel caries. Caries Res 1992；26(4)：241-247.
7. Ferreira Zandoná AG, Analoui M, Schemehorn BR, Eckert GJ, Stookey GK. Laser fluorescence detection of demineralization in artificial occlusal fissures. Caries Res 1998；32(1)：31-40.
8. Hall AF, DeSchepper E, Ando M, Stookey GK. In vitro studies of laser fluorescence for detection and quantification of mineral loss from dental caries. Adv Dent Res 1997；11(4)：507-514.
9. 神原正樹，日吉紀子，川崎弘二，上村参生，三宅達郎，土居貴士，上根昌子，安達郁，吉田邦晃，田中浩二，河村泰治，脇勉，田中秀直，上田雅俊，井上宏．バイオフィルムの光学的検出に関する臨床研究．歯科医学 2007；70(3-4)；204-211.
10. Sarkissian A, Le AN. Fiber optic fluorescence microprobe for endodontic diagnosis. J Dent Educ 2005；69(6)：633-638.
11. Pini R, Salimbeni R, Vannini M, Cavalieri S, Barone R, Clauser C. Laser dentistry：root canal diagnostic technique based on ultraviolet-induced fluorescence spectroscopy. Lasers Surg Med 1989；9(4)：358-361.
12. Abalos C, Herrera M, Bonilla V, San Martin L, Mendoza A. Laser-induced fluorescence in the diagnosis of pulp exposure and the influence of residual dentin thickness：An in vivo study. Am J Dent 2015；28(2)：75-80.
13. Ho QV, George R, Sainsbury AL, Kahler WA, Walsh LJ. Laser fluorescence assessment of the root canal using plain and conical optical fibers. J Endod 2010；36(1)：119-122.
14. 寺沢史誉，小澤総喜，下郷和雄，角保徳．光干渉断層画像診断法の口腔癌への応用．日本口腔検査学会誌 2010；2(1)：60-64.
15. 坪川正樹，青木章，柿﨑翔，水谷幸嗣，角保徳，和泉雄一．歯周治療におけるOCTの応用．日本レーザー医学会誌 2018；39(1)：37-49.
16. 前田千晶，窪木拓男，高橋英和，田上順次，角保徳．歯科用OCTを使用した硬質レジン前装冠の口腔内での非破壊検査．日本歯科理工学会誌 2015；34(6)：461-466.
17. 角保徳．歯科用OCT画像診断機器の開発と歯科臨床応用．日本レーザー歯学会誌 2012；23(3)：137-141.
18. 早川吉彦，山下拓慶，大粒来孝，妙瀬田泰隆，佐川盛久，近藤篤，辻由美子，本田明．近赤外線イメージングによる皮下異物の検出実験．医用画像情報学会雑誌 2010；27(3)：50-54.
19. 高木信一，片山泰朗．近赤外光を用いたin vitroヒト血液透明化に関する検討．日本医学放射線学会雑誌 2000；60(1)：45-47.
20. 窪田努．VR,AR,MRがもたらす「これからの歯科医療」．J Jpn Acad Digital Dent 2018；8(1).
21. 菅原圭亮，片倉朗．口腔顔面領域におけるデジタルファブリケーション．日本歯科医師会雑誌 2019；72(9)：31-39.

マイクロスコープを用いた精密治療の臨床例

高山祐輔

神奈川県開業　新百合ヶ丘南歯科
連絡先：〒215-0021 神奈川県川崎市麻生区上麻生1-3-5 ドレイク202

はじめに

筆者が歯科医師として働き始めた2004年は，CT，CAD/CAMシステム，マイクロスコープ，MTAセメント，ニッケルチタンファイルなどの歯科材料・器材が世の中に普及し始めた黎明期であった．現在に至るまでさまざまな改良が施されると同時に治療効率を上げるためのノウハウが編み出され，今では日常臨床に欠かせないツールとなっている．また，セラミック材料とそれらにかかわる接着歯学の進化もめざましく，臨床に多くの恩恵がもたらされている．これらの材料・道具を適切かつ有効に使用することで，生物学的，機能的，審美的に良好で予知性の高い臨床結果が得られると考え，日々臨床の研鑽を積んでいる次第である．

そのようななか，筆者のマイクロスコープとの出会いは約10年前に遡るが，すべての処置において必須で使用するようになったのは４年前に自らの医院を開業した時からである．10年の間に，マイクロスコープを使用する多くの先輩歯科医師や歯科衛生士との出会いがあった．今では臨床においてマイクロスコープは日常的かつ自然に使用するものになり，また歯科医療従事者としての尊厳を感じさせてくれる欠かせないツールの１つとなっている．

本稿では，前歯部に焦点を絞った１症例を通して，日常臨床にマイクロスコープを取り入れるメリットを改めて振り返りたい．

症例

1 患者情報

患者は58歳，女性．1|の唇側歯肉腫脹と動揺を主訴に来院した（図１）．約４年前に一度，同部位はポストコアごと脱離，歯根の部分的な破折を修復して再度装着をしているとのこと．20代の頃から人前に出ることが多い職業であったとのことで，その当時に審美目的の補綴治療によりPFMを装着，その後約15年前の再治療にてオールセラミック修復が行われているが形態的に不満があり，これを機会に再補綴治療を希望されていた．患者の審美的要求レベルは高く，前歯部の具体的な希望改善点として，全体的な歯軸のバランスを整えたい，左右中切歯切縁のインバーテッドカーブの改善，中切歯と側切歯の形態にメリハリを付け両側中切歯を少し長く見えるようにしたいとのことを挙げられた．

2 検査・診断

顔貌から，前歯部のインサイザルエッジポジション，

Case 1

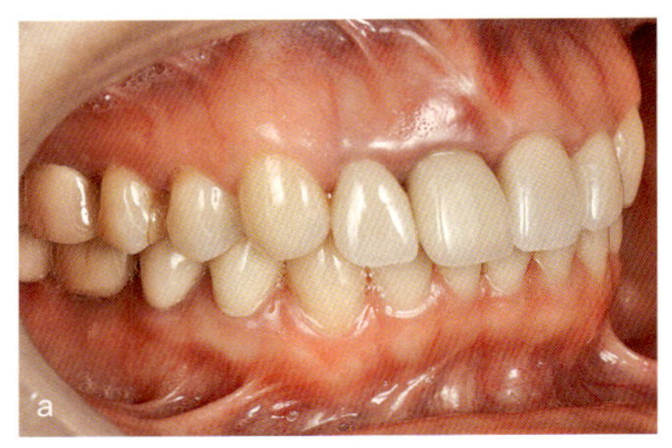

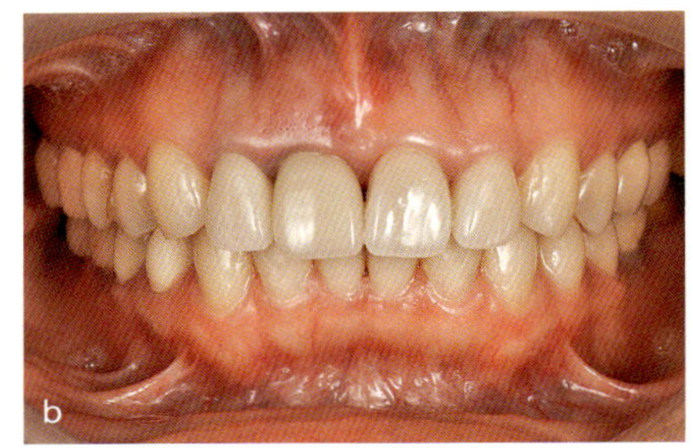

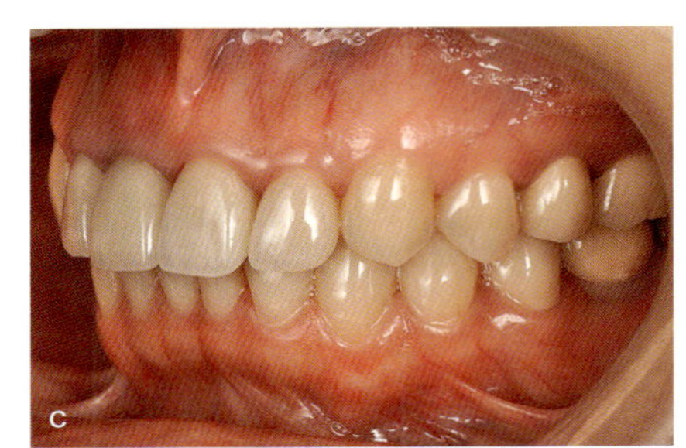

図１a〜c　術前の口腔内写真.

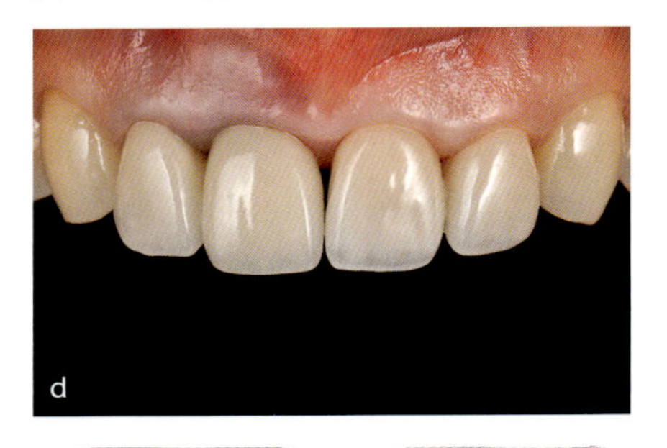

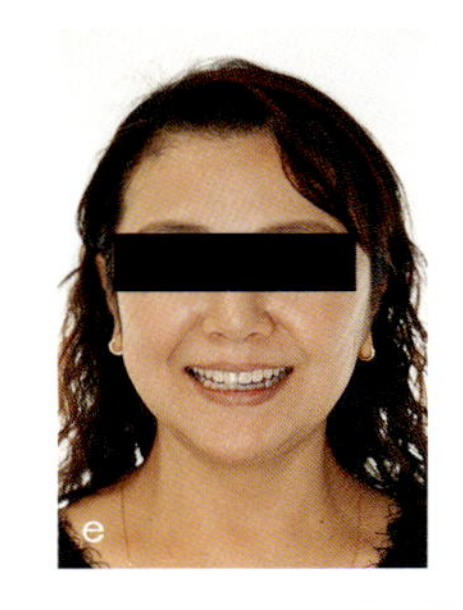

図１d　術前の上顎前歯部口腔内写真.
図１e　術前の顔貌写真.

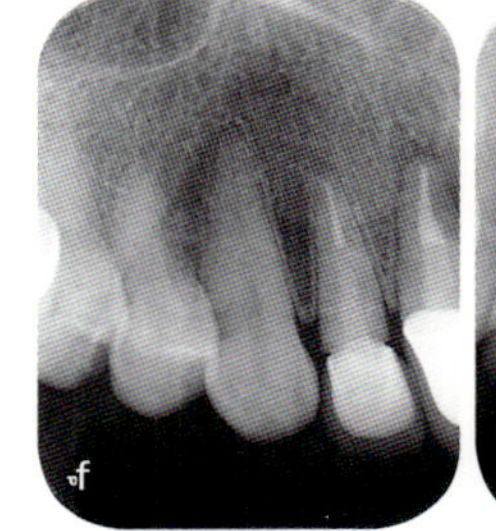

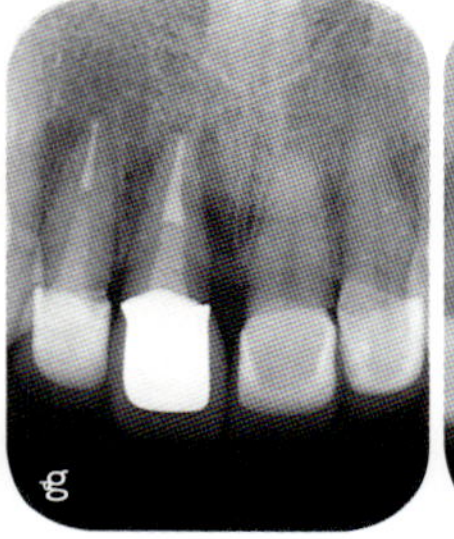

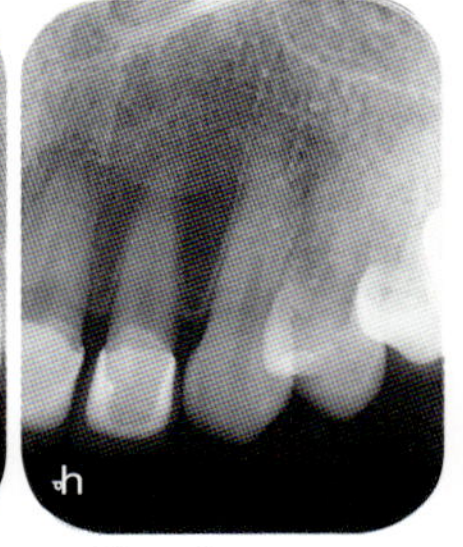

図１f〜h　術前の上顎前歯部デンタルエックス線写真.

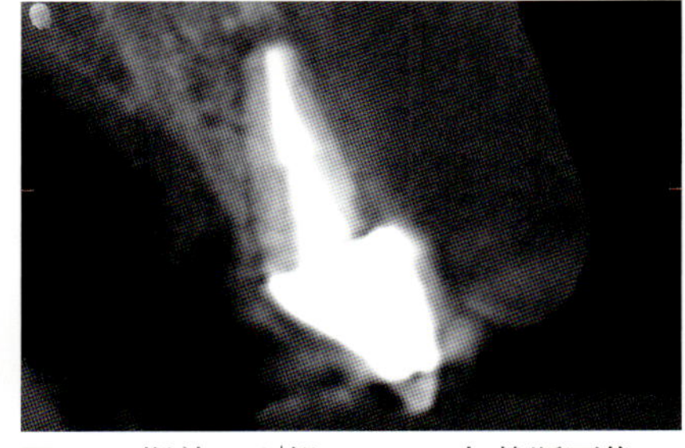

図１i　術前の1|部のCBCT矢状断画像.

スマイルラインは概ね適正であると判断した．口腔内正面からは1|1の非対称な形態，切縁ラインの不揃いが認められ，辺縁歯肉レベルに関しては2|，1|に比べ，左側がやや高位に位置している状態である．口腔内側方面観では1|1切端はほぼ揃っているものの，右側に関しては若干の唇側傾斜が確認でき，本来の歯根の位置は左側に比べやや口蓋側に位置していることが予想される．

デンタルエックス線写真の情報からは，1|を除く３本の補綴装置マージン部が不適合の状態であり，2|根尖部に若干の透過像，1|は根尖２/３にわたる透過像が確認でき，CTにより根尖に及ぶ唇側歯槽骨の喪失が認められる．また，1|唇側中央部には６mmの歯周ポケットが存在し，出血・排膿を確認し，歯肉縁下に及ぶ歯根破折による実質欠損が認められたため，同部位を保存不可能であると診断した．

3　治療計画

上記検査・診断に基づき1|の抜歯処置を行い，患者の希望もあり②1|①PFZブリッジ，|2PFZクラウンの補綴処置を計画した．抜歯後のポンティック部位は大幅な顎堤吸収が予想され，抜歯後のリッジプリザベーション，歯槽堤増大術として結合組織移植（以下CTG）を考えた．2|は補綴治療に先立ち再根管治療を行うこととした．また，最終補綴装置製作にあたりプロビジョナルレストレーションの形態を模索し，審美・機能面について事前の評価をすることがもっとも重要であると考えた．

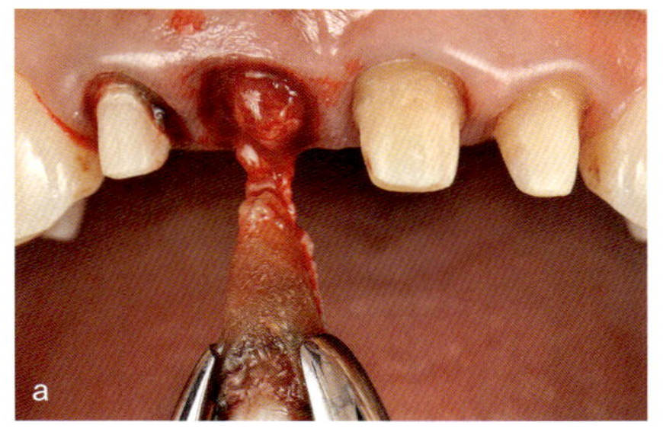

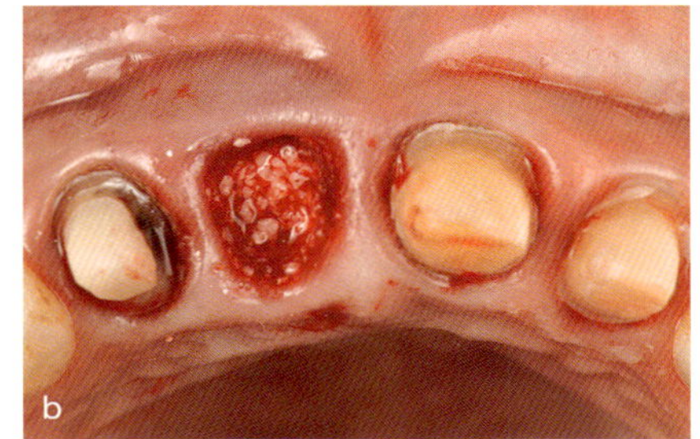

図 2 a　1|の抜歯．
図 2 b　リッジプリザベーション．

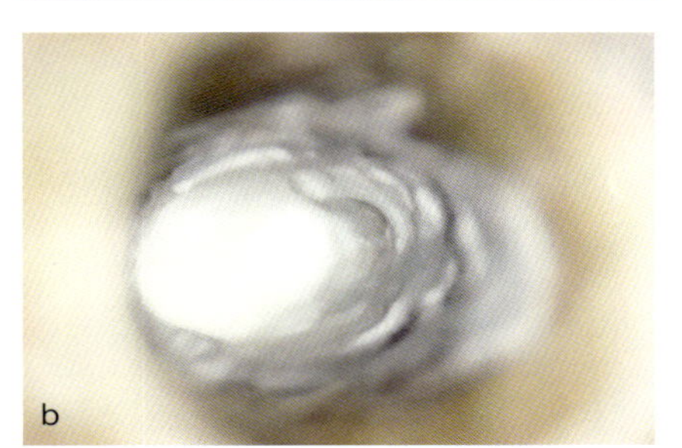

図 3 a　2|の開口した根尖孔の確認．
図 3 b　MTAを用いた根管充填．

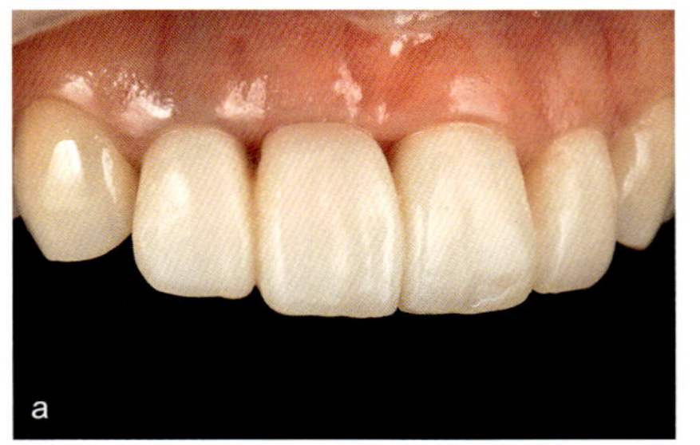

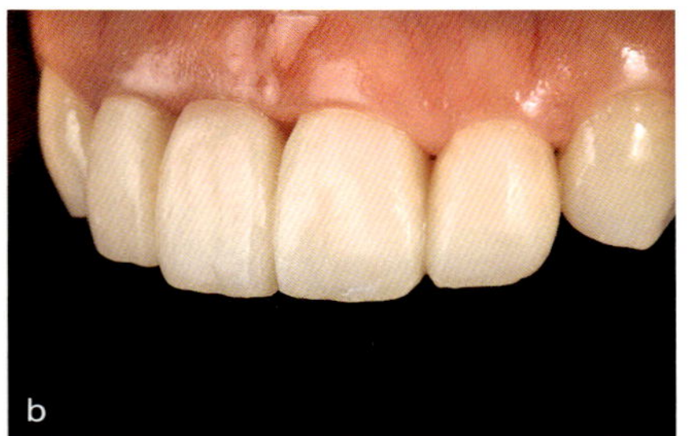

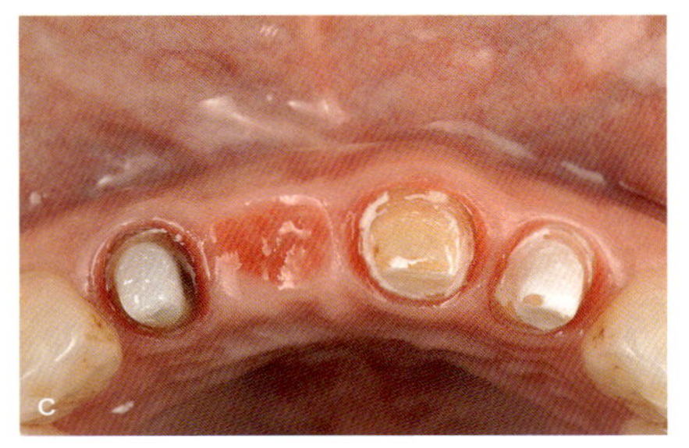

図 4 a～c　抜歯後 6 か月経過時，1|部顎堤のボリューム不足が確認できる．

4　治療概要

既存補綴装置除去後，1|の抜歯処置(図 2 a)，吸収性メンブレンと人工骨を用いたリッジプリザベーションを行った(図 2 b)．

抜歯窩の治癒期間中に 2|の根管治療に移行した．マイクロスコープ視野の下，慎重に既存ポストをバーによる切削にて除去後，感染歯質の除去，超音波チップを用いての上部ガッタパーチャ除去，根尖付近のガッタパーチャと感染歯質は主にマイクロエキスカを用いて除去を行った．根尖部の感染歯質除去後(図 3 a)，オープンアペックスが認められ，MTAを用いて封鎖，根管充填した(図 3 b)．MTA硬化後，別日にグラスファイバーを用いて支台築造を行った．

抜歯後 6 か月経過後，歯槽堤の再評価の後，CTGを行う(図 4 a～c)．垂直的な歯槽堤レベルはある程度維持されているが，水平的には顕著な吸収が認められる．欠損量が多く，口蓋部より採取した結合組織 1 枚分では十分な厚みが得られないため，結合組織を 2 枚に重ね厚みをつくるレイヤードグラフト法[1]を用いた(図 4 d～g)．歯周外科でのマイクロスコープの使用は，主に低倍率，中倍率を使用し，縫合時の歯肉弁にかかるテンション調整の際は高倍率下にて慎重に行う．

歯槽堤増大術後 3 か月，歯周組織が安定してきた時期に最終的な支台歯形成をし，ポンティック基底面を含め，最終補綴形態をイメージしてプロビジョナルレストレーションの調整に入る．既存支台歯のフィニッシュラインデザインがコーナー90°のショルダー形成であったため(図 5 a)，今回製作するPFZの製作要件に合わせフロータイプのコンポジットレジンを用い(図 5 b)，スムーズな形態に修正し再形成を行った(図 5 c)．マイクロスコープの使用概要は全体的なバランスや支台歯の平行性をとるための概形成

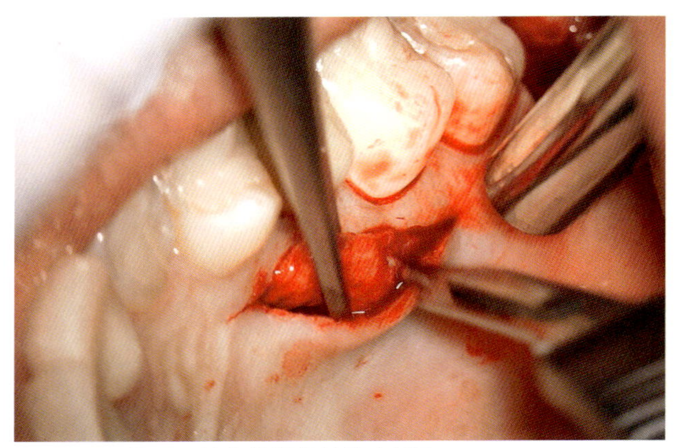
図４ｄ　口蓋から結合組織移植片を採取.

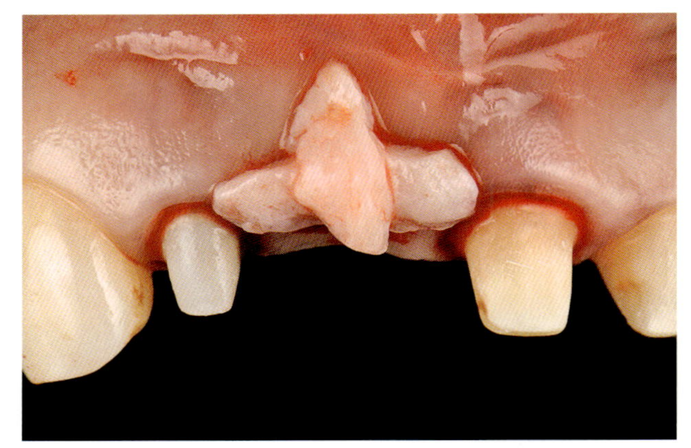
図４ｅ　口蓋側から採取した結合組織片の試適.

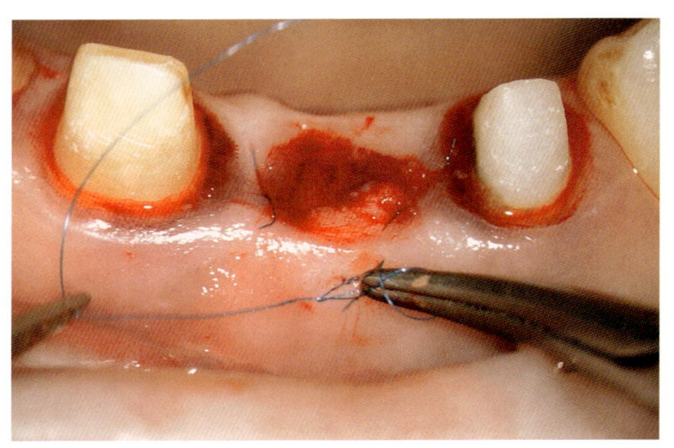
図４ｆ　縫合による結合組織片の固定.

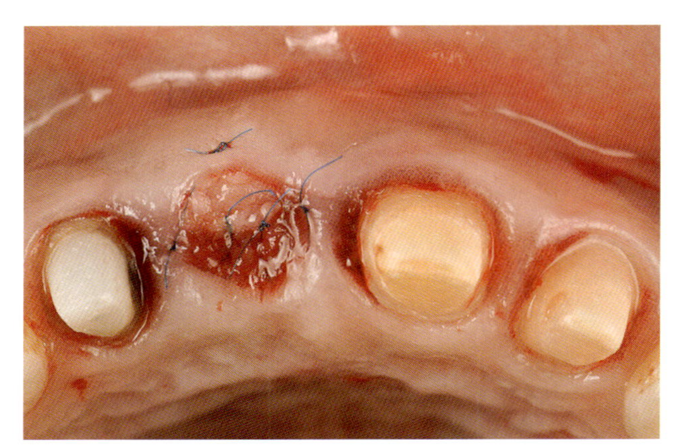
図４ｇ　歯槽堤増大術終了時.

では低倍率を用い，１歯単位の形成を中倍率，フィニッシュラインの仕上げは５倍速コントラの注水，非注水を使い分けながら高倍率視野を用いて仕上げていった(図５ｄ). 支台歯形成終了後，マイクロスコープ視野下にてプロビジョナルレストレーションの調整を行った(図５ｅ).

最終補綴装置製作前に，歯科技工士製作による最終確認用プロビジョナルレストレーションを装着(図６ａ). 必要に応じた調整後に，顔貌と歯列，スマイルライン等の見え方についてコミュニケーションを取りながら動画，写真撮影を行い確認した(図６ｂ). 患者の希望と，加齢による安静時の上顎前歯露出量低下を補正する目的で，平均的な歯冠長より長い形態に設定した. プロビジョナルレストレーションにて，形態，機能，発音の検討，確認後，これをもとに最終補綴装置製作段階に移行した(図６ｃ).

印象採得に際しては事前に拡大視野下にて歯肉圧排操作を行い，印象採得後はとくにフィニッシュライン上の気泡混入の有無，滲出液，血液，唾液による印象面の荒れがないことを高倍率にて確認した(図７ａ〜ｃ).

完成した補綴装置(図８ａ, ｂ)の適合状態を模型上でマイクロスコープにて確認後，口腔内で試適を行った(図９ａ, ｂ). ジルコニアの補綴装置内面は試適後にサンドブラスト処理をし(図９ｃ)，MDPを用いてプライミングを行い接着性レジンセメントにて装着[2, 3]をする. 筆者は今回のように縁下にマージン設定をした補綴装置の場合，余剰レジンセメント除去は装着した当日だけでなく，歯肉の状態がある程度落ち着いたタイミングで再度拡大視野下にて確認，除去し(図９ｄ)，最終的にデンタルエックス線写真撮影を行いチェックしている(図10, 11).

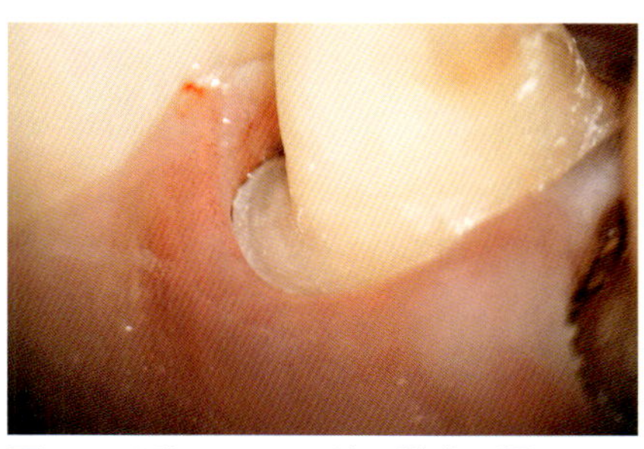

図５ａ　90°のショルダー形成が認められる．

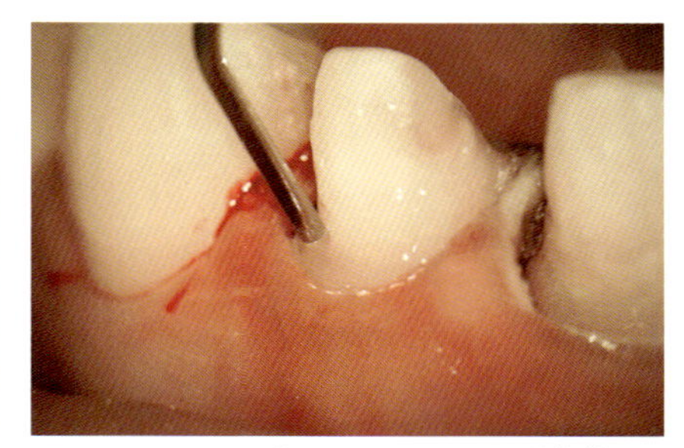

図５ｂ　フロアブルレジンによる形態修正．

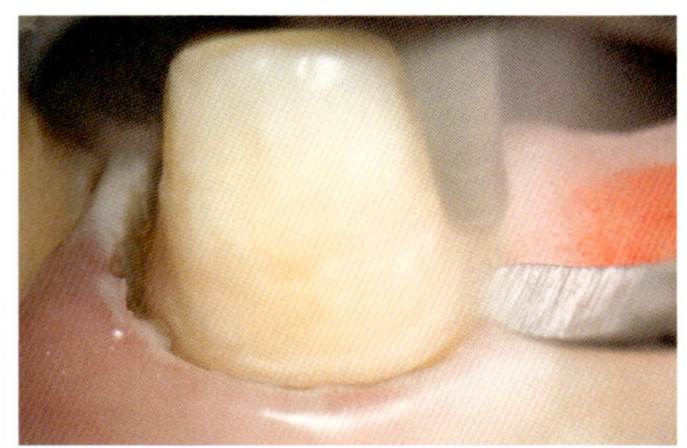

図５ｃ　フィニッシュラインの形成．

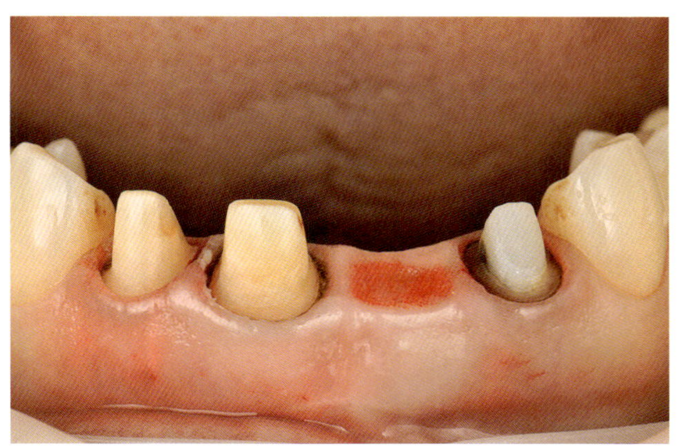

図５ｄ　支台歯形成終了時．

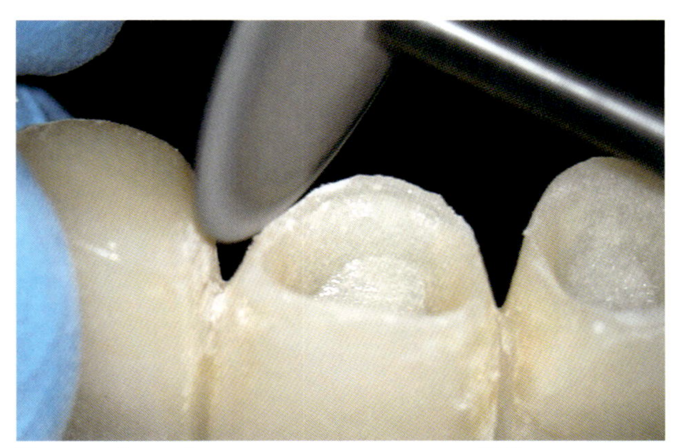

図５ｅ　プロビジョナルレストレーションの調整．

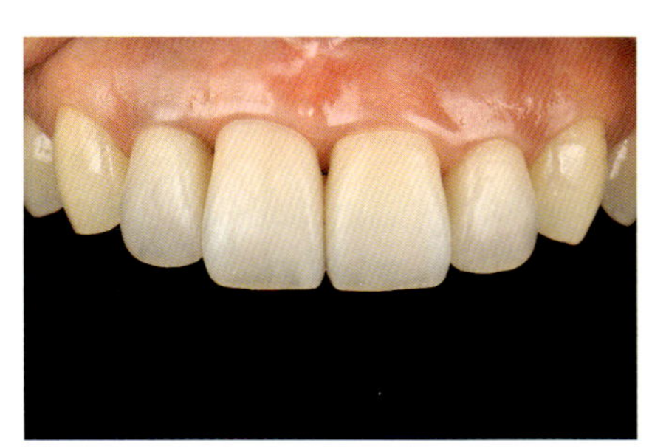

図６ａ　最終確認用プロビジョナルレストレーションが装着された状態．

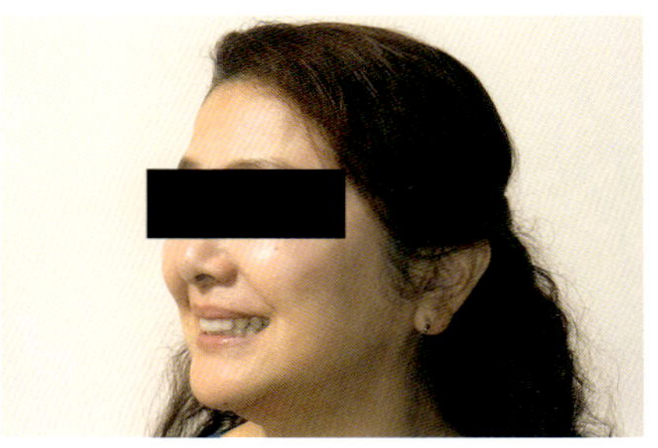

図６ｂ　動画・写真により顔貌と口唇，歯の関係を確認，記録する．

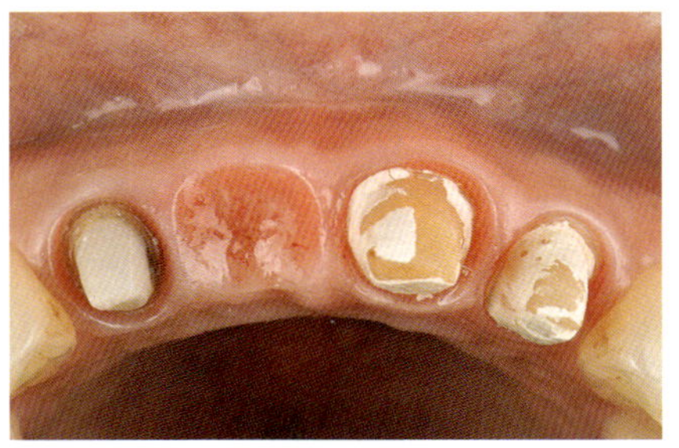

図６ｃ　プロビジョナルレストレーションにより調整された歯肉の形態．

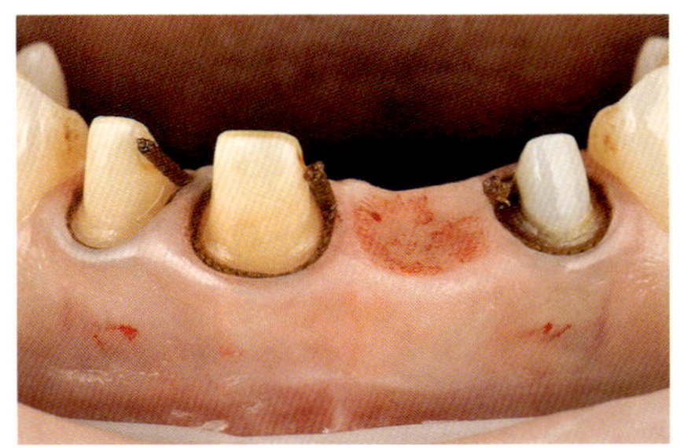

図７ａ　印象採得前の支台歯の状態．

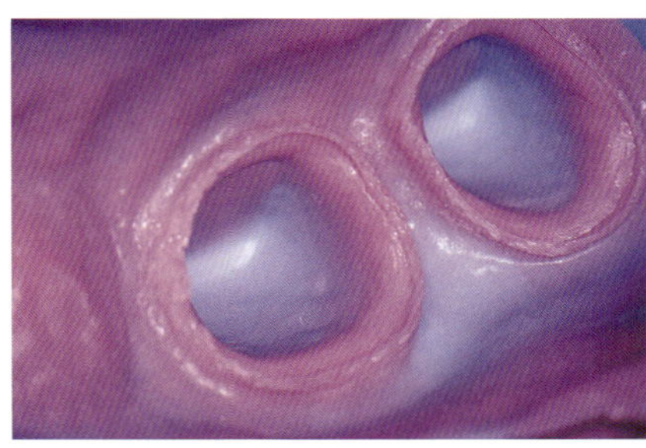

図７ｂ　印象内面の確認．

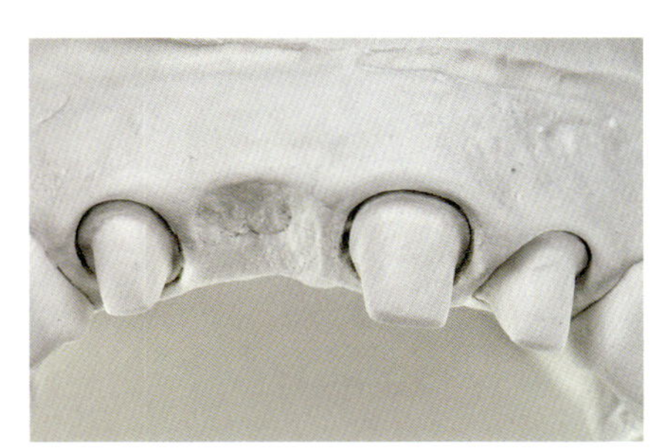

図７ｃ　作業模型での形成，フィニッシュラインの確認．

図８ａ　最終補綴装置の完成．

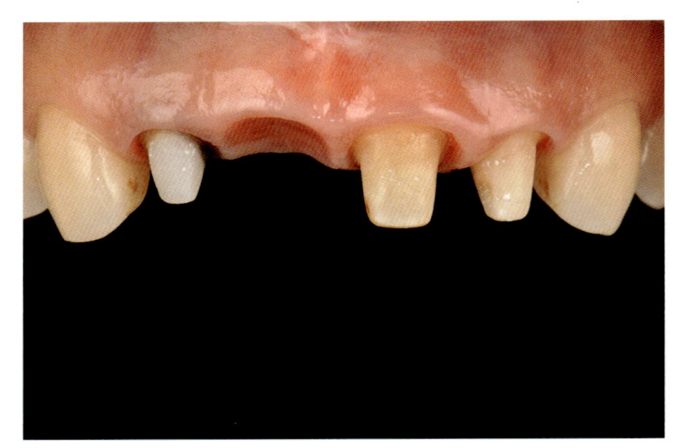

図８ｂ　補綴装置装着前の支台歯．

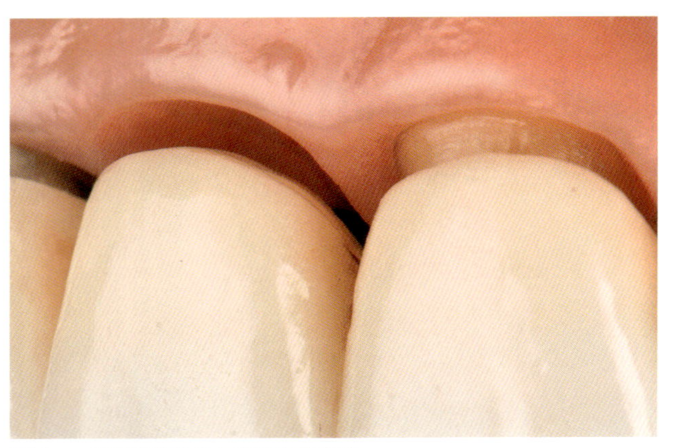

図９ａ　補綴装置の口腔内試適時．

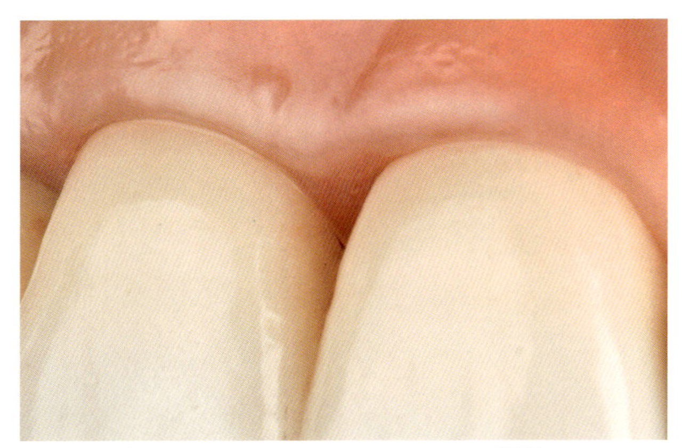

図９ｂ　プロビジョナルレストレーションで調整したオベイトポンティック形態が，最終補綴装置に反映され歯肉に馴染んでいる．

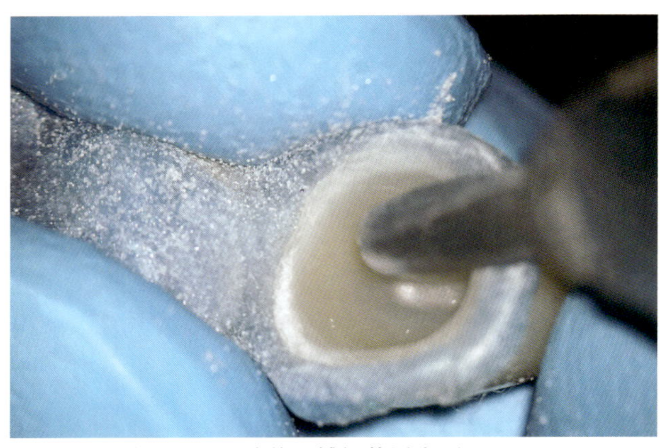

図９ｃ　口腔内での試適後，補綴装置内面にアルミナサンドブラスト処理を行う．

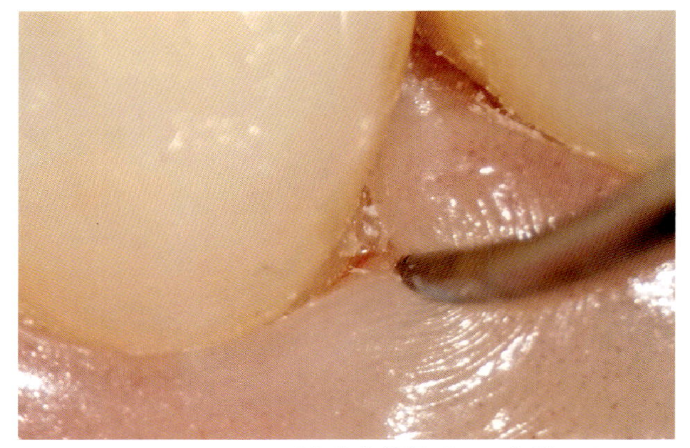

図９ｄ　マイクロスコープ高倍率視野下での余剰レジンセメントの除去．

まとめ

筆者は，歯科治療の本質は生物学的恒常性の回復と組織の保存，機能・構造・審美性の回復，改善と考えている[4]．そのうえで，予知性の高い歯科治療を行うにあたり，包括的な検査・診断，治療計画の立案から処置に至り，再評価を経た後に最終的にメ

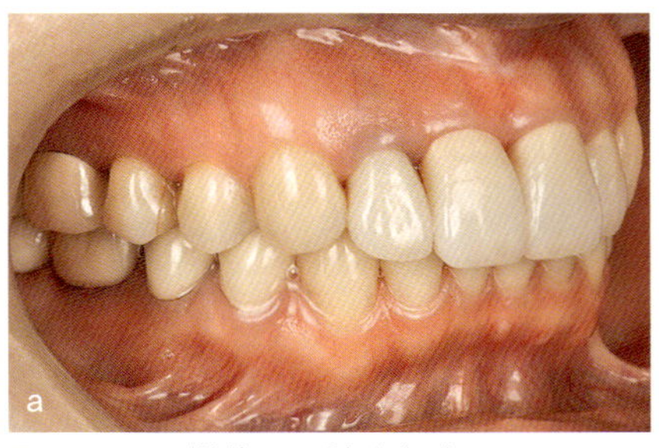
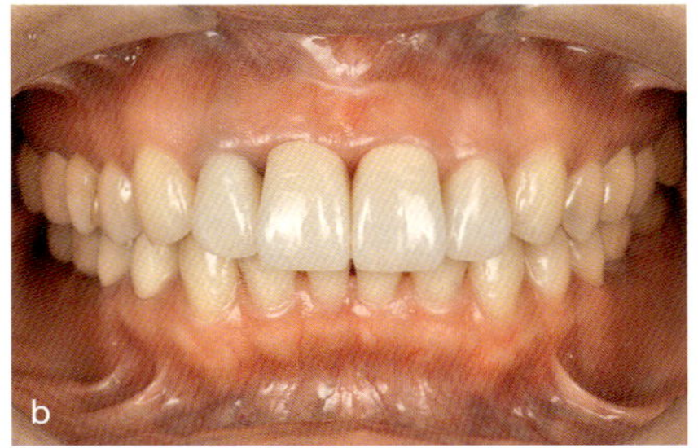
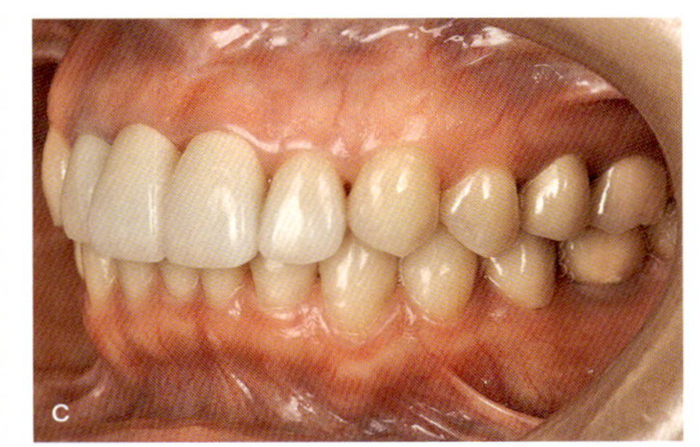

図10a〜c　術後の口腔内写真.

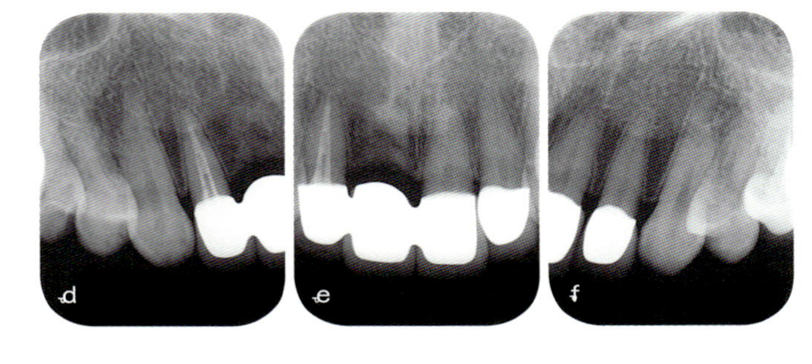

図10d〜f　術後の上顎前歯部デンタルエックス線写真.

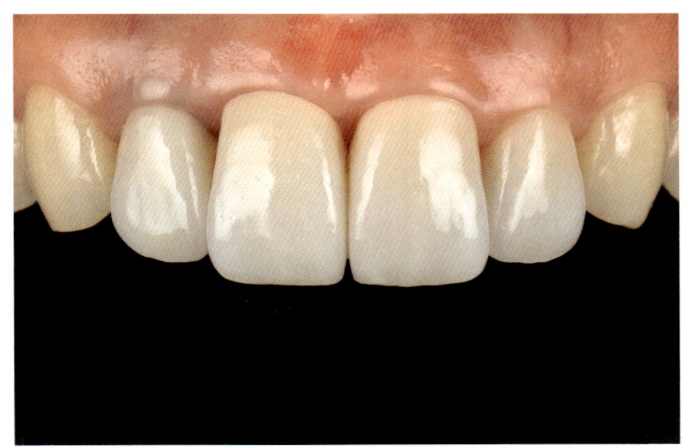

図11a　最終補綴装置装着後 1 か月の上顎前歯部.

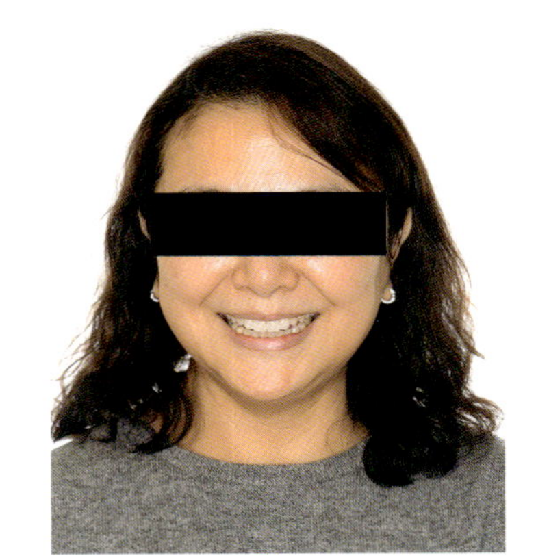

図11b　術後の顔貌写真. 口唇スマイルラインが歯列に調和している.

インテナンスに移行するプロセスが重要であると認識し, 歯科医師, 歯科衛生士, 歯科技工士の連携を大切にし日々の診療を行っている.

本症例は, 患者の審美的な希望に応えるべく, 包括的に歯周治療, 歯内治療を絡めた補綴治療症例である. 処置の難易度にかかわらず, 長期予後の確立を目指し, 審美的な要求に対し良い結果を出すためには, マクロの視点として顔貌を含めた全体を俯瞰した診断評価を行ったうえで, 各ステップでの処置をマイクロスコープの力を借りて精緻に仕上げることが重要であることを, 改めて本症例をまとめる過程で実感することができた.

参考文献

1. 鈴木真名. イラストレイテッドペリオドンタル・マイクロサージェリー アドバンステクニック. 審美性を獲得するソフトティッシュマネジメント. 東京：クインテッセンス出版, 2010.
2. Blatz MB, Sadan A, Martin J, Lang B. In vitro evaluation of shear bond strengths of resin to densely-sintered high-purity zirconium-oxide ceramic after long-term storage and thermal cycling. J Prosthet Dent 2004；91(4)：356-362.
3. Yang B, Barloi A, Kern M. Influence of air-abrasion on zirconia ceramic bonding using an adhesive composite resin. Dent Mater 2010；26(1)：44-50.
4. 山﨑長郎. エステティッククラシフィケーションズ. 複雑な審美修復治療のマネージメント. 東京：クインテッセンス出版, 2009.

同一口腔内に連続的にセメント質剥離が生じた1症例

三橋　純*[1]／末光正昌*[2]／久山佳代*[2]

*[1]東京都開業　デンタルみつはし
*[2]日本大学松戸歯学部病理学講座
代表連絡先：〒156-0043 東京都世田谷区松原3-28-6 A&Aオークビル1F

はじめに

患者の高齢化にともない，セメント質剥離を原因とした急速に進行する歯周病症例の増加が予想され，その対応が歯科医療に求められると考える．今回，同一口腔内で5歯に連続的にセメント質剥離が生じた症例に遭遇した．顕微鏡歯科治療により4歯は機能しているが，1歯は抜歯となった．抜歯した歯では，抜歯窩内面全体を覆うように残存したセメント質が認められ，そのセメント質を顕微鏡下で摘出した症例を経験し，興味ある知見を得たので報告する．

セメント質剥離とは

セメント質剥離は稀な疾患としてその原因もいまだ解明されておらず，加齢変化，咬合力，感染などさまざまな影響があるとされる．セメント質には添加機転はあるが吸収機転はなく，生涯に渡り添加が続く．セメント質剥離とは程度の差はあれど，肥厚したセメント質が歯根象牙質から，またはセメント質層内で剥離する現象である．

歯根のあらゆる部位で生じる可能性があるが，歯頸部と根尖部に好発する．歯肉溝から隔絶された歯根中央部から根尖部にかけて生じた場合には根管経由の感染がなければ自然治癒する可能性もある．ところが，歯頸部で生じた場合には，歯肉溝内の細菌が剥離したセメント質と根面または歯根表面のセメント質との隙に感染し，急激に歯周組織を破壊してしまう(図1)．治療としては剥離したセメント質片を除去し，周囲も含めて根面を廓清，ルートプレーニングし，時に再生療法を施す．つまり，歯周病治

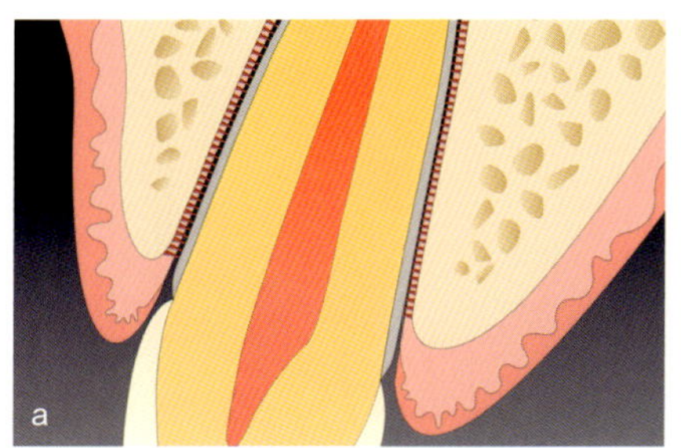

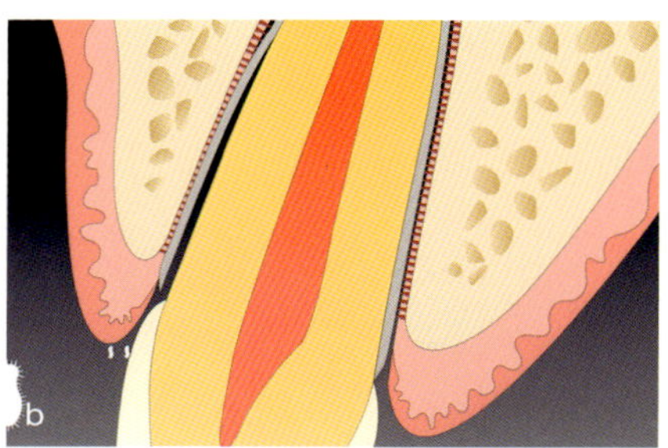

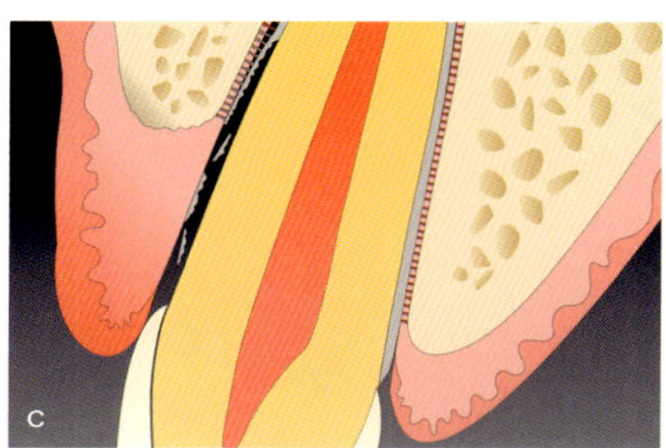

図1a〜c　セメント質剥離が歯頸部に生じると歯肉溝内の細菌が剥離したセメント質の下の隙に拡がり，急激な歯周組織の破壊をきたしてしまう．

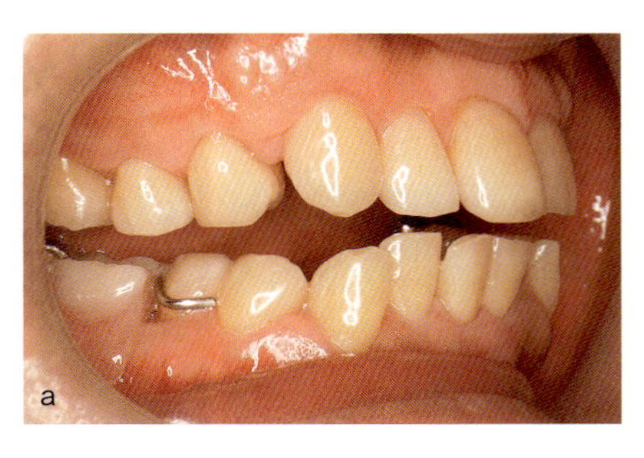

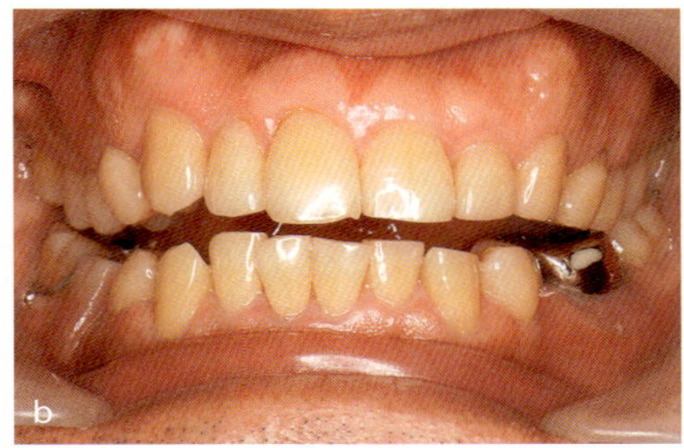

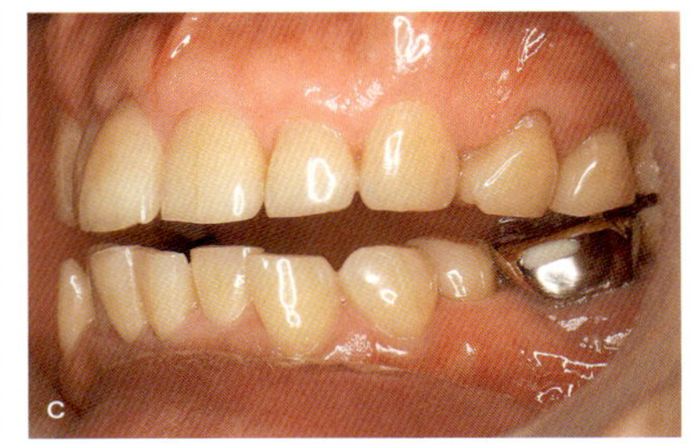

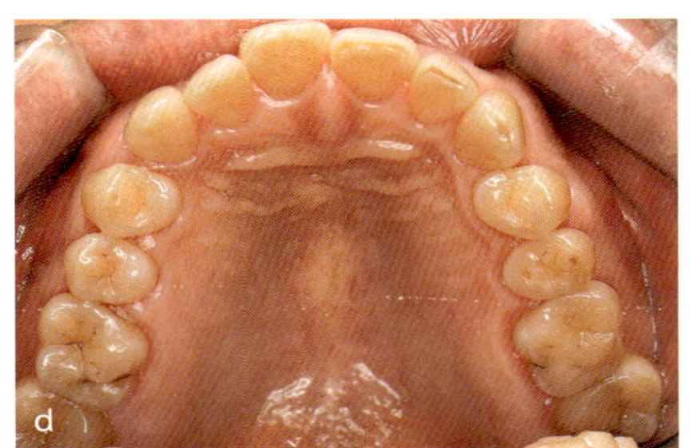

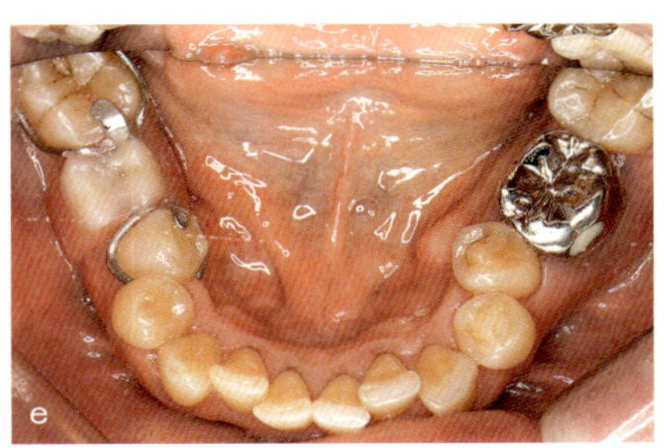

図２a〜e　口腔内写真（初診時ではない）．咬合は第一，第二大臼歯のみの重度の開咬状態を呈している．

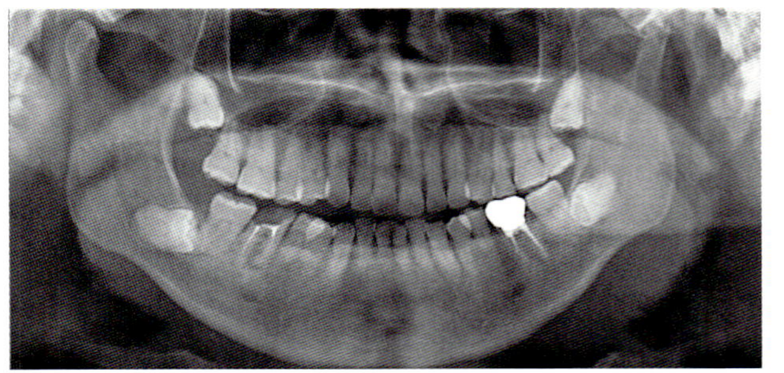

図３　初診時のパノラマエックス線写真．埋伏智歯に接した上下左右の第二大臼歯以外には辺縁歯槽骨の吸収は認められない．

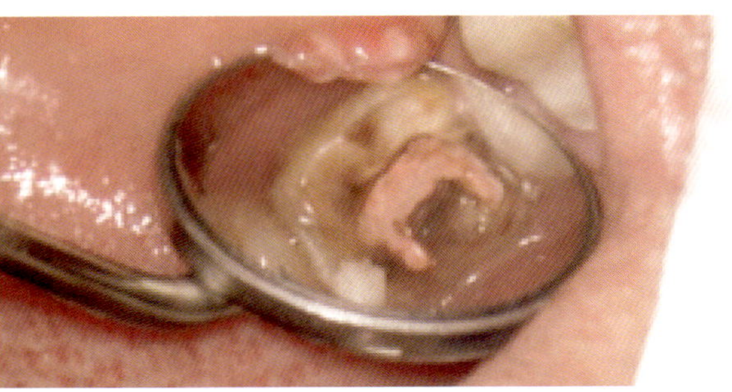

図４　初診時の6|．

療に準じた処置を行うことになるが，大臼歯では抜歯が選択されることもある．

症例

患者は53歳男性（図２，３）．6|のクラウン脱離および咬合時の違和感を主訴に来院．患歯はコアも脱離した残根状態で，打診，エックス線診（CBCTも含む），歯周検査から根尖性歯周炎と診断した（図４，５）．歯周基本治療後に6|の根管治療，レジン築造を行い６か月間の経過観察とした（図６）．

次いで，|4近心に残存していた６㎜の歯周ポケットに対し，浸潤麻酔下でデブライドメントを行ったところ，剥離したセメント質様の硬組織片が歯肉溝から摘出された（図７）．

４か月後，|2唇側歯肉が突然腫脹し，排膿を認めた．唇側中央部の歯周ポケットは６㎜で，歯髄は生活反応を示したため，腫脹，排膿の原因は歯周ポケットからの感染と診断した．浸潤麻酔下でデブライドメントを行ったところ，|4と同様に剥離したセメント質様の硬組織片が摘出された（図７）．

さらに２か月後，1|唇側歯肉が腫脹し，排膿を認めた．歯髄炎症状も生じたため抜髄を行った．その後，浸潤麻酔下でデブライドメントを行ったところ，|2，|4と同様の硬組織片が摘出された．

その１週間後，根尖部のエックス線透過像が消失し良好な経過をたどっていた6|の頬側歯肉が腫脹し，膿瘍も生じた（図８）．根分岐部病変と診断し（図９），

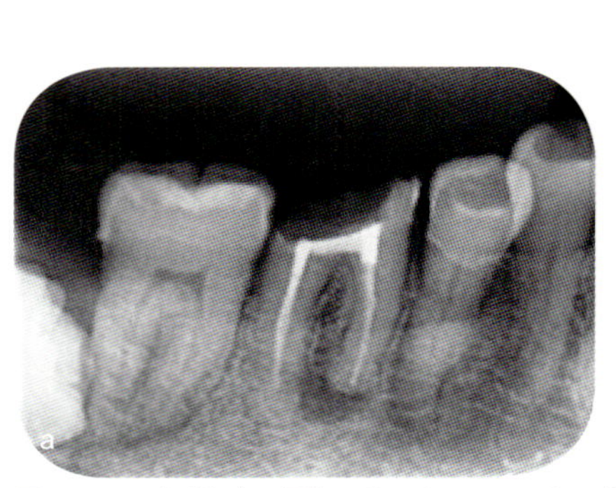
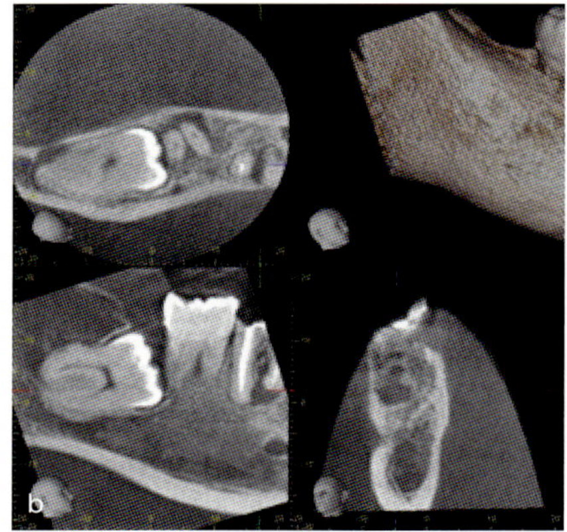

図５a, b　初診時の6のデンタルエックス線写真とCBCT．根尖病変と診断した．

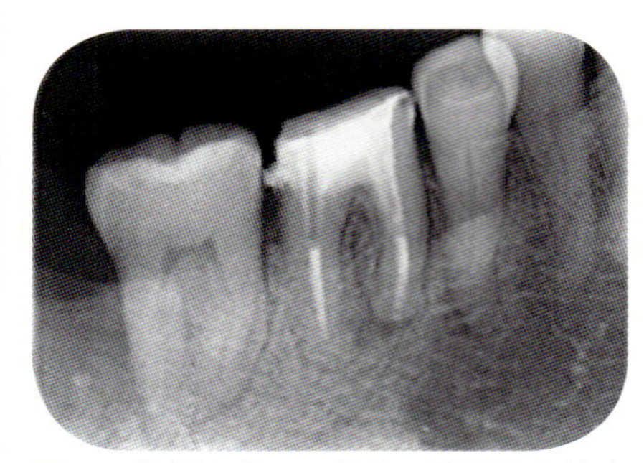

図６　根管治療６か月後．透過像も縮小して良好な経過を辿っているように思われた．

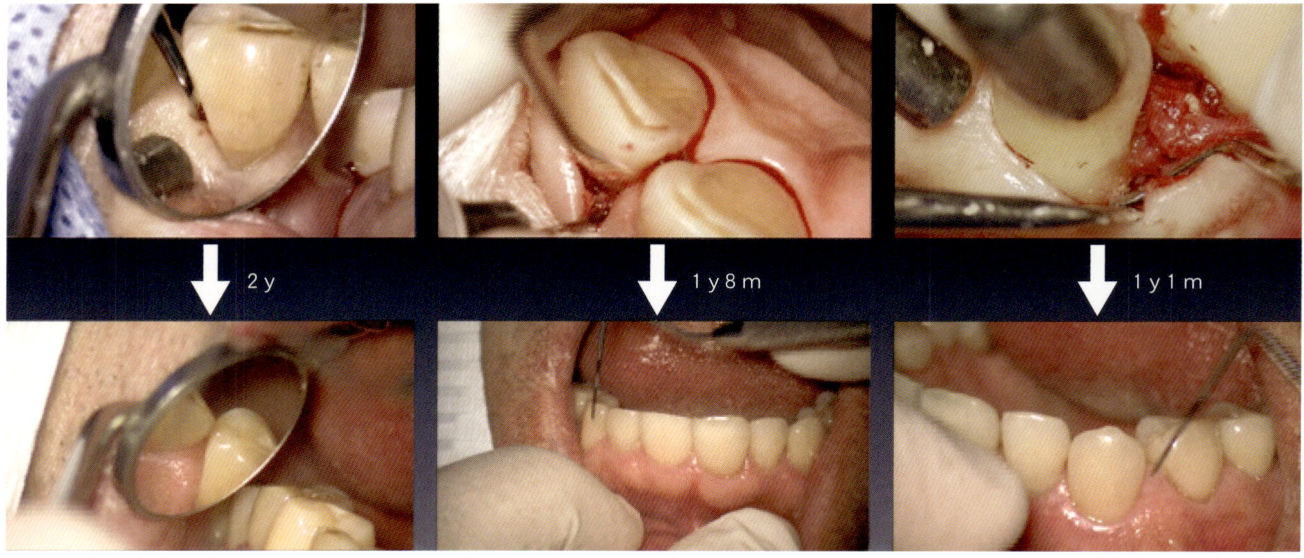

図７　3，1，2，4に次々とセメント質剥離を原因と思われる急速な付着の喪失が生じた．デブライドメント後，1以外は付着が回復して安定している．

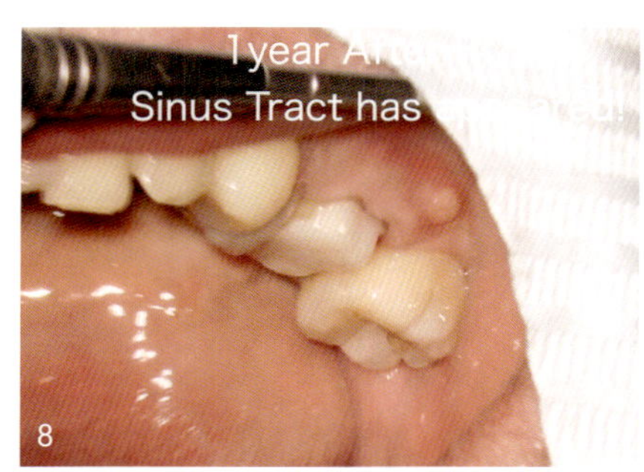

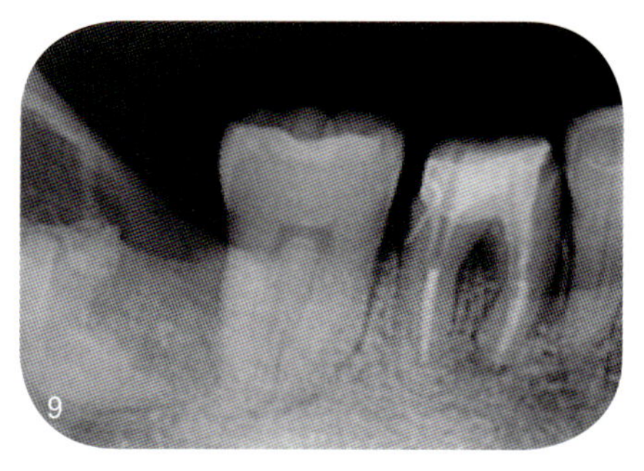

図８　6の根管治療１年後．突如として頬側にサイナストラクトが生じた．急性炎症の消退後に再生療法を施した．
図９　分岐部病変が生じたと考えて再生療法を施した．

急性炎症消退後に歯周再生療法を試みたが奏功せず，２か月後には舌側歯肉にも膿瘍が生じたため保存不可能と判断し，抜歯してインプラントによる欠損補綴をすることに治療計画を変更した．

顕微鏡下の抜歯および抜歯窩の観察

抜歯時には骨性癒着，歯根の破折などなく抵抗感

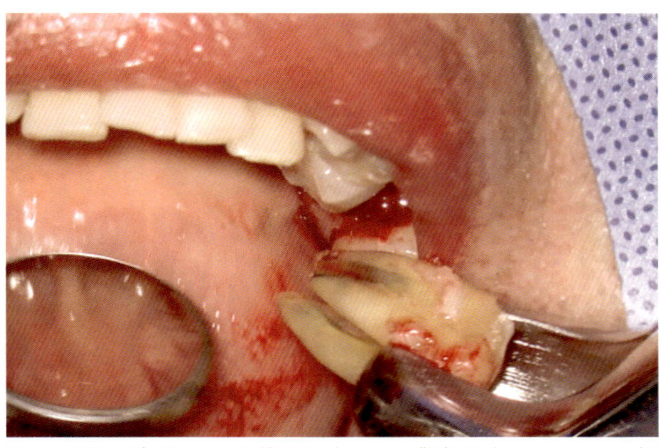

図10　再生療法２か月後に舌側にも膿瘍が生じたので，保存不可能と判断して抜歯した．

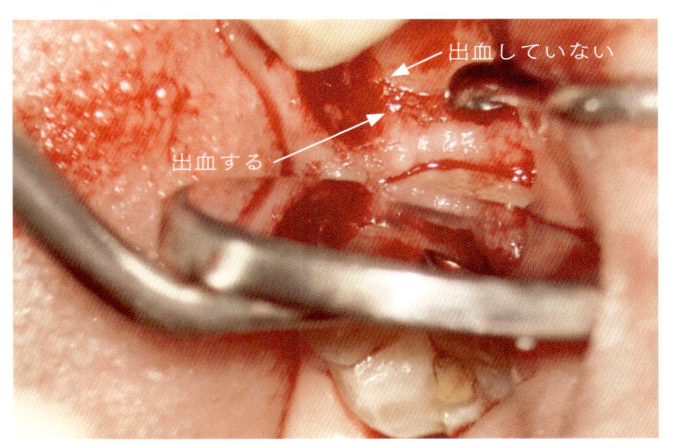

図11　抜歯窩全面に出血がなく滑沢で，骨とは異なる性状のように見えた．滑沢な組織の辺縁に力を加えると剥がれ，その下から出血する骨が現れた．

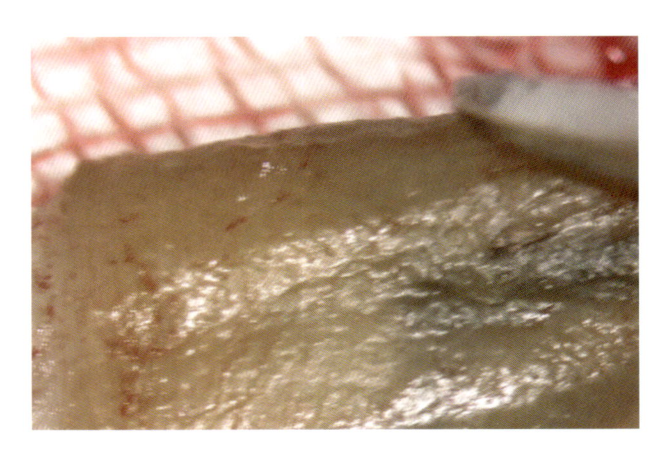

図12　歯根表面は滑沢で，歯根膜らしきものはいっさい見られない．

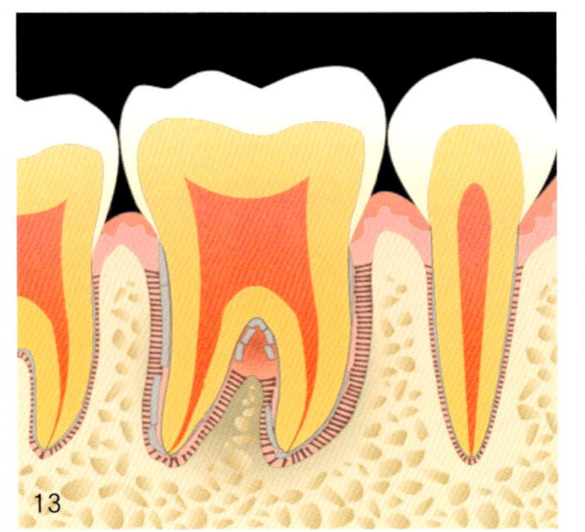

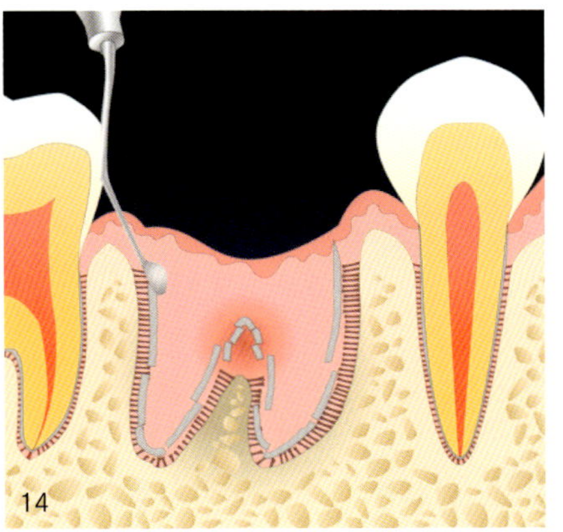

図13　先に生じた分岐部病変もセメント質剥離が原因と考えられた．歯根全体にセメント質剥離が生じかけていたと想像した．
図14　抜歯により剥離したセメント質が抜歯窩全面に残ったために出血もなく滑沢な性状を示したと考えた．

をあまり感じることなく普通抜歯した(図10)．抜歯窩を顕微鏡下で精査するとほぼ全表面から出血がなく，滑沢で骨とは異なる性状が観察された．滑沢な組織の辺縁に鋭匙を挿入すると剥離するように分離し，その下から出血する骨面が現れた(図11)．そこで，改めて抜去歯を顕微鏡で観察したところ，その根表面は分岐部には肉芽組織があるものの，その他の表面は硬質な光沢があり，通常の抜去歯根面に見られるような歯根膜はいっさい観察されなかったため(図12)，抜歯窩内面全体に歯根から剥離したセメント質が残存していると判断し(図13, 14)，摘出することとした．

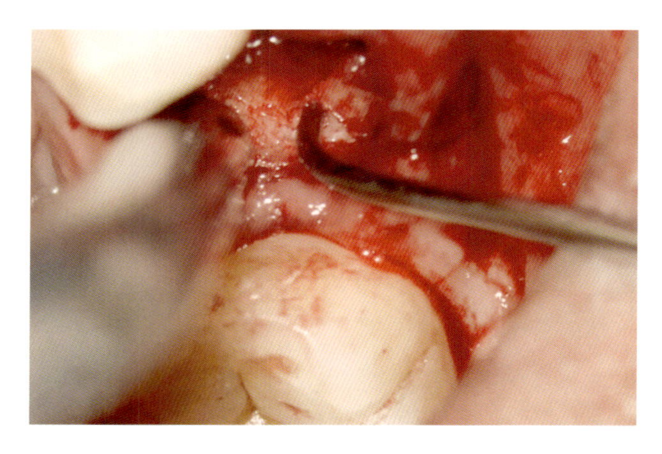

図15　硬組織片の辺縁に探針を差し込むと小片に分かれて剥げてきた.

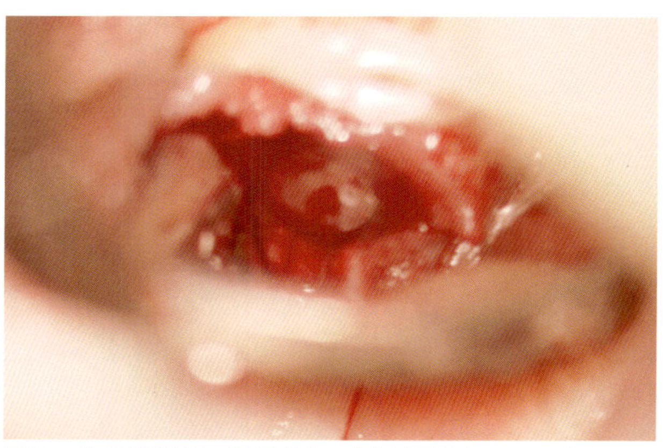

図16　抜歯窩深部は硬組織片が厚く探針などでは砕くことができなくなった.

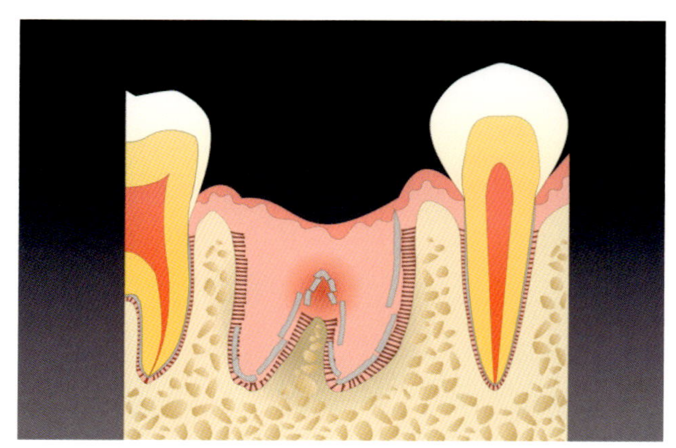

図17　深部の硬組織片は図のように厚く，一塊になっていると想像した.

剥離セメント質の掻爬・摘出

抜歯窩上部はヘーベルや探針などを滑沢な組織の辺縁に差し込み力を加えることで，小片に砕けて除去することができた(図15). しかし，抜歯窩深部に残った硬組織片には器具が到達しにくく，組織も厚いため同様の方法では小片に分けることができなかった(図16, 17). そこで，ロングシャンクのダイヤモンドバー(ポストカット，MaryDia)を5倍速コントラエンジンを用いて顕微鏡下で観察しながら骨面を傷つけないように削合したのちに(図18)，探針を用いて抜去した. 抜歯窩から一塊として除去された硬組織片はあたかも“脱皮した歯根の抜け殻”のようであった(図19). すべての硬組織片を除去した抜歯窩内面には新鮮骨面が露出して出血が見られるようになった(図20). 抜歯後6か月後のデンタルエックス線写真では抜歯窩に骨が再生していることが観察された(図21).

摘出した硬組織片の病理組織学検査を依頼したところ，それは骨組織ではなく，無細胞セメント質を中心とする剥離したセメント質であることが確認された(図22〜24).

その2か月後，3|遠心歯肉が腫脹したため，浸潤麻酔下で歯肉弁を剥離反転したところ，同様の剥離したセメント質様の硬組織片が認められたため摘出した(図7).

デブライドメントから2年以上経過し，|1，|4，3|は付着が回復し歯周組織は安定しているが，1|には唇側に6mmの歯周ポケットが残存している. 抜歯した6|の抜歯窩は正常に治癒したため，インプラント埋入処置を行い経過観察中である.

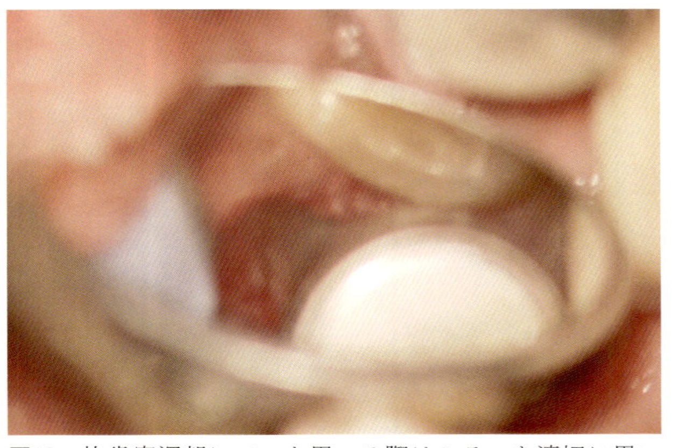

図18　抜歯窩深部にバーを用いる際はミラーを適切に用いることで観察しながら削合することができる．直視では確認だけになってしまう．

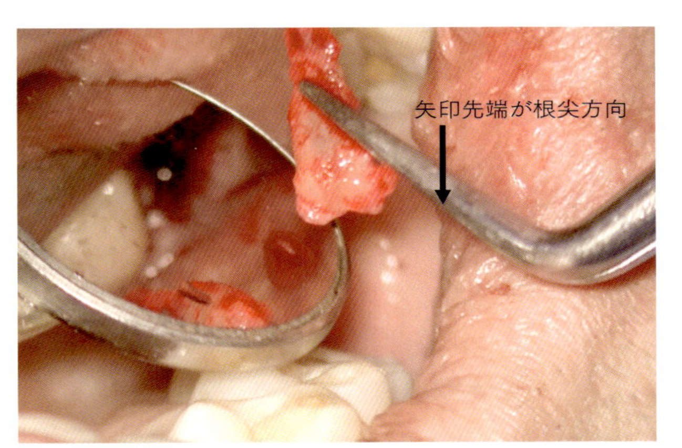

図19　一塊で摘出された根尖部の硬組織片．矢印が根尖方向に相当する．あたかも歯根が脱皮したかのようである．

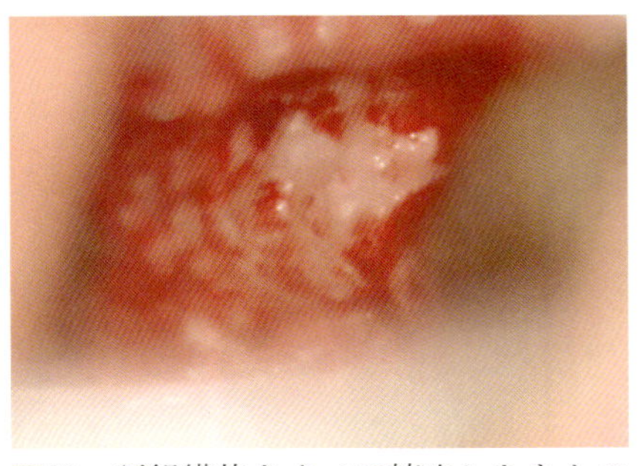

図20　硬組織片をすべて摘出したあとの抜歯窩．出血がみられ骨が露出したことが確認できる．

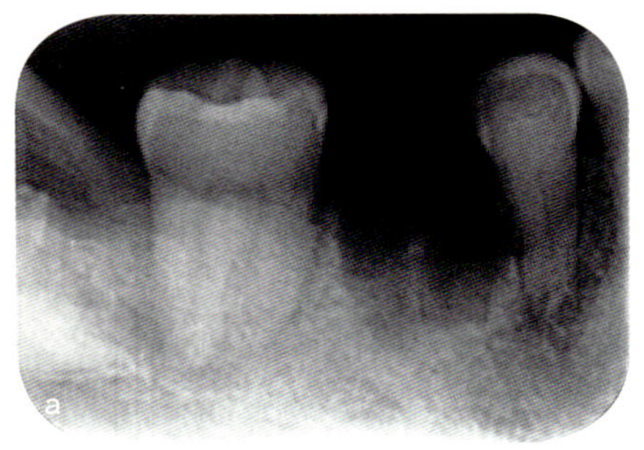

図21a, b　抜歯直後（a）と抜歯後６か月（b）のデンタルエックス線写真．抜歯窩は骨が再生していることが確認された．

図22　抜去歯の病理組織切片．低倍率．

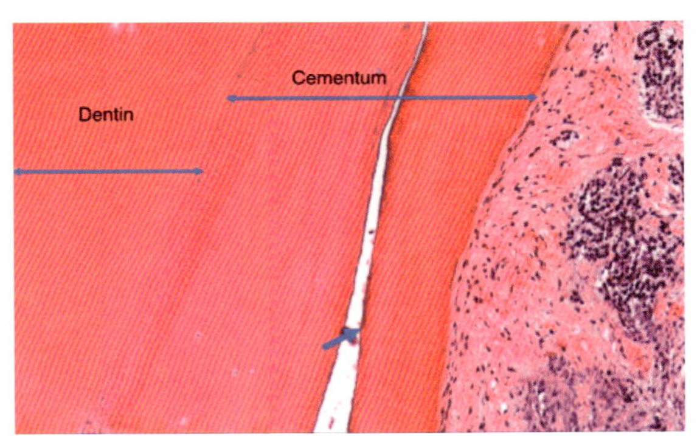

図23　図22の矢印部の拡大像．セメント質層内でセメント質剥離が生じている．

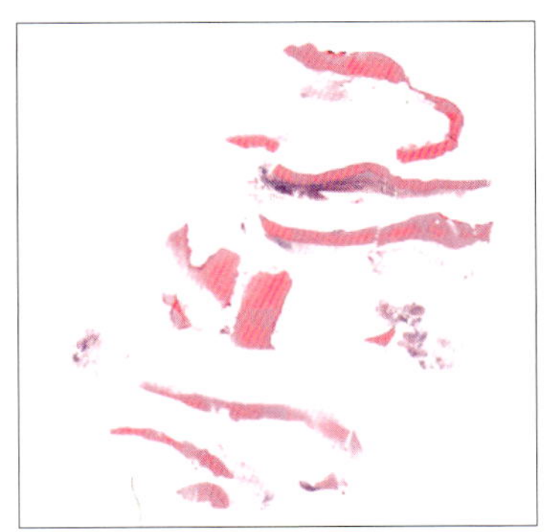

図24　抜歯窩から摘出した硬組織片はいずれも骨組織ではなく，無細胞セメント質を中心とするセメント質であることがわかった．

考察

セメント質剥離の発生機序はまだ明らかになっていない．また，同一口腔内で複数歯にセメント質剥離が生じた症例についても報告はあるが，その数は少ない[1]．セメント質剥離の原因として咬合力の関与も指摘されるが，細菌感染，加齢変化，炎症，変性などさまざまな因子が複合的に関与しているといわれている[2,3]．本症例は前歯部に咬合接触してい

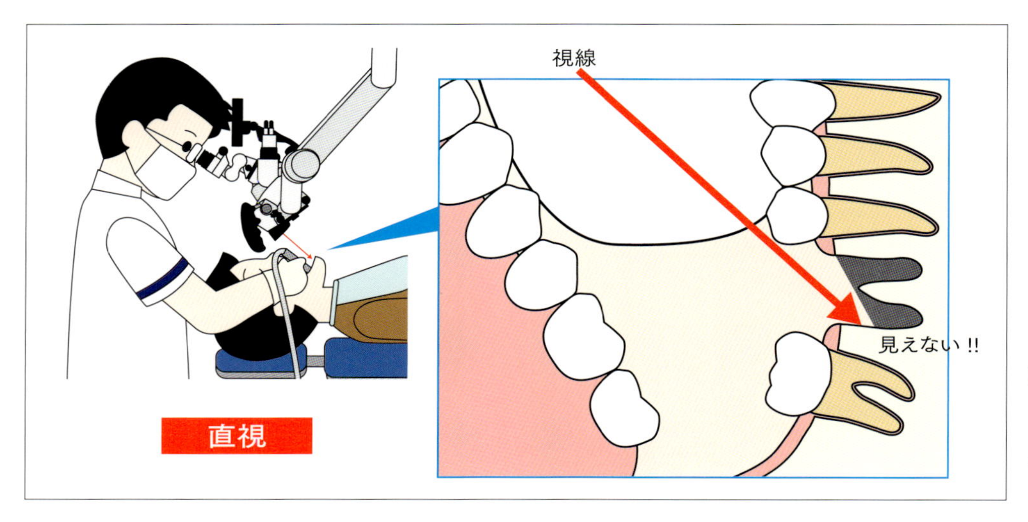

図25　どんなに拡大できたとしても顕微鏡は口腔内には入らないので，いわゆる直視中心の治療では死角が多発してしまう．

たことを示すファセットがあるものの，来院時には前歯部，小臼歯部は開咬状態であり，どのように顎位を変化させても咬合接触はしなかった．よって，前歯部，小臼歯部に生じたセメント質剥離には咬合力は関与していないと考えられる．しかし，開咬状態であるがゆえに持続的に挺出が続いていたと考えれば，咬合している歯よりもセメント質の添加がより厚くなり，セメント質深部が脆くなり，これが多数歯に渡りセメント質剥離が生じた遠因とするのも合理的かもしれない．

また，抜歯窩底部から一塊として摘出された剥離セメント質は歯根の形態を維持しており，あたかも歯根が脱皮した抜け殻のようであった．処置中にこれを見たときには興奮を抑えられなかったが，と同時に歯の構造に対する認識が改められるような思いであった．つまり，歯冠部象牙質はエナメル質で覆われて守られながら咬合力や食物による化学的な刺激に対応しており，同様に歯根部象牙質はセメント質に覆われて守られながら歯槽骨と接触して咬合力を分散吸収したり，摩耗したエナメル質の厚みを補償するようにセメント質を添加させながら歯全体を移動させていく，というダイナミックなイメージである．大学の歯牙解剖学の講義で解説があったのであろうが，日々の診療に埋没している臨床医として忘れていたものを思い出させ，セメント質の機能の本質を再認識させてくれたのである．

セメント質が剥離した歯の予後は，大臼歯では抜歯の転機をたどることが多い．抜歯に際しては，その後どのような方法で欠損補綴を行う場合でも，抜歯窩治癒不全を生じさせないため，異物を残存さない掻爬が非常に重要である．従来，抜歯窩の掻爬は肉眼で鋭匙，レーザー治療機などにより行われてきた．しかし，本症例のように剥離したセメント質が残存した場合，肉眼で骨組織と見分けることは極めて困難であり，顕微鏡を用いらなければ不可能だと思われる．

さらに，出血で視界が遮られないよう，適切なタイミングでのアシストワークにより出血をコントロールしながら，顕微鏡下で硬組織を分割，摘出するには顕微鏡歯科治療に習熟していることが必要である．とくに抜歯窩深部は“いわゆる直視中心”などというい加減な顕微鏡の使い方では観察することすら不可能であり，ましてや緻密な処置を観察しながら行うことはできないので，適切なミラーテクニックによる顕微鏡歯科治療でなければ対処不可能であった症例だと考えている（図25，26）．この点は強調しておきたい．

いかに患者に最大開口を強いて口唇を引っ張っても，口腔外から入れられる視線の範囲は想像以上に狭く，死角が多発している．顕微鏡で拡大視しても，視線の入力方向が不適切であれば顕微鏡歯科治療の体をなさない．ミラーを適切に使うことは，顕微鏡

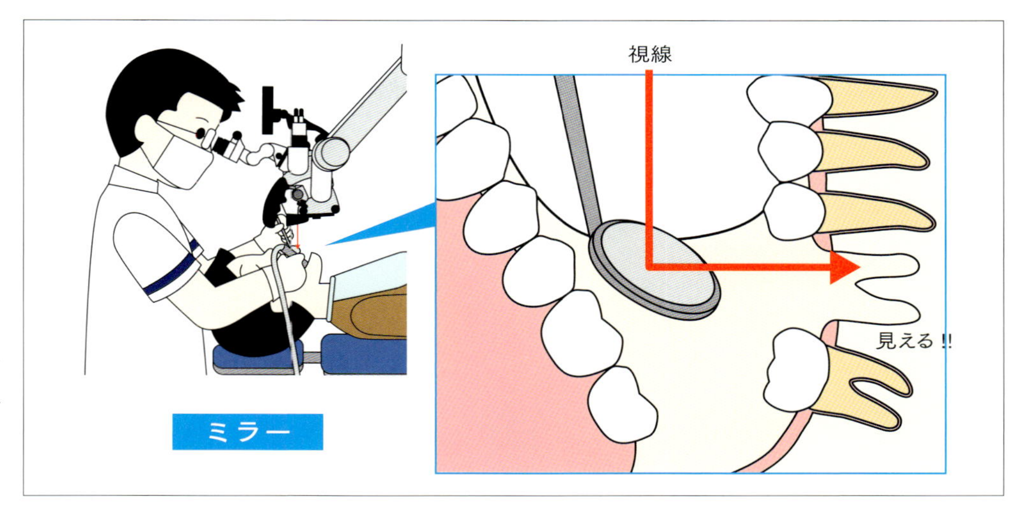

図26　ミラーを使うことで間接的に顕微鏡を口腔内に入れることができるので，死角をなくして見ながら処置することが可能になる．

を口腔内に入れることと同じなので，視線の範囲を飛躍的に広げ，死角を最小化することができるのである．普段からミラーを使いこなしていなければ，このような症例には決して対処できない．

摘出したセメント質は病理組織学検査により無細胞セメント質が中心であったことが判明している．セメント質剥離が生じる部位について，その構造から歯根象牙質とセメント質との境界で生じることが多いが[4]，本症例ではセメント質内で生じていたようである．本症例は重度のオープンバイトであり，咬合接触歯が数歯しかなく，確実に咬合回復できることを考慮し，セメント質剥離が進行して動揺，咬合痛などが生じる前の段階で戦略的に抜歯したことから，剥離がこの部位で生じたのかもしれないと考えている．さらに，抜去歯歯根には破折線は認められず，結果的に剥離したセメント質をほぼ完璧に除去することができたのであるから，再生療法を併用して再植すれば再び機能した可能性もあったかもしれない．

本症例では8か月の待機期間の後に，抜歯窩が正常かつ充分に骨化したことを確認し，インプラント埋入を行った．3|，|2，|4はデブライドメントや歯周再生療法により術後2年ではあるが歯周組織は安定している．これも顕微鏡による拡大視野下での徹底的な起炎物質除去が奏功したためと考えている．しかし再度セメント質剥離が生じる可能性もあるため[2,3]，顕微鏡下での継続的な観察が必要である．顕微鏡歯科治療がいまだ解明されていない分野に光明をもたらすことができるよう研鑽を積んでいきたいと思う．

まとめ

53歳男性の5歯に連続してセメント質剥離が生じた症例について報告した．根面の剥離セメント質のデブライドメント，抜歯窩に残存した剥離セメント質の掻爬に適切なミラーテクニックを用いた顕微鏡歯科治療が非常に有効であることが示唆された．

参考文献

1．Watanabe C, Watanabe Y, Miyauchi M, Fujita M, Watanabe Y. Multiple cemental tears. Oral Surg Oral Med Oral Pathol Oral Radiol 2012；114(3)：365 - 372.

2．永田睦，永田瑞．超高齢者社会とセメント質剥離．デンタルダイヤモンド 2018；43(15)：168 - 173.

3．永田睦，永田瑞．“セメント質剥離と歯周病”アップデート．デンタルダイヤモンド 2019；44(9)：25 - 43.

4．Lin HJ, Chang SH, Chang MC, Tsai YL, Chiang CP, Chan CP, Jeng JH. Clinical fracture site, morphologic and histopathologic characteristics of cemental tear：role in endodontic lesions. J Endod 2012；38(8)：1058-1062.

バイオアクティブ ガラス
Bioactive Glassが
封鎖性と生体親和性を向上し
根尖の治癒環境を整える。

NISHIKA

誰が練っても、いつも同じ仕上がり。

臨床使用例【根充直後】

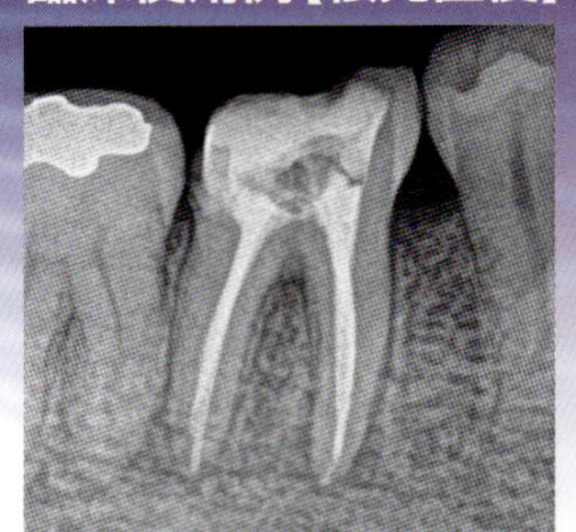

画像提供：九州歯科大学口腔保存治療学分野

歯科用根管充填シーラ
ニシカキャナルシーラー®BG
Bioactive Glass
【包装】ダブルシリンジ1本［A材:4.5g(2.5mL)／B材:4.5g(2.5mL)］
【標準価格】11,000円
管理医療機器 医療機器認証番号:229ADBZX00059000／一般的名称:歯科用根管充填シーラ 冷蔵保存(1〜10℃)※凍結を避けること

チェアタイム短縮 テクニカルエラー低減 シングルポイント根管充填

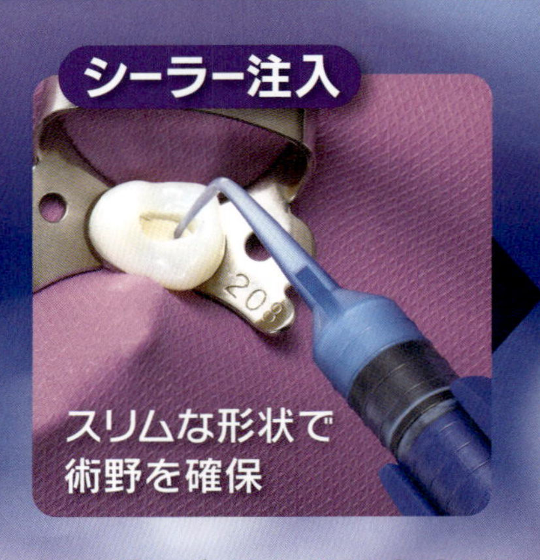

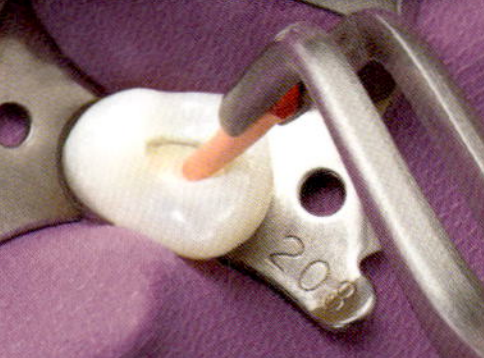

シングルポイント根管充填用ツール
BGフィル
【包装】チップ・ガスケット 各20本入、シリンジ 1本入
【標準価格】3,600円
一般医療機器 医療機器届出番号:08B3X10011000001／一般的名称:歯科用充填・修復材補助器具

詳しくはこちらをご覧ください。

日本歯科薬品株式会社
本 社 山口県下関市西入江町2-5 〒750-0015
営業所 大阪・東京・福岡
http://www.nishika.co.jp/
お問合せ・資料請求《お客様窓口》
0120-8020-96

Products Information & Case Presentation

各社マイクロスコープ紹介＆最新情報／
Case Presentation

本項の構造と見かた

1 マイクロスコープの最新機種の特徴を知る
Products Information

マイクロスコープ取扱いの主要メーカーによる最新機器の特徴や関連ツールなどをそれぞれ紹介．自分の臨床スタイルに合ったマイクロスコープ選びに．

ライカ M320-Dシリーズ

患者にもドクターにも優しい
世界中で活躍している
ライカの手術顕微鏡システム

Leica
MICROSYSTEMS

株式会社モリタ

2 メーカー推薦の臨床家による症例報告
Case Presentation

日常臨床でマイクロスコープを活用している臨床家が，症例を通してその使いどころを解説．さまざまな場面や治療での参考に．

ライカM320-Dを用いた
基本に忠実な根管治療

はじめに

Case 1

ライカ M320-Dシリーズ

患者にもドクターにも優しい世界中で活躍しているライカの手術顕微鏡システム

サージェリー分野で，長い歴史と経験による高いクオリティの光学系，そして安定性と操作性に優れたスタンドの組合せで高い評価のマイクロスコープ

本欄で紹介する製品の問合先は

ライカ マイクロシステムズ株式会社

http://www.leica-microsystems.com/jp
本社：〒169-0075 東京都新宿区高田馬場1-29-9
Tel. 03-6758-5670
または

株式会社モリタ

http://www.dental-plaza.com
大阪本社：〒564-8650 大阪府吹田市垂水町3-33-18
Tel. 06-6380-2525
東京本社：〒110-8513 東京都台東区上野2-11-15
Tel. 03-3834-6161
お問合せ：お客様相談センター
Tel. 0800-222-8020（フリーコール）

株式会社モリタ

Leica
MICROSYSTEMS
Leica
LEICA F12
Designed for Dentists™
歯科用マイクロスコープ
ライカ M320-Dシリーズ

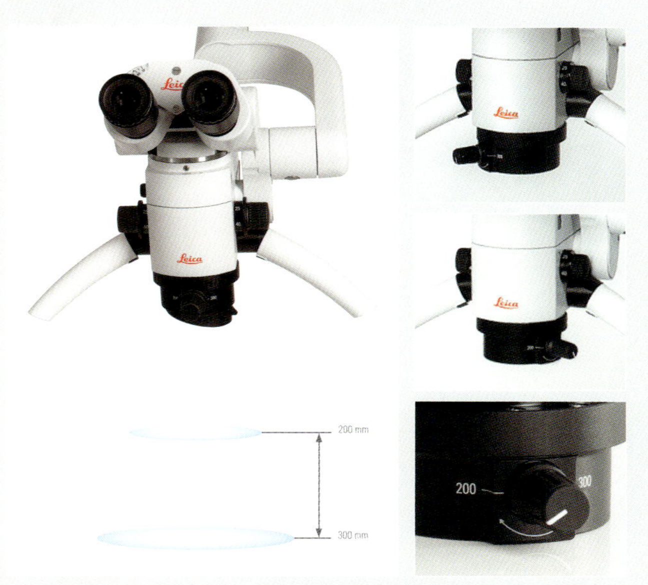

柔軟性、エルゴノミクス、効率性

マルチフォーカス対物レンズはフォーカス調整ノブを動かすだけで200mm～300mmの焦点距離を簡単に、素早く調整することができます。術者が顕微鏡に合わせて動いたり、顕微鏡自体を大きく動かす必要がないので、集中力を途切れさせることなく、快適な姿勢を保ちながら効率的に治療を行うことができます。

ワークフローを中断することなく、焦点距離を調整できるマルチフォーカス対物レンズ。
歯科医の好みに合わせて、フォーカス調整ノブの場所（左、右、中央）も変えることができます。

ライカ マイクロシステムズの光学技術を、歯科医療にも 新世代顕微鏡システム・ライカ M320-Dシリーズ

世界的ブランドであるライカ マイクロシステムズが、最新の技術とノウハウを投入した歯科用顕微鏡システム。光学性能はもちろん、操作性や衛生面にいたるまで、現代歯科医療の現場に対応する様々な機能を凝縮しました。
歯科医師の皆様だけでなく、患者様にも満足いただける、快適な医療環境をご提供します。

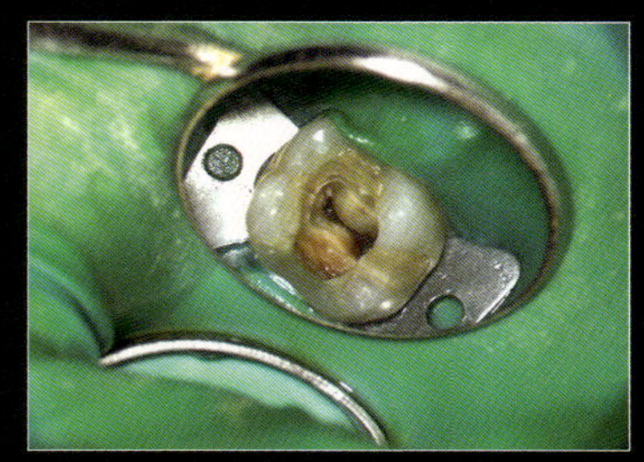

ダブルビーム照射方式により、奥まで明るく観察できます

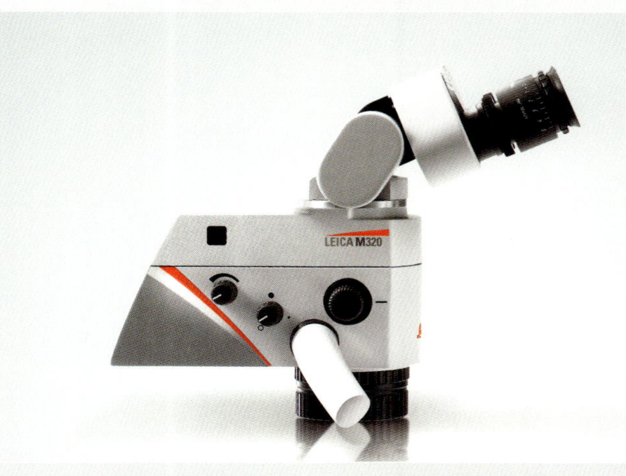

歯科クリニックの実用的なドキュメンテーション作成に対応

ライカ M320-D Full HD 内蔵カメラはライブ画像／静止画／動画に対応、解像度は1080p/1080i/720pから選択できます。高解像度画像撮影&簡単なデータ管理によって、歯科クリニックの実務ニーズに細やかに対応します。

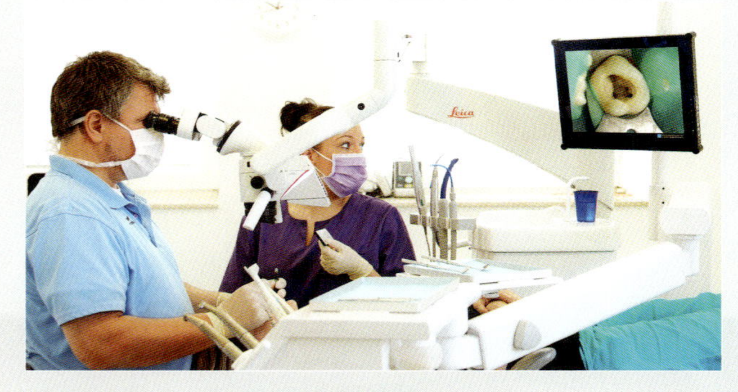

観察画像をマルチ活用できる各種機能

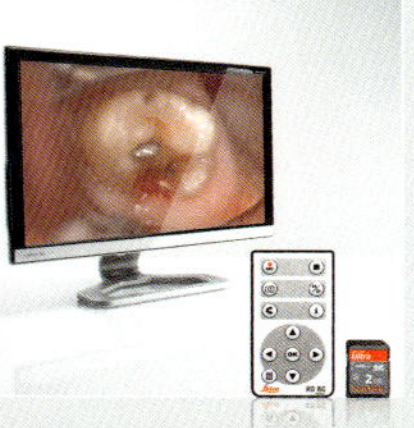

内蔵型HDカメラがとらえたクリアな画像は、動画・静止画どちらでも記録が可能。専用リモコンにより、撮影・確認・保存・再生が簡単に行えます。HD対応モニターを使用すると、さらに鮮明な映像をご覧いただけます。
SDメモリカードスロットも内蔵しているため、画像をPCに移し、記録作成やプレゼンテーションに活用することも容易に行えます。

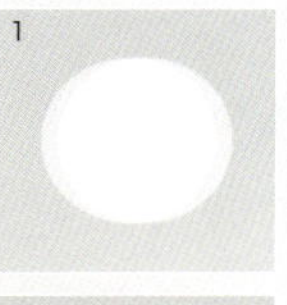

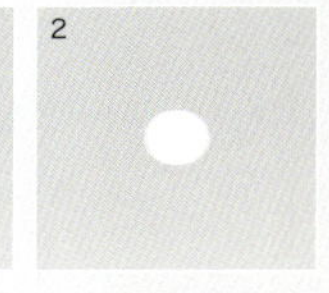

1.ノーマル照明
2.スポット照明
3.オレンジフィルター照明

ハイパワーLEDダブルビーム照射

80,000Lux以上の高輝度LEDが、口腔内を広く明るく照らします。さらにダブルビーム照射方式により、影が出やすく見にくい根管も、快適に観察できます。LED照明はランプの平均寿命が約60,000時間。ランプ交換の手間やランニングコストも気にせず使用できます。ノーマル照明以外にも、高倍率でもよりハイコントラストで観察可能なスポット照明、レジン充填時に使用するオレンジフィルターも用意しています。

高精細アポクロマートレンズ

光学系には、色収差がほぼないアポクロマート補正レンズを採用。ライカ独自のコーティング技術と光学テクノロジーにより、低倍率から高倍率まで、被写界深度が深く、にじみのない像を映し出します。

衛生面にも徹底配慮した抗菌仕様

パーツの継ぎ目を極力なくし、ケーブル類も全て本体内に収納。外観の美しさとホコリが溜まりにくい衛生面を両立しました。塗装はナノシルバーコーティングにより抗菌加工されています。滅菌可能なハンドルカバーも用意しています。

ソアリック＋ライカ M320-D

株式会社モリタ製チェア・ソアリックにライカ M320-Dを設置することができます。マイクロスコープの焦点微調整には、チェアのスロースピードモードを使います。これにより、焦点距離の調整をフットコントローラーで微調整することが可能になり、術野に集中しながら効率の良い治療が行えます。

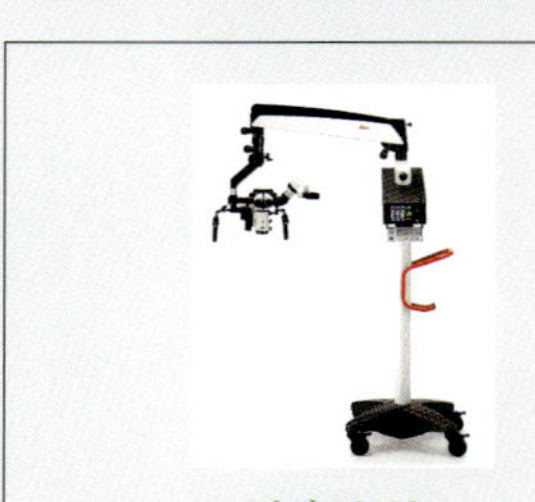

<お知らせ>

外科用で愛されている「M525F20」を歯科向けにも取扱い開始します（詳しくはお問合せください）。

製造販売

ライカ マイクロシステムズ株式会社
http://www.leica-microsystems.com/jp
E-mail: lmc@leica-microsystems.co.jp
医療機器製造販売届出番号：13B2X10268320FD1
販売名：ライカ M320 F12-D

本社	〒169-0075	東京都新宿区高田馬場1-29-9	Tel.03-6758-5670
大阪セールスオフィス	〒531-0072	大阪市北区豊崎5-4-9 商業第2ビル10F	Tel.06-6374-9771
名古屋セールスオフィス	〒460-0008	名古屋市中区栄2-3-31 CK22キリン広小路ビル5F	Tel.052-222-3939
福岡セールスオフィス	〒812-0025	福岡市博多区店屋町8-30 博多フコク生命ビル12F	Tel.092-282-9771

販売
株式会社モリタ

大阪本社	〒564-8650	大阪府吹田市垂水町3-33-18	Tel.06-6380-2525
		医療機器販売業 許可番号 第N02055号	
東京本社	〒110-8513	東京都台東区上野2-11-15	Tel.03-3834-6161
		医療機器販売業 許可番号 第4501060400032号	

ライカM320-Dを用いた基本に忠実な根管治療

伊澤真人

東京都勤務　高倉歯科マインドクリニック
連絡先：〒156-0043 東京都世田谷区松原3-39-30-2F・3F

はじめに

筆者は2009年に大学を卒業し，臨床経験が今年で11年目になる．大学在学中より，歯内療法の教育にはマイクロスコープが取り入れられており，われわれの世代の歯科医師は自然にマイクロスコープに触れる機会があった．そのため卒業後も抵抗なくマイクロスコープを自分の臨床に取り入れることができた．筆者のような，いわゆる「マイクロネイティブ」の先生は年々増加しているように感じる．学会や勉強会などで同年代の歯科医師たちと顔を合わせると，互いの症例画像や映像を見せ合い，情報や知識を共有することで，大きな刺激になっている．

筆者が初めての臨床で使用したのがライカM320-Dであった．それまで大学にあった古いマイクロスコープは，見た映像をビデオテープに録画し，患者説明の際には巻き戻しや早送りをしなくてはならず不便であった．しかしM320-Dが大学に導入され，使用してみると，内蔵カメラにより撮影された動画・静止画はJPGやMP4ファイル形式で保存され，ボタン１つで再生・表示できるものであった．このことで患者への説明は非常にスムーズになった．また導入当初は1CCDカメラのものが主流であったが，現在ではフルハイビジョンになり，術者が見た画像にかなり近い画像が得られるようになった．さらに他の機種とは異なり，アームが長く余計な配線もないため，マイクロスコープ１台を２台のユニットの中央に置き，併用して使用しやすいことも特徴である．

Case 1

患者は20代男性．左上の奥歯に痛みがあることを主訴に来院．自発痛，|6 に打診痛を認める．術前のデンタルエックス線写真では|6 近遠心に修復物があり，その直下には歯髄腔に近接する透過像が認められる．急性全部性歯髄炎と診断し，説明後同意を得て抜髄処置をすることとした（図１，２）．う蝕除去後CRにて隔壁処置を行い，ラバーダム防湿を施した．根管の探索には，エンドホルダーK#15（マニー）を使用した（図３，４）．

#10Dファインダー（マニー）で穿通後（図５），トライオートZX2（モリタ）OGPモードにてスーパーファイル#15.02（マニー）を用いてグライドパスを行った（図６，７）．和田ら[1]の報告によると，#10まで穿通している根管はOGPモードを用いれば安全にグライドパス可能であることが示されている．

また，患歯が上顎６であるため，４根管性を疑ったが，MBにイスムスの発達がみられたものの扁平な１根管であった（図８，９）．イスムスの処理にはソ

Case 1

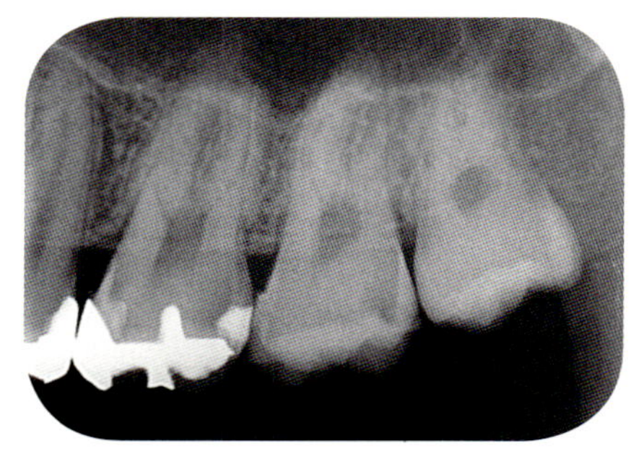

図1　初診時デンタルエックス線写真．

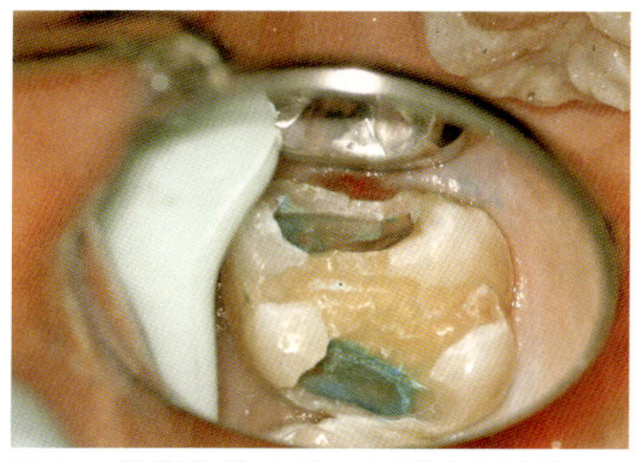

図2　修復物除去後の口腔内写真(マイクロスコープ画像)．

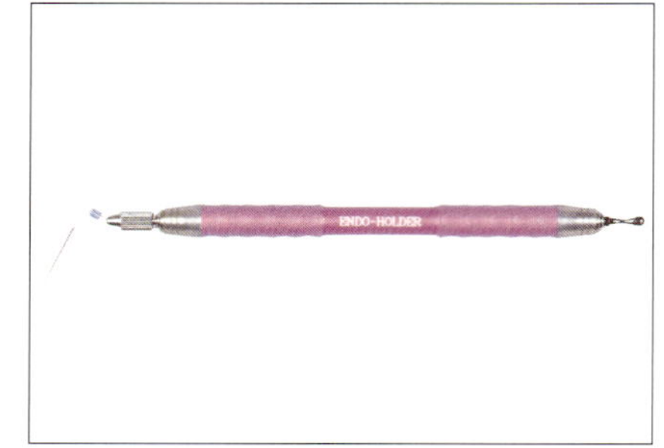

図3　エンドホルダー．先端は，太さ・ファイルの種類を取り換えることで変更できる．また筆者は後端の金属部分に，電気的根管長測定器を接続することで根管長を測定している．

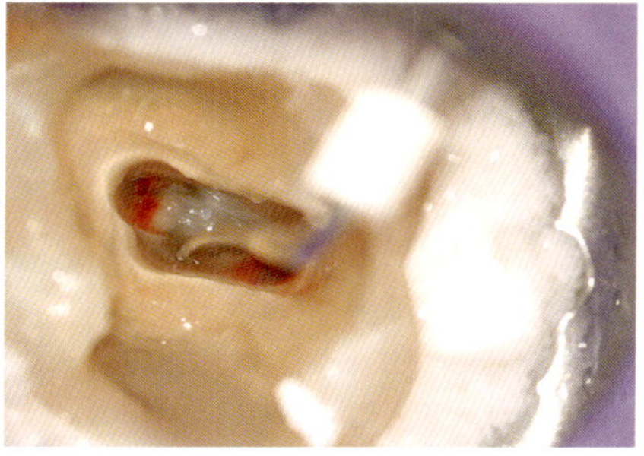

図4　根管口の探索(エンドホルダー#15 Kfile使用)．

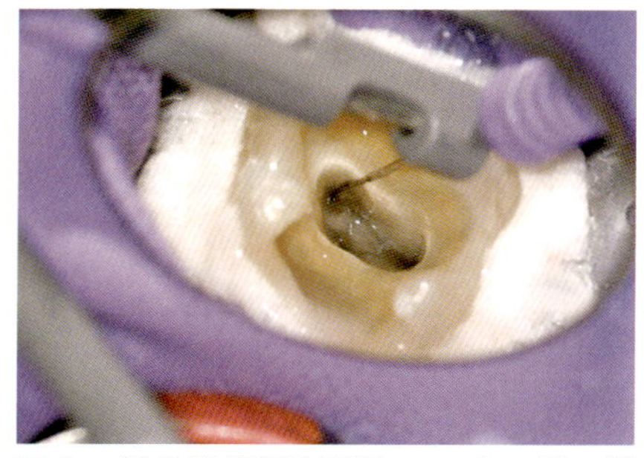

図5　根尖孔穿通(#10Dファインダー使用)．

図6　トライオートZX2.

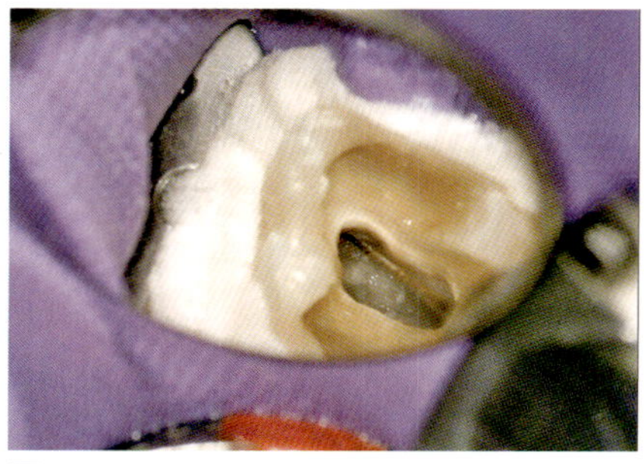

図7　トライオートZX2にスーパーファイル#15.02を装着し，OGPモードでグライドパスを行う．

図8　MB1から口蓋側に伸びるイスムスが確認できる．

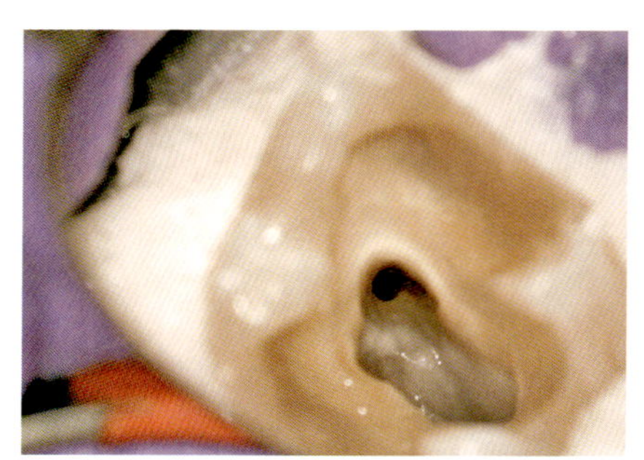

図9　イスムスを拡大形成後，MB根管は扁平な形態を呈した．

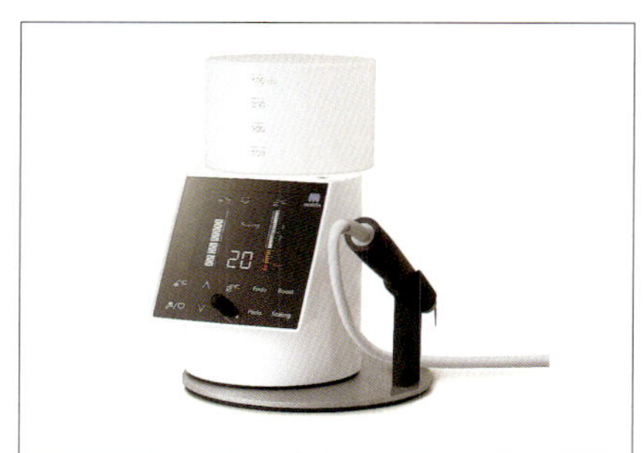

図10　ソルフィーF.

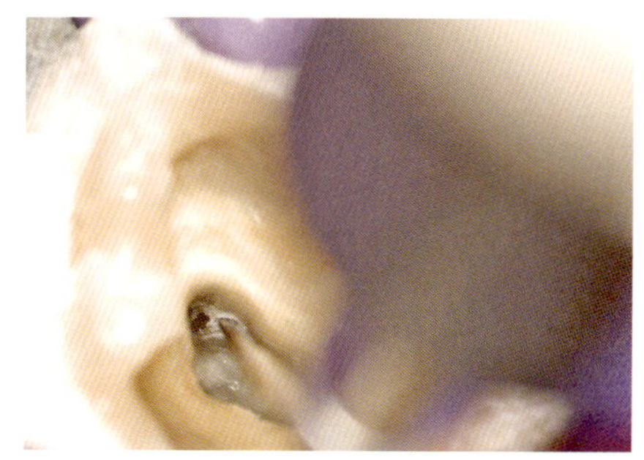

図11　イスムス部分を超音波チップで拡大中．

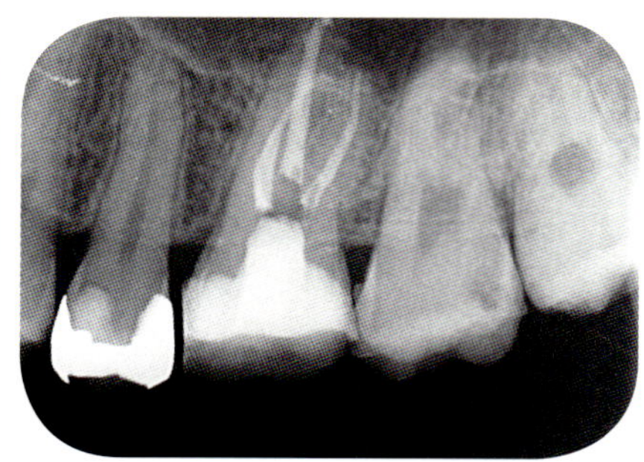

図12　根管充填後デンタルエックス線写真．

Case 2

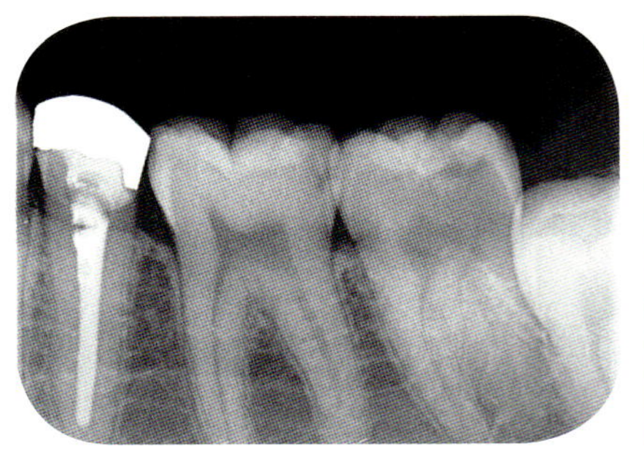

図13　初診時デンタルエックス線写真．

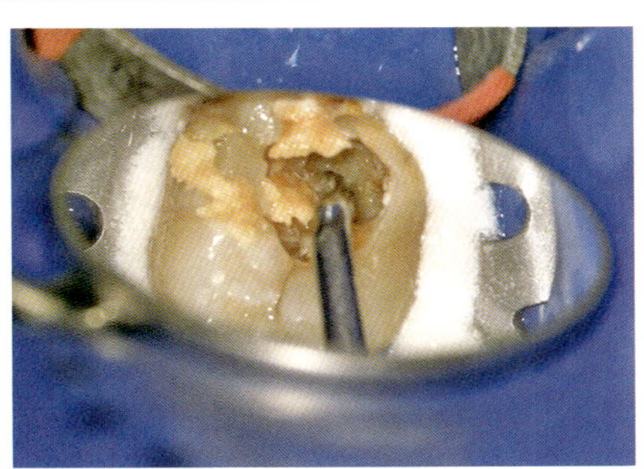

図14　う蝕除去中．

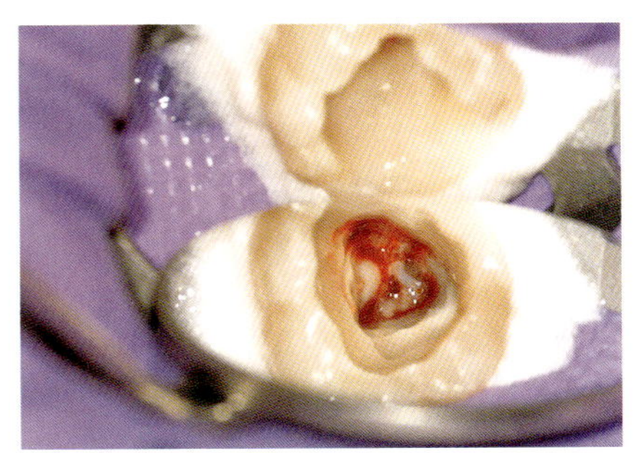

図15　舌側壁がう蝕除去によりなくなったためCRにて隔壁後，再度ラバーダムを施した．天蓋除去後のマイクロスコープ画像．

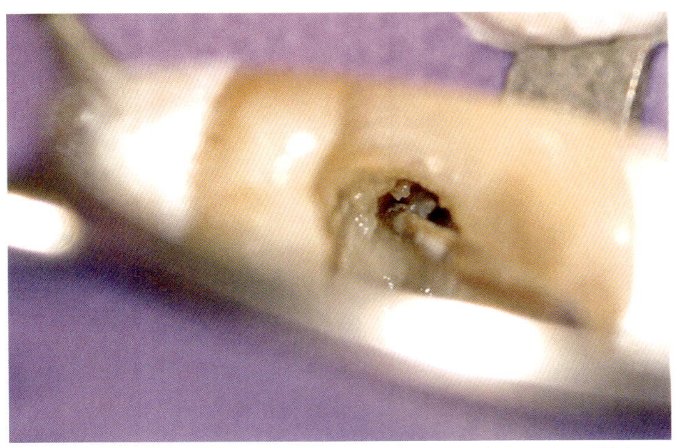

図16　歯髄残渣を#25 F fileで引っ掻きあげるように除去．

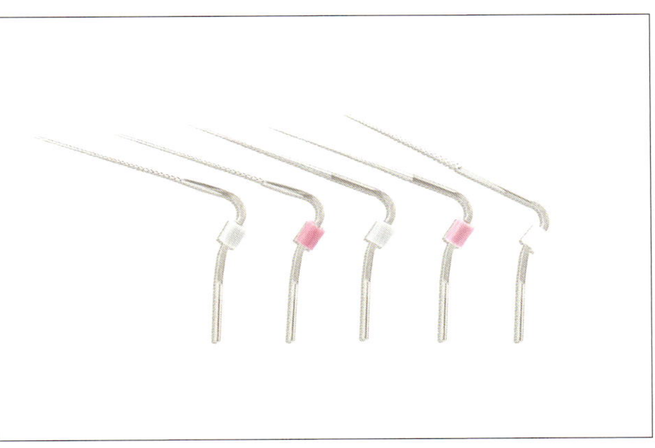

図17　エンドホルダー用チップ K,H,F file．K fileは引っ掻きあげる能力は弱いが，根管の探索や穿通などに役立つ．H,F fileは引っ掻きあげる能力が高く，とくにF fileはテーパーの太さからコシがあるのが特徴である．

ルフィーF（モリタ）および超音波エンドファイル（マニー）を用い，オリジナルな形態を保ちながら処理をする（図10, 11）．術後は不快症状もなく良好な経過を得ている（図12）．

Case 2

患者は30代男性．数日前から左下の奥歯が痛いことを主訴に来院．自発痛，⌈7に打診痛があった．術前デンタルエックス線写真上に，⌈7歯冠遠心部に歯髄腔と接する透過像が認められた（図13）．急性全部性歯髄炎と診断し，説明後同意を得たため抜髄処置を行った．う蝕除去後，CRにより隔壁処置を行った（図14, 15）．

根管の探索にはエンドホルダーK#15を使用した．穿通後，トライオートZX2を用いて拡大形成を行った．D根管には歯髄残渣が認められたため，エンドホルダーH file #25またはF file#25を用い目視下で歯髄組織を除去した．F fileはテーパー5％でファイルにコシがあるため，引っかけて除去する能力に優れている（図16, 17）．

MB-MLの間にはイスムスが発達していたため，超音波エンドファイルを用いてていねいに拡大した．NaClOを根管内に入れ，イスムス内の有機質を徹底的に除去した（図18）．カルシペックスII（ネオ製薬）を根管内に貼薬をすると，MB-MLが途中で合流して

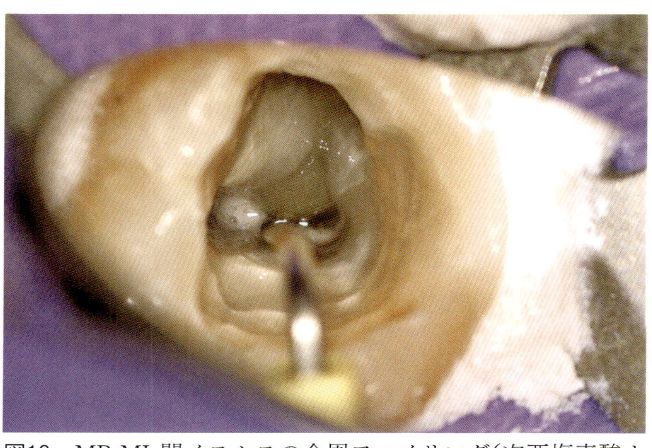

図18　MB-ML間イスムスの全周ファイリング(次亜塩素酸ナトリウム浴下).

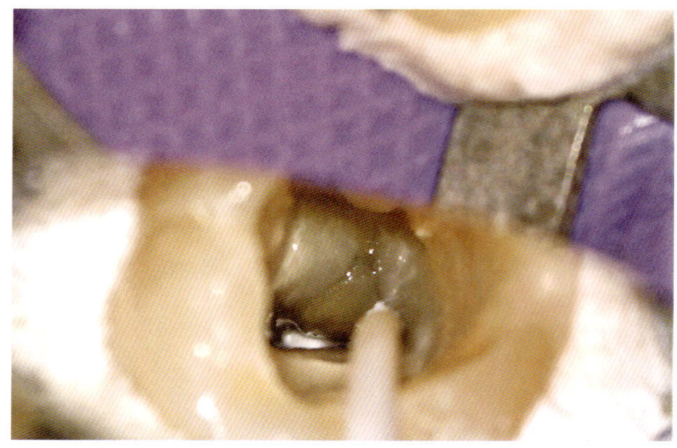

図19　カルシペックスⅡ填入時．MB-MLが途中で合流していることがわかる．

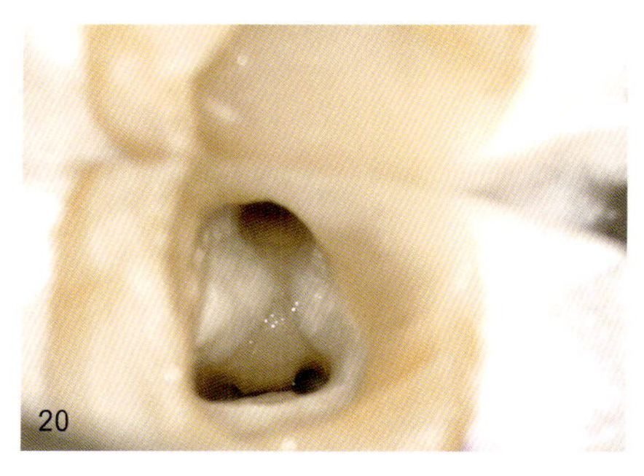

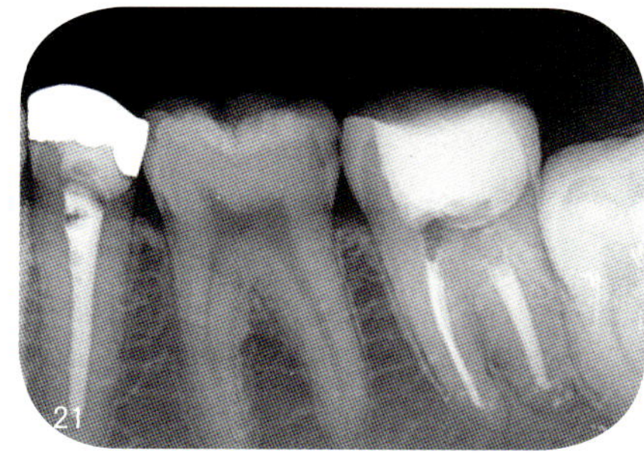

図20　根管充填前のマイクロスコープ画像．
図21　根管充填後のデンタルエックス線写真．

いることが確認できた．歯髄残渣もみられない清掃状態良好な根管が得られたため，根管充填を行った．術後は痛みもなく良好な経過を得ている(図19～21).

まとめ

根管の形態は非常に多様性に富み，複雑な形態をしていると歯内療法の教科書や参考書の至るところで目にするが，マイクロスコープを覗いて治療をしているとその一言がどれだけ深い意味をもっているかが実感できる．このことはマイクロスコープユーザーであれば同意していただけると思う．

抜髄処置の失敗は，その歯を早期に喪失するだけでなく，違和感や不快症状が続くことになるため患者からの信頼も損ねかねない．初めてその歯の根管を触ることは非常に責任が重い行為であり，解剖学的な形態を把握したうえでの処置は必須であると思う．実際にマイクロスコープを使ってみると，象牙質の色や性状・石灰化の違い，根管の方向，歯髄残渣の有無などさまざまな情報が得られ，難しい判断も術者に行いやすくしてくれる．

また，一度治療が失敗した症例もマイクロスコープを使用して再治療すると，これが原因かと驚かされることもしばしばであると思う．

たしかに慣れるまでには多少の時間はかかるかもしれない．しかしマイクロスコープに慣れた先生に話を聞けばよく「マイクロスコープなしで治療するほうが怖い」と耳にする．筆者もこの意見に同感である．百聞は一見に如かず，ぜひ一度体感していただきたい．

参考文献

1．和田健，渡辺昂洋，中澤弘貴，伊澤真人，辻本恭久．Tri Auto ZX2を使用した根尖孔穿通の検討．日歯内療誌 2019；40：111-116.

歯科用マイクロスコープ「EXTARO 300」

～独創的で新しい機能，新時代の礎に～高評価だったノウハウ・実績も踏襲させた，カールツァイス社の歯科用マイクロスコープ「EXTARO 300」

品質と実用性，コストパフォーマンスを兼ね備えたシステム．
無理のない姿勢で，ストレスのない操作を提供するマイクロスコープ．

PART 1
PART 2
PART 3
PART 4

本欄で紹介する製品の問合先は

白水貿易株式会社
http://www.hakusui-trading.co.jp
〒532 - 0033 大阪府大阪市淀川区新高1 - 1 - 15
Tel. 06 - 6396 - 4400
またはお近くの支店・営業所へ

EXTARO 300

■1 これまでにはないまったく新しい機能を搭載，発売されたEXTARO 300.

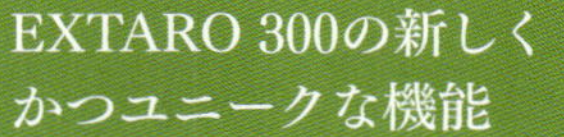

EXTARO 300の新しくかつユニークな機能

2017年に発売となったEXTARO 300は，これまでにはないまったく新しい機能を搭載したマイクロスコープとして話題となり，高い評価をいただいております(■1)．ここでは改めてこのEXTARO 300の新しくかつユニークな機能に関して説明させていただきたいと思います．

EXTARO 300は，すでに長期にわたって高い評価を受けていたOPMI® picoシリーズやOPMI® PROergoのノウハウと実績を生かし，歯科用途でのさらなる未来を見据えたマイクロスコープとして開発されました．従来から高い評価を得ていた光学系や安定感あるサスペンション，操作性の良さに磨きを加え，さらに独創的で新しい機能を搭載しています．

「Single-Hand Operation」(■2)

顕微鏡に必要な操作機構を中心部に配し，ピント調整時や光量調整，ライトモード切り替えの際も片手で操作可能な構造となっており，操作時のストレスを軽減してくれます．

「Varioskop230」(■3)

手元のダイヤルで作業距離の調節が可能．作業距離が200～430mmと非常に幅広くなり，さらにポジションの自由度が高まりました．

「ライトブーストLED」(■4)

キセノンランプに匹敵する明るさと，自然光に近い色合いをもつハイパワーLED照明を搭載しました．

「TrueLightモード＋NoGlareフィルター」(■5)

TrueLightモードはコンポジットレジンやボンディング材の早期重合を抑制しつつ，最適化されたカラーバランスにより各部の識別が容易になります．NoGlareフィルターは偏光照明により歯牙の表面反射を抑制し，調や形態を的確に把握することが可能になります．形成時のタービンの水しぶきによる反射なども抑制され，クリアな術野の確保を約束します．

「蛍光モード」(■6)

EXTARO 300 FVは世界で初めて蛍光モードを搭載した歯科用手術顕微鏡です．歯石や歯垢の付着している部位は赤色，正常な部位は緑色となるためにカリエスリスクの高まっている部位の判別を補助し，治療を効率的に行うことができます．また蛍光モードは天然歯とコンポジットレジンの境界を素早く認識することが可能となり，チェアタイムの短縮も期待できます．

「HDカメラWi-Fi」(■7)

EXTARO 300 HDカメラWi-Fi仕様

■2 操作時のストレスを軽減してくれるSingle-Hand Operation.

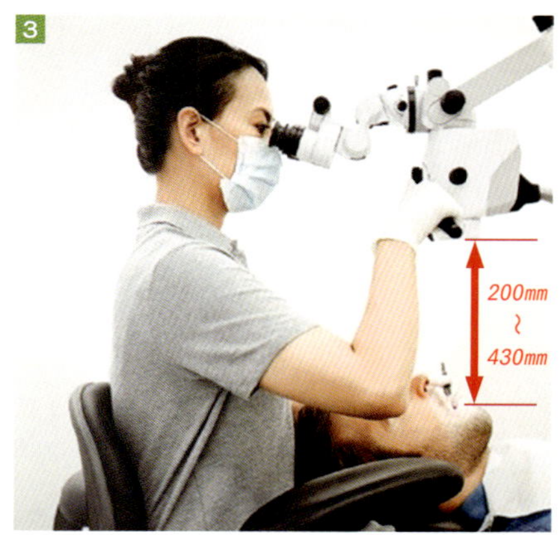

■3 作業距離が200~430mmと幅広く設定できるVarioskop230.

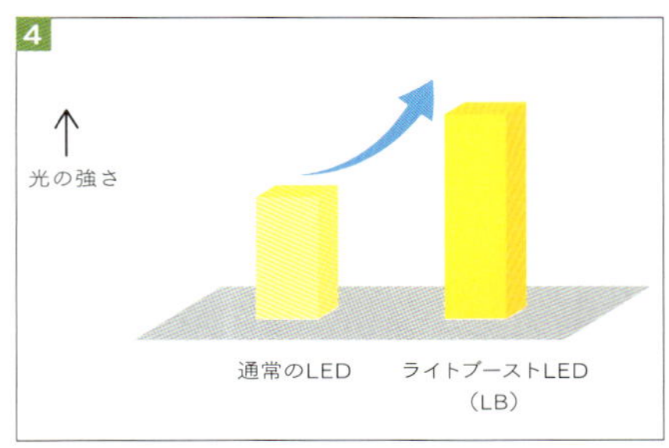

4 明るさと色合いにこだわったライトブーストLED.

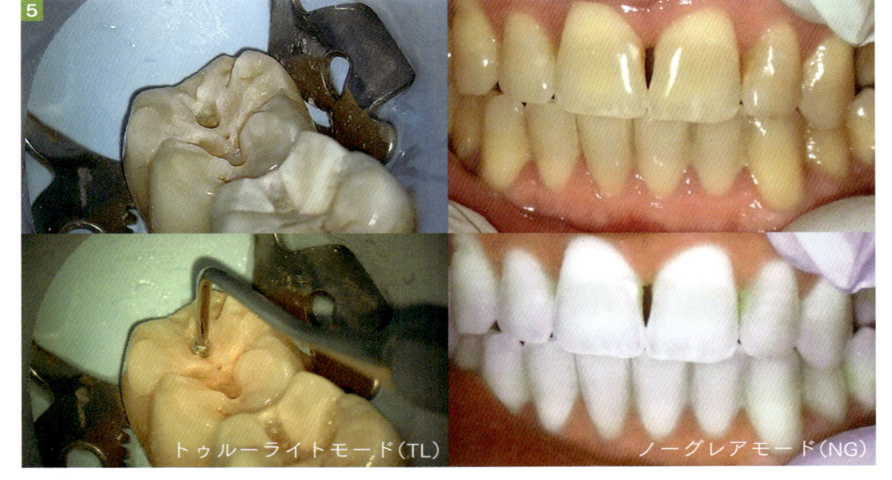

5 快適な術野を実現するTrueLightモード(左)+NoGlareフィルター(右).

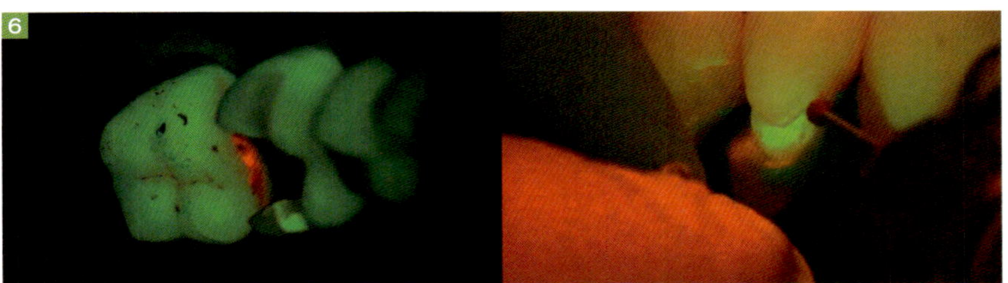

6 世界初, 歯科用手術顕微鏡で搭載された蛍光モード.

7 撮影記録をiPadで行える, HDカメラWi-Fi.

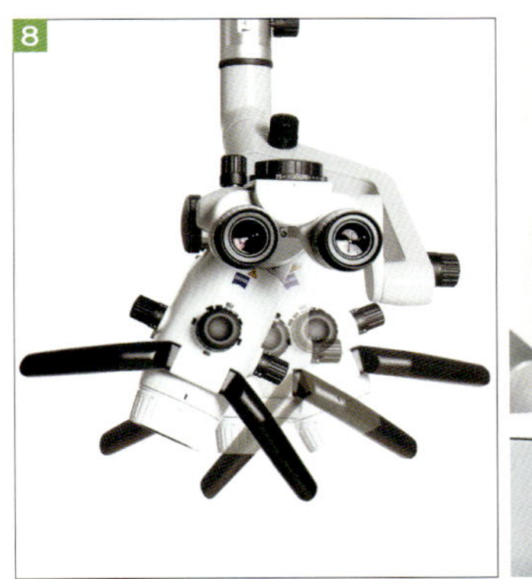

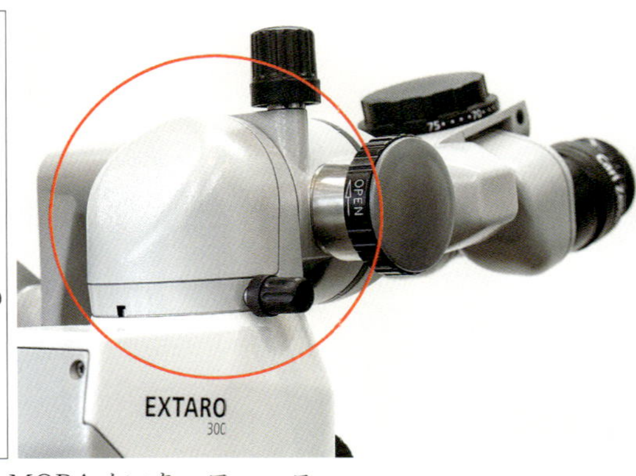

8 術者の姿勢を一定に保てるMORAインターフェース.

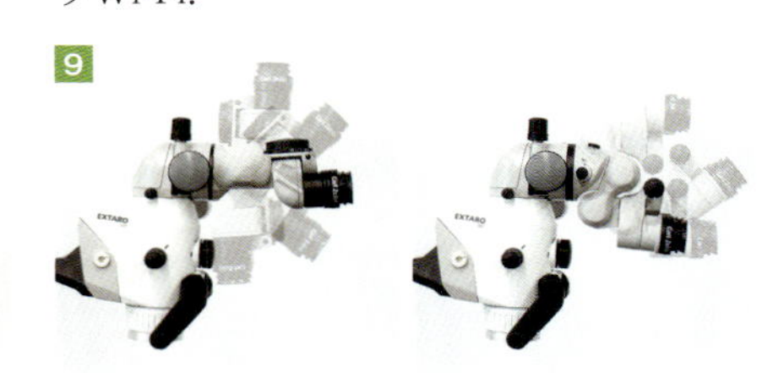

9 鏡筒は, 可変鏡筒とフォルダブル鏡筒からお選びいただけます.

は顕微鏡内にフルハイビジョンカメラを内蔵しており, 専用アプリをインストールしたiPadを接続することで動画や静止画の撮影記録を行うことができます.

「MORAインターフェース」(8)

左右25度まで傾けても接眼レンズは常に水平となり術者の姿勢を一定に保つことができるMORAインターフェースは, ツァイス歯科用顕微鏡の代名詞ともいえる機構です. 術者のポジショニングの自由度を飛躍的に高めてくれるMORAインターフェースは, EXTARO 300に必須とも言えるアイテムです.

「可変鏡筒・フォルダブル鏡筒」(9)

可変鏡筒は接眼鏡筒部分が180度の範囲で可変します. フォルダブル鏡筒は2箇所ある関節が可変し, さらにポジションの自由度を高めてくれます.

「Documentation(映像記録)について」(10)

顕微鏡歯科において, 術中の映像記録は非常に重要な要素です. 映像記録の方法としては, デジタルカメラやハンディカムの接続, Cマウントカメラ接続や内蔵型カメラなど, 多種多様な方法が行われてきました. このなかでも内蔵型カメラやCマウ

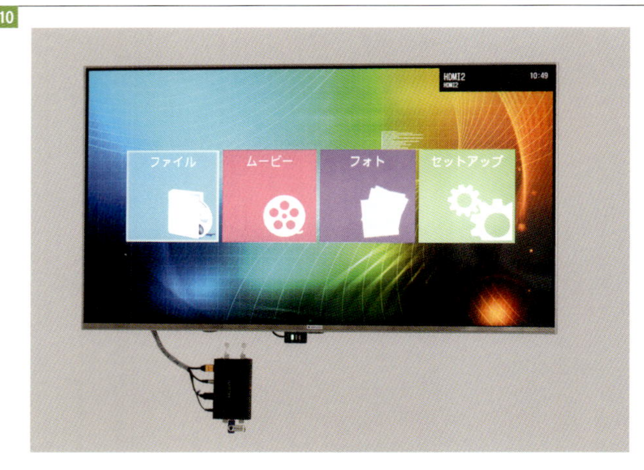

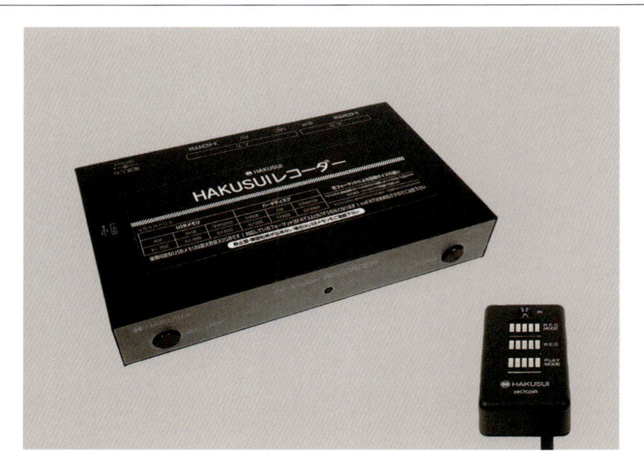

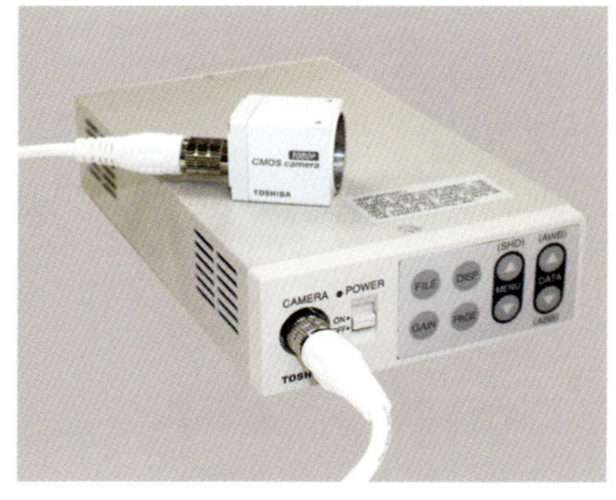

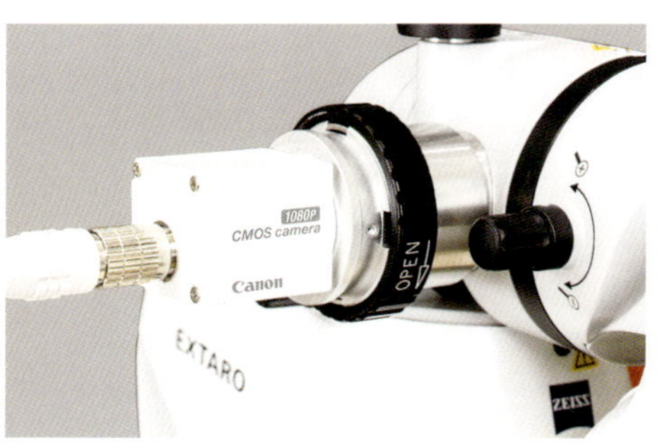

10 より高性能を実感いただける，Documentation(映像記録)の仕様.

表1 顕微鏡の仕様一覧.

	EXTARO 300
鏡筒	180° 可変，フォルダブルチューブ
WD(mm)	200～430
対物レンズ	3.4，5.1，8.2，13.6，21.3倍(標準構成時)【T＊マルチコートアポクロマート，バリオスコープ200～430mm】
接眼レンズ	12.5倍(T＊マルチコートアポクロマート，広視野)
照明光源	LED
フィルター	UVオレンジ，コントラストグリーン
ブレーキシステム	手動調整
寸法：高さ(mm)　ベース(mm)	1,730　600×600(フロアスタンド構成時)
重量(kg)	約144
その他	TL＋NGフィルター，Fluorescence Mode(オプション)
撮像装置 CCDカメラ	一体型カメラ1080HD(iPad操作によるレコーダー機能付き)，各社外付けカメラ(Cマウントカメラ，ミラーレス一眼カメラなど)

ントカメラは軽量コンパクトで軽快なハンドリングを損ねることのない非常に優れた方法ですが，費用的に高額になってしまうという欠点を抱えていました．

そこで白水貿易ではアダプターレンズの新規作成などを行うことで大幅なコスト削減に成功し，この優れたCマウントカメラ仕様を導入していただきやすい設定としました．

※ストレートCマウント＋キヤノンカメラ写真

この仕様は，撮影画像のピントのシビアさやハンドリングへの影響に悩むことなく，術者のストレス軽減につながる非常にお勧めできる商品です．また映像記録に関しても，コストを抑えつつ最低限必要な動画・静止画の記録と患者説明のための再生機能を備えたレコーダーを提供しております．

これらのカメラシステムで，カールツァイスEXTARO 300の高いパフォーマンスを余すことなく発揮いただけます．

22台のCarl Zeiss社製マイクロスコープを使用した有用性について

久保倉弘孝

神奈川県開業　医療法人社団 敬友会 小机歯科医院／小机歯科医院アネックス／くぼくら歯科医院／都筑キッズデンタルランド
連絡先：〒222-0036 神奈川県横浜市港北区小机町1508-1

はじめに

マイクロスコープ(以下，マイクロ)を使用し始めたのは2007年の７月．導入のきっかけは，歯科ディーラーがデモンストレーションにと持ち込んだマイクロを使ってみたことに始まる．まずは，明るく見えることに驚いた．そして，なんとなく格好が良い．だから即座に購入した．当時はユニット２台の診療所だったが，マイクロを使い始めると治療が早くなることに気が付いた．その頃は40代後半で老眼が入り始めていたので，くっきり見えることが結果的に診療速度を上げた．よって，もう１台のユニットにもマイクロを設置した．これが最初のCarl Zeiss社製のマイクロとの出会いであった．

その後，2010年に100mほど先の場所に移転開業．ユニットも倍の４台となった．移転にともない，持っていった２台のマイクロとともに再スタートであったが，当然マイクロがないユニットが２台．このマイクロがないユニットではまともに見えず，診療が遅くなる状態になった．結果，マイクロがあるユニットが空くのを待っていることが多くなった．そのため１台増台した．ただ，Zeissは高価であるので「どうせマイクロは皆，同じだろう」と思い，中国で生産されているマイクロを導入した．この段階で３つのメーカーのマイクロが診療室に設置されることになった．どの機種が良いのかの結果が出るのに，時間はまったくかからなかった．答えとしては，Zeissのマイクロが一番使いやすかった．レンズの明るさもあるが，モラー機能という唯一の特許技術が関連しているのは明白だった．その結果，医院の増築にともない，すべてのユニットにZeissのマイクロを入れることを標準装備とした．

そして分院の開設により，現在では４医院となり，28台のユニットを擁するようになった．そのなかで，小児のメインテナンスのユニットを除く24台のユニットにマイクロを設置してある(図１)．内訳は，19台のピコモラー，３台のEXTARO，そして２台がZeiss以外である．

筆者が考えるマイクロが必要な３つの分野

肝心の使用状況であるが，筆者の医療法人(以下，当会)では歯科医師11名，歯科衛生士が23名，その全員が使う体制になっている．当然，保険診療であろうが自費診療であろうがその垣根はない．当会ではマイクロは特別な器具機械ではなくユニットの一部なので，何をするのにもマイクロで歯を見ることが習慣となっている．

マイクロというとエンドと思われがちだが，すべ

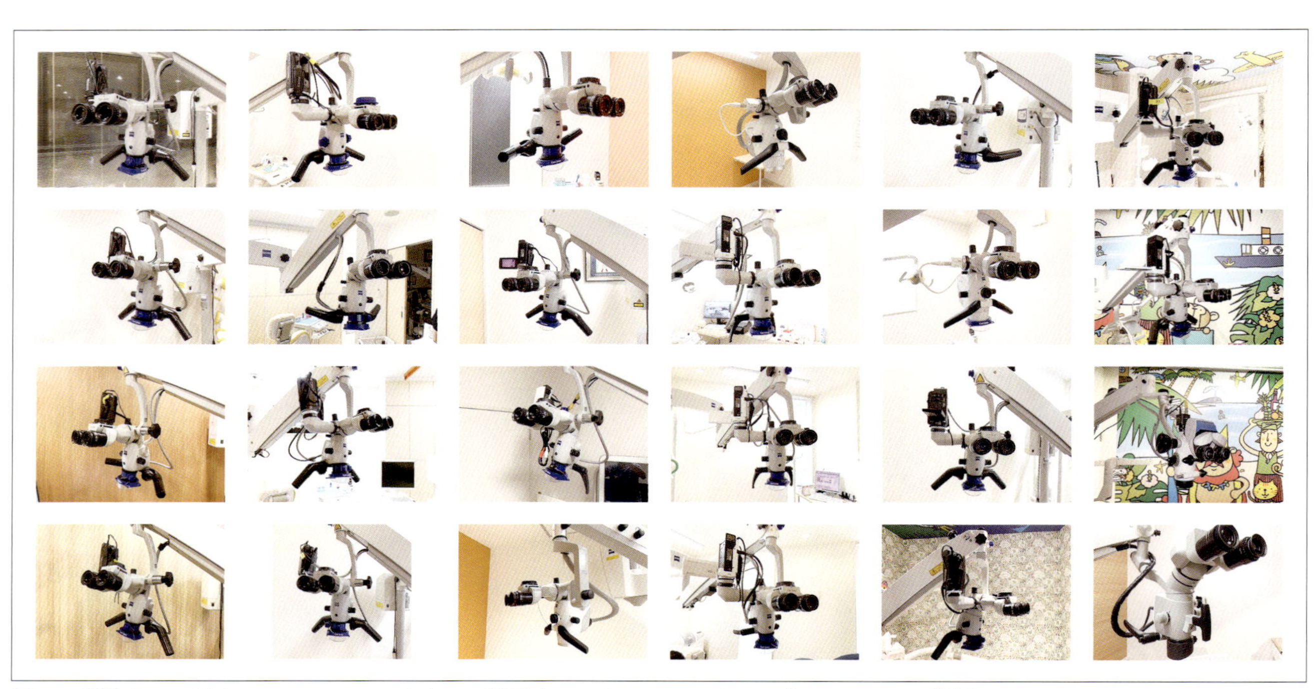

図 1　当法人では24台のユニットにマイクロの設置をしてある．そのうち22台がCarl Zeiss社製．

図 2　筆者が考えるマイクロが必要な 3 つの分野．

ての診療にマイクロを使ったほうが良いに決まっていると思っている．しかし筆者があえてマイクロが必要な 3 つの分野を挙げるとすると，以下のようになる（図 2 ）．

①歯科衛生士によるメインテナンス

通常では見えないようなインレーの下のう蝕を発見してくれることや，歯石などの取り残しが少なくなるので，患者さんの口腔内状況が格段に良くなった．

②セラミックスの歯冠形成

肉眼でセラミックスの形成をしていた頃は，よく割れた．今考えれば，必要な厚みが取れていなかった，すなわち見えていなかったことに起因していたと思う．現在では，マイクロ下での歯冠形成によりセレック，e.maxともに割れる率は大幅に低下した．

③小児歯科

ご存じのとおり乳歯は小さい．よって見えることがいかに大事かがわかる．ラバーダムを装着しマイ

Case

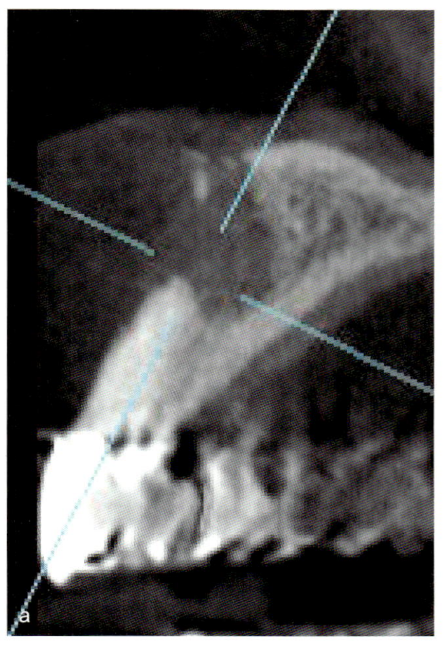

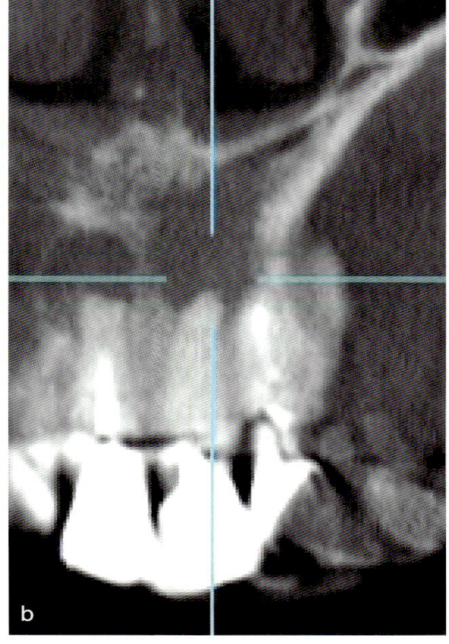

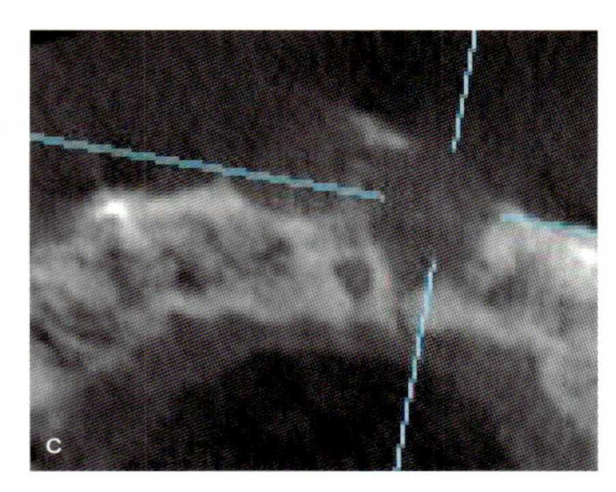

図３a～c　術前のCBCT像．1|1に根尖病変を認めた．

クロ下にレジン充填を行う．当然脱落率は非常に低い．保険治療の小児歯科でそこまでするかと思うかもしれない．しかし母子分離で行う小児歯科は親にとっては何をされたかわからない．当会では，マイクロでの治療の映像をすべて録画して，それを見せて治療説明をする．これにより，保護者との信頼関係を築く一助になっている．

Carl Zeissのマイクロの有用性

モラー機能というすばらしい機能，つまりマイクロのアームが対物レンズに付いており，マイクロの鏡筒を傾けても接眼レンズが水平を保つ機能．これがあるのとないのではポジショニングがまったく異なるといってよい．この機能のおかげで，どんな歯科医師，歯科衛生士でもほとんどトレーニングがなくても，しばらくすると使えるようになるのだと思う．Zeissのマイクロは高価であるが，筆者はそれに見合うだけの価値があると考えている．

ケースプレゼンテーション

患者は60代女性．2019年８月初診．主訴は前歯の歯ぐきが腫れた．CBCT像によると，1|1に根尖病変を認めた（図３a～c）．治療としては，根管治療２回目に非外科であるK.SRCT法（久保倉式根管治療）にて根管充填を行った．約10か月後のCBCT像によると，|1の根尖病変は消失．1|の根尖病変も改善傾向が見られた（図４a～c）．

マイクロを使用しないと根管内の根尖に近い部分の汚れやガッタパーチャの残りは見えない．よって必要不可欠な器具であるのは間違いない．ただし，Zeiss以外のマイクロは，術者が首を曲げたりしなければならないといった不自然な姿勢をとらなければならないことが多い．Zeissのマイクロは常に接眼レンズが水平なので，不自然な姿勢をとらなくて済むのは，長い歯科診療人生を考えると体に良いといえる．

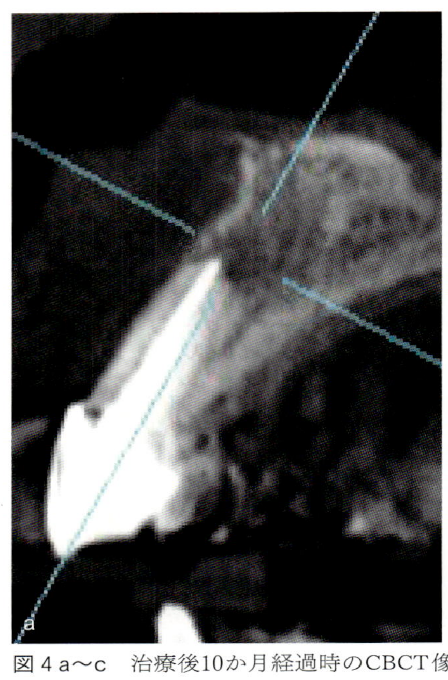
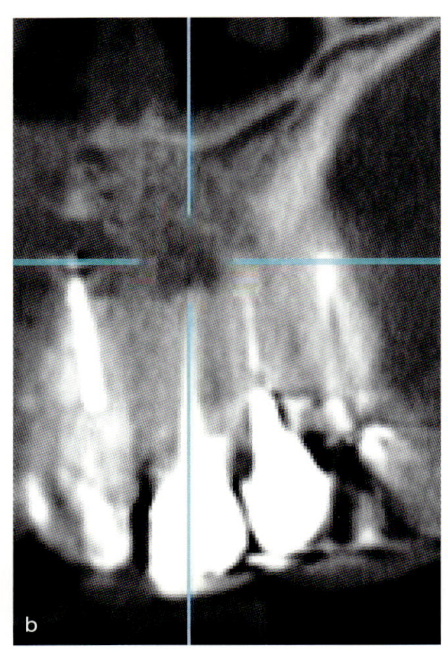
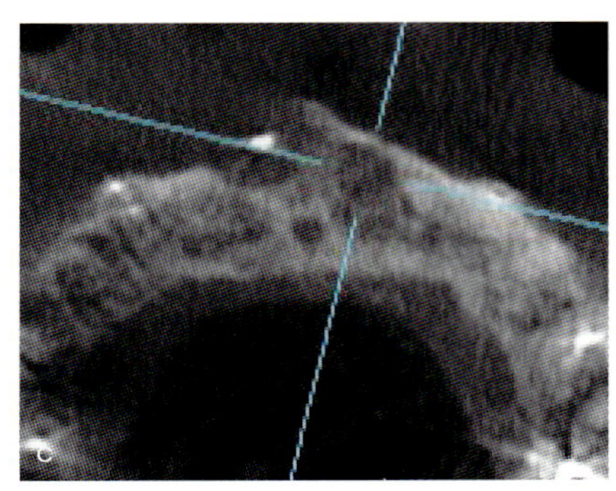

図４a〜c　治療後10か月経過時のCBCT像．⌊1の根尖病変は消失．1⌋の根尖病変も改善傾向が見られた．

まとめ

「マイクロはユニットの一部の付属品に過ぎない」，これが筆者の考え方だ．とにかく，自費診療だけなどといわずに，全診療で使うことをお勧めしたい．導入がまだの医院は，機種に関しては，迷わずモラー機能があるZeissを検討していただきたいと思う．ただ，設置については，キャスターがあるとアシスタントの立つ位置に来るために非常に邪魔である．よって，当会のマイクロスコープはすべてキャスターを外して，床から直に立ち上げるか，天井から吊ってある．床からの立ち上げは比較的工事も楽であるが，天井から吊るのには，梁の強化が必要であるので，増改築の時にはそれを見越した設計が必要である．

そして，床からの立ち上げと天井からの吊り下げのどちらが良いかといえば，やはりアシスタントの邪魔にならない天井からの吊り下げであることを申し添えておく（図５a, b）．

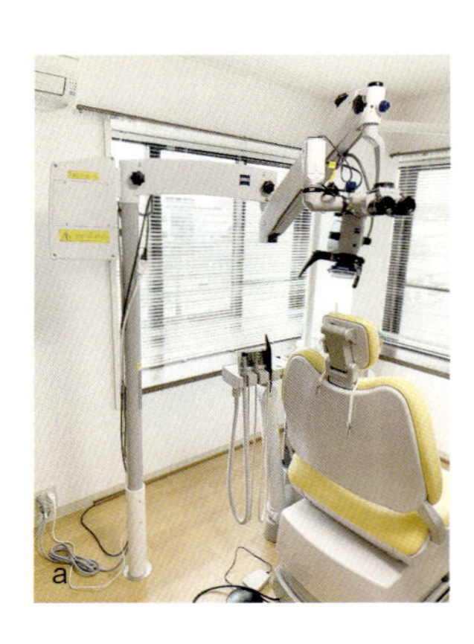
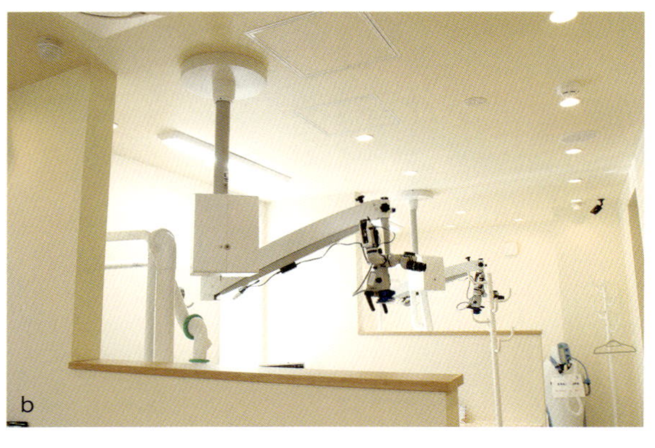

図５a　床からの立ち上げ．
図５b　天井からの吊り下げ．

手術顕微鏡 EXTARO 300

「Visualize Beyond」
～可視化のその先へ～

手術顕微鏡 EXTARO 300 は，
歯科治療のあらゆる分野への応用と，
患者さんとのさらなるコミュニケーションの
構築を目指して開発されました．

本欄で紹介する製品の問合先は

株式会社ジーシー
http://www.gcdental.co.jp/
〒113-0033 東京都文京区本郷3-2-14
DIC（デンタルインフォーメーションセンター）
お客様窓口：0120-416480
またはお近くの支店・営業所へ
https://www.gcdental.co.jp/zeissmicro/extaro/index.html

手術顕微鏡 EXTARO 300

『手術顕微鏡 EXTARO 300』は，カールツァイス社製で歯科向けに販売されているラインナップでも最新のモデルです．「Visualize Beyond」（可視化のその先へ）をコンセプトワードとして歯科の診療内容を研究し，「歯科のために開発された」といえる手術顕微鏡となっています．

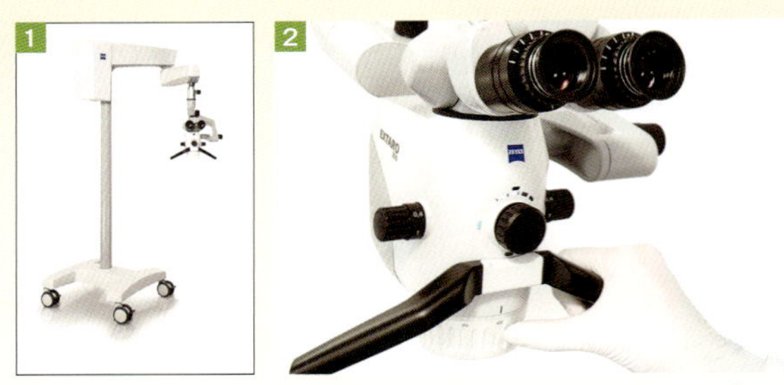

1 手術顕微鏡 EXTARO 300フロアスタンドタイプ．
2 バリオスコープ230．

歯科領域への応用を前提に考えられた「歯科特化型手術顕微鏡」

「手術顕微鏡 EXTARO 300」は，1846年から光学機器の製造・開発に専念し，性能，品質を追求し続けてきたカールツァイス社（独）が2017年に新たに発表した革新的な手術用顕微鏡で，歯科診療のあらゆる分野への応用と，患者さんとのさらなるコミュニケーションを実現するために開発されました．

大口径対物レンズを採用し，明るくにじみのない拡大視野を獲得することができます．対物レンズには幅広い調整幅をもつ「バリオスコープ230」を標準装備し，術者の体型や姿勢に広く対応できるよう，200mm～430mmという広範囲で作業距離を調整できるため，鏡筒部の上下的な位置調整を最小限にするとともに，幅広い焦点範囲を活かした治療を可能にします．

また，高い剛性のバランスアームは，スムーズな位置付けとブレのない視野を実現します．

照明システムは，従来のLED光源と違い，光の３原色である赤・緑・青の光を組み合わせ高い演色性を実現できる「TriLED」を採用し，さらにキセノン光源に匹敵する光量の「ライトブーストLED」を標準搭載しています．明るく自然な照明により，ストレスのない拡大視野を提供します．

また「EXTARO 300」は，照明によるCRの硬化の進行を抑制するオレンジカラーモード，および血流組織が見やすいグリーンカラーモードを標準装備しています．その他にオプションとして「ノーグレアモード＆トゥルーライトモード」「フルオレッセンスモード」をご用意しております．

「ノーグレアモード」は，観察対象からの光の反射を抑えるための機能です．口腔内は唾液等により歯の表面がマイクロスコープ照明光の反射を起こしやすい環境であり，正しく色や形態を識別できない場合があります．口腔内からの反射光を低減することで，歯とCRの色調や形態，その他反射光により見落としていた部分を正確に観察できる可能性が高まります．

「トゥルーライトモード」は，照明の影響によるCRの硬化を抑制しながら，オレンジフィルターでは視認しにくかった施術を最適なカラーバランス下で可能にします．演色性と高輝度を兼ね備えたライトブーストLEDとトゥルーライトモードのコンビネーションは，根管治療から歯冠補綴治療まで，幅広く臨床をサポートします．

「フルオレッセンスモード」は，特殊な波長の照明とフィルタを用いることで，主にカリエスリスクの高い箇所の識別を補助し，処置前後のインフォームドコンセントや治療を効率的に進めることができます．フルオレッセンスモードの視野下では，歯石・歯垢が付着している部位は赤色，正常部位は緑色に見え，蛍光性のあるCR等は発光して見えます（フルオレッセンスモードを選択するには内蔵FHDカメラ（オプション）を導入時に選択する必要があります）．

内蔵FHDカメラは，拡大した映像を外部ディスプレイに表示するこ

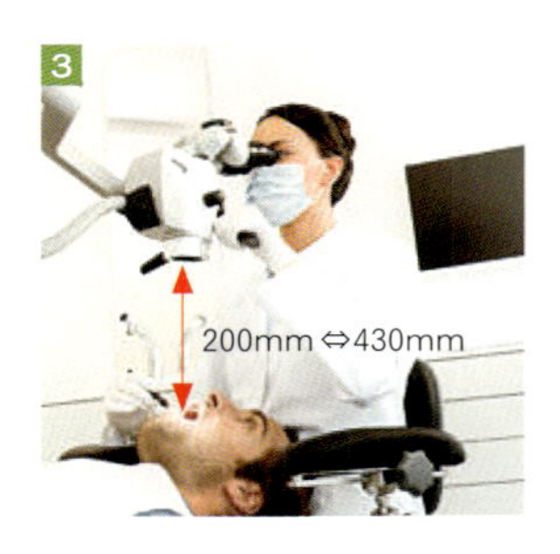

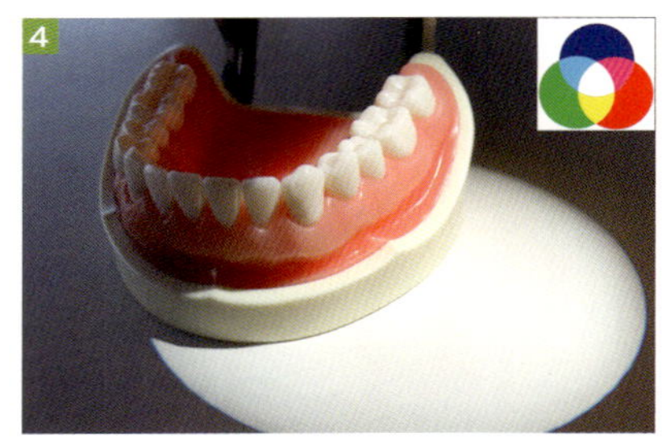

3 作業域は200mm～430mmと幅広く調整可能．
4 高い演色性をもつtriLEDを採用．従来のLED光源とは異なり，赤・緑・青の光を組み合わせて白色光を構成しているため高い演色性を実現．また，ライトブースト機能によりキセノン光源に匹敵する光量も併せ持つ．

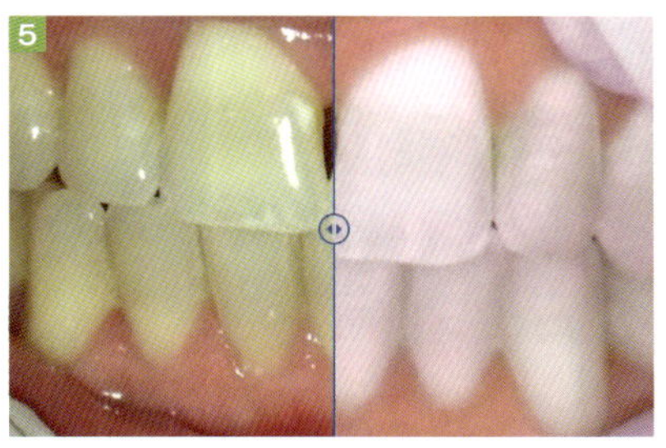

5　オプションのノーグレアモード．口腔内からの光の反射を抑える．

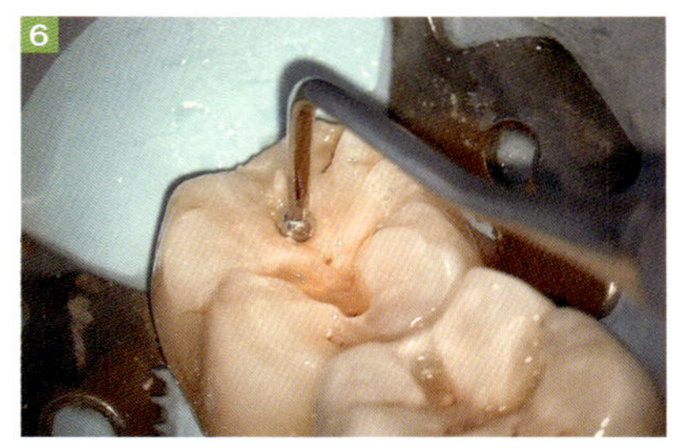

6　オプションのトゥルーライトモード．CR硬化促進を低減しつつ自然な視野を実現．

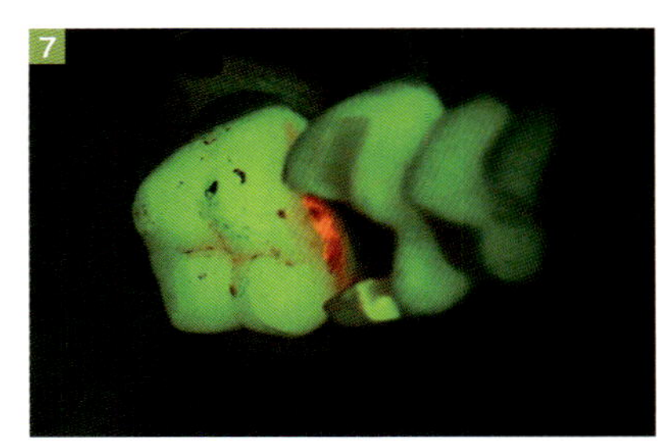

7　オプションのフルオレッセンスモード．カリエスリスクの高い箇所の識別を補助してくれる．患者説明にも効果的．

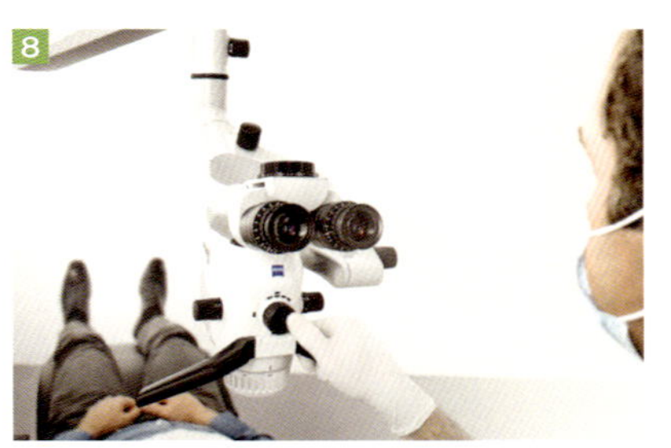

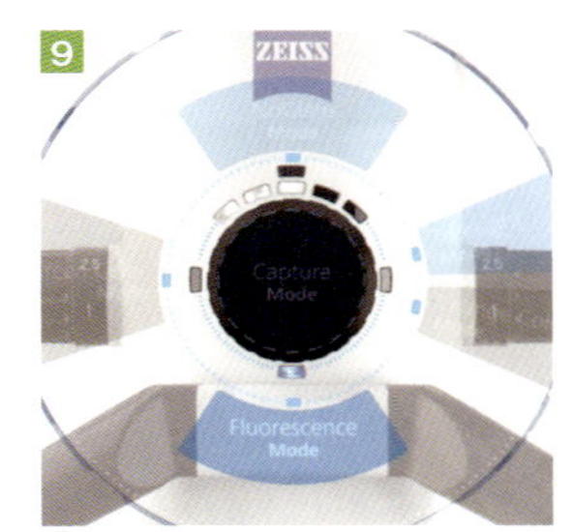

8 9　マルチファンクションノブ．ハンドルを握りながらの操作が可能．多くの機能を制御することができる．

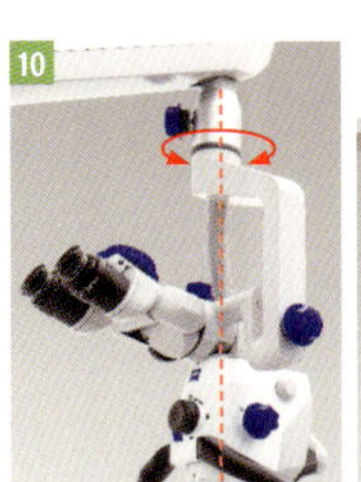

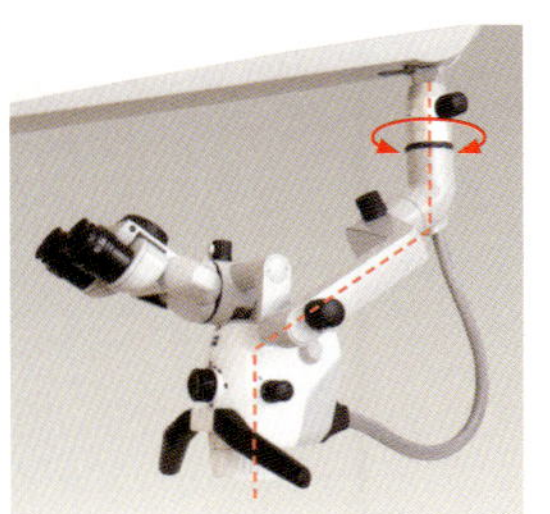

10　MORA仕様の場合，従来の120度カップリング仕様に加え，鏡筒部が上下アームから垂直に牽引されている「ストレートカップリング仕様」も選択できます．

11　内蔵FHDカメラ搭載モデルはUSBメモリに直接録画が可能．

12　内蔵FHDカメラには専用リモコンが付属．

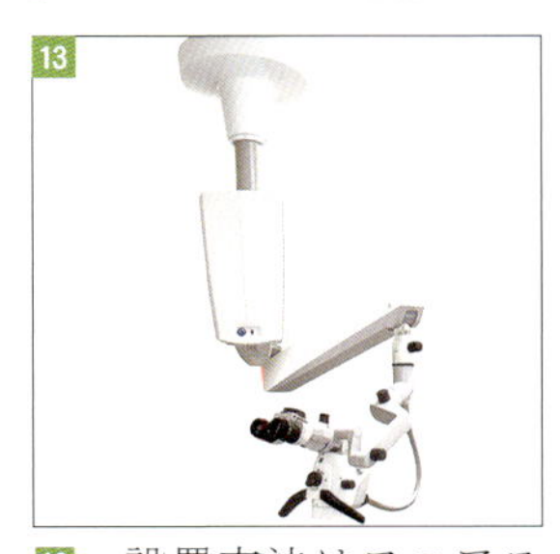

13　設置方法はフロアスタンドタイプと天井マウントタイプ・床固定タイプをご用意しております．

とが可能で，アシスタントと術野を共有することができます．さらにマイクロスコープ本体にUSBメモリを直接接続ができるので，動画や静止画を記録することも可能です．録画操作は「マルチファンクションノブ」または付属の専用リモコンで行います．さらには，専用の無料アプリ「ZEISS Connect」を介してiPadに拡大した映像を表示・録画することも可能です（外部ディスプレイ・USBメモリとiPadの併用はできません）．

これらの多彩な機能は，鏡基部中央に設置した「マルチファンクションノブ」ですべて操作可能です．マイクロスコープ操作のすべてを片手で行う「Ore Hand Operation」をコンセプトに設計されたスイッチで，ハンドルを握りながら照明の明暗調整・各種モードの切り替え・内蔵カメラの録画操作を行うことができますので，術野に集中しつつあらゆる顕微鏡操作を可能にします．

MORAインターフェース（オプション）は，対物レンズ部を左右に傾けても接眼レンズを水平に保つことができ，つねに快適で楽な姿勢で治療に専念できます．加えて，可動範囲の広さにより直視しながら治療できる範囲が増え，ミラーを使用するシーンが減るため，術者・アシスタントともに処置に両手を用いることも可能です．

MORAインターフェース仕様の場合には，従来の120度カップリング仕様に加え，鏡筒部が上下アームから垂直に牽引されている「ストレートカップリング仕様」も選択できます．

設置方法としてはフロアスタンドタイプの他に天井マウントタイプ・床固定タイプをご用意しています（天井マウントタイプ・床固定タイプは別途取付工事が必要です．環境によっては設置不可能な場合もございますので，事前に弊社支店・営業所へお問い合わせください）．

ADMENIC DVP 2

動画によるインフォームドコンセントで
患者さんから治療へのより深い理解を得られます．

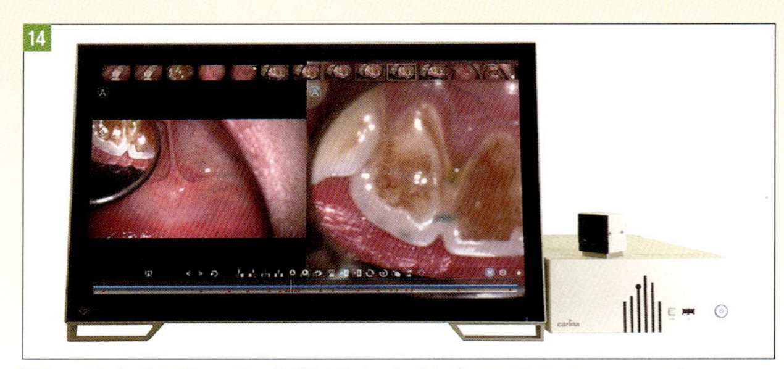

14 映像記録と患者説明を高効率に行うためのプレゼンテーションシステム「ADMENIC DVP 2」．

「直感的な操作で撮りながら編集」撮りたて動画ですぐ説明できます

ジーシーではマイクロスコープを用いた歯科診療の映像記録と患者説明を高効率に行うためのプレゼンテーションシステム「ADMENIC DVP 2」をご用意しています．限られた治療時間のなかでシームレスに操作できるように，すべての記録操作をフットスイッチで行うことができます．また，操作内容によって異なる効果音にすることで，確実に記録されているかを術野から視線を外さずに確認できます．

治療の説明に関しては，タッチパネルディスプレイの採用により直感的な操作を可能にする「マルチファンクションタッチ」を搭載．映像を直接操作し拡大・縮小や位置の調整が行えます．また，画面を左右2分割にして術前術後を比較できる「A-A'モード」と，予め登録した症例映像と比較できる「A-Bモード」を搭載．映像上に自由に描画できる「アノテーションモード」と合わせ，患者さんへの明確な治療説明を実現します．

カリーナシステム(株)の純正Cマウントビデオカメラ「CH-1360」を利用することでフルハイビジョンを可能にします．映像の記録にはUSB接続のHDDを使用し，データの移動や保管も簡単．編集機能やWindows Media変換機能・静止画保存機能等も備え，患者さんへの説明だけでなく，資料作成や学会発表等に役立てることができます．

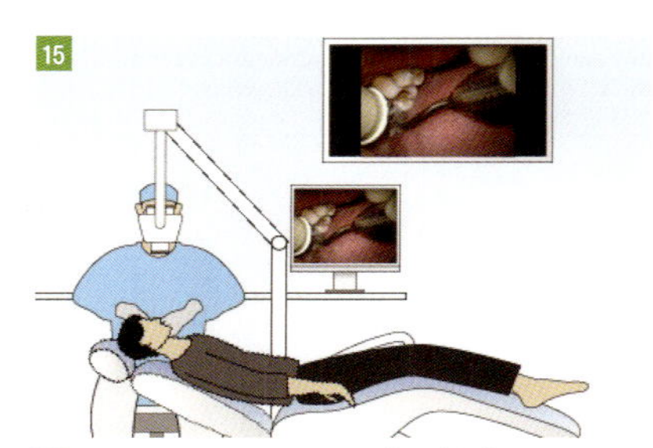

15 マイクロスコープの視点をそのまま映像として表示・記憶．

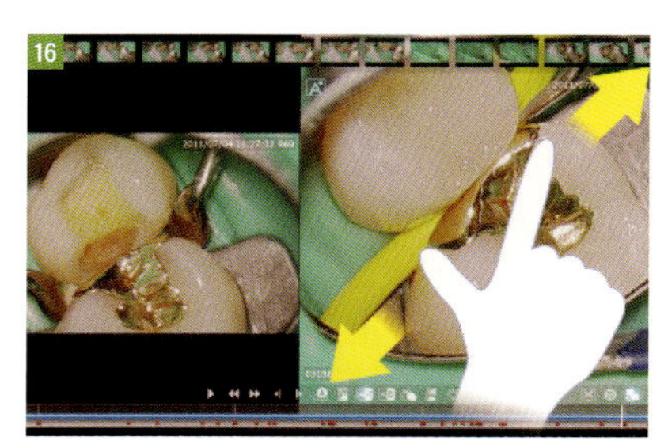

16 17 説明しやすいように画像の回転・拡大も直感的な操作で可能．

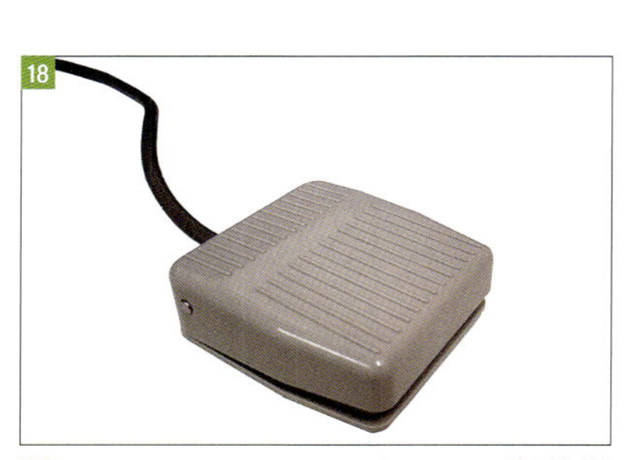

18 フットスイッチですべての記録操作が可能．

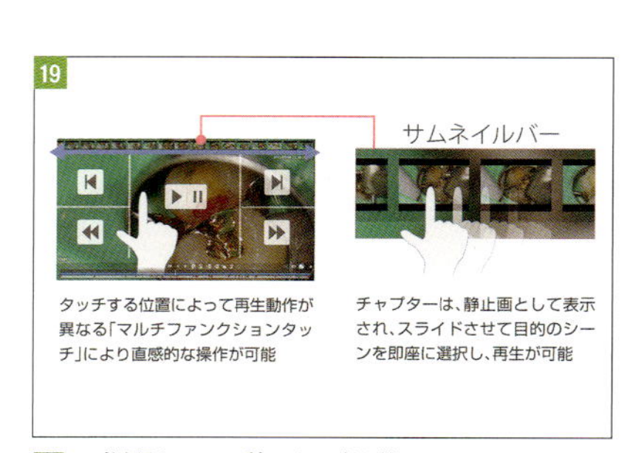

19 撮影した動画の操作もタッチパネルで直感的に．

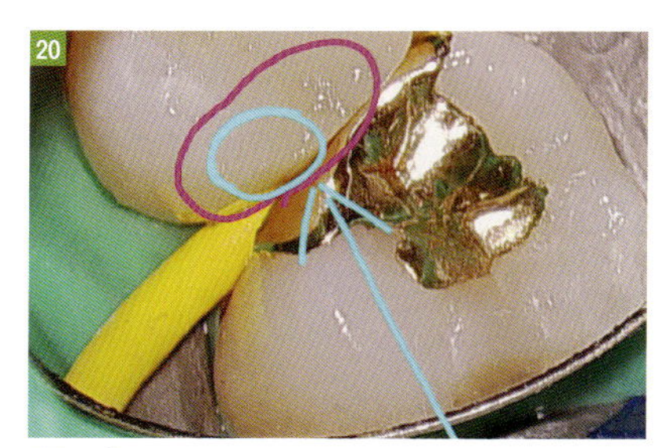

20 「アノテーションモード」で撮影した画像に自由に描画可能．

LED光源，MORA機能搭載 EXTARO 300の優位性

大久保将哉

東京都勤務　赤羽歯科信濃町診療所
連絡先：〒160-0016 東京都新宿区信濃町8 外苑北SRCビル3F

はじめに

マイクロスコープを覗くことは歯科医師の良心である．筆者をご指導くださるメンターの先生方の言葉に感銘を受け，臨床に向き合う姿勢，臨床のレベルの高さに突き動かされ，EXTARO 300の導入を決断した(図１).

ミラーテクニックの重要性はもちろんのこと，LED光源の直視による鮮明な視野の確保，MORA機能により長時間の使用を非常に快適にさせている．

EXTARO 300の特徴として，操作をすべて顕微鏡の中心部に集約しており，光量調整，対物レンズ操作時もハンドルから手を離すことなく，片手のみの操作を行うことができ，診療の妨げにならないよう設計されている(図２，３).

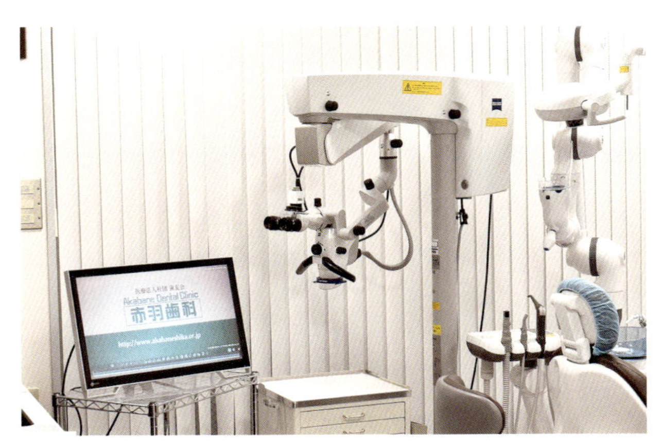

図１　EXTARO 300.

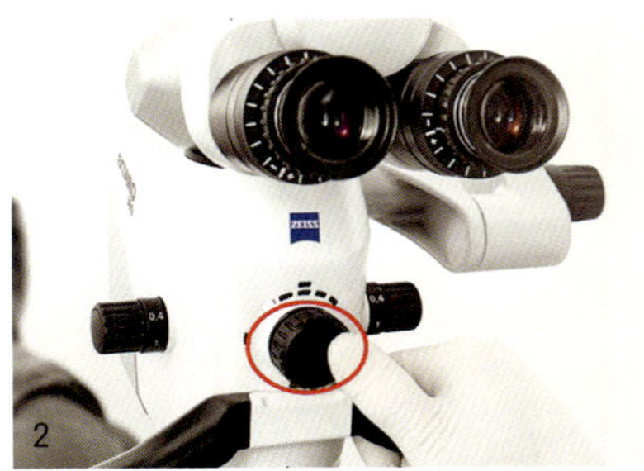

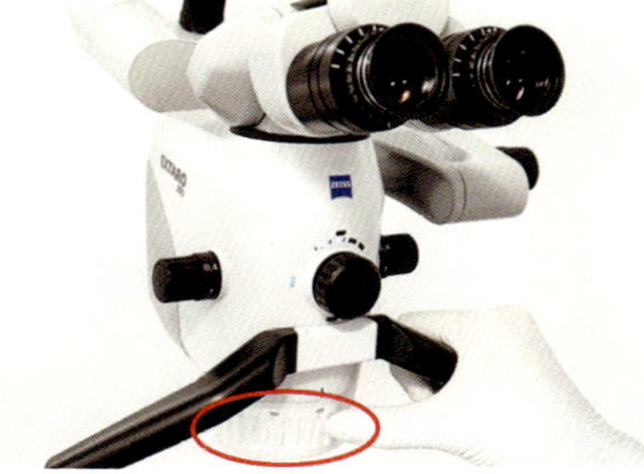

図２，３　操作をすべて顕微鏡の中心部に集約しているのがEXTARO 300の特徴.

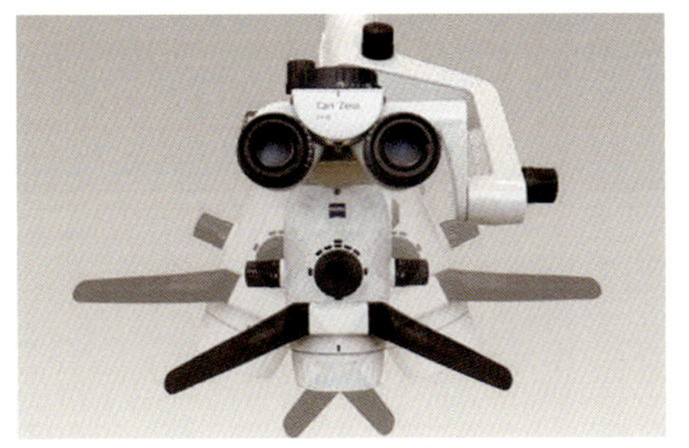

図４　MORA interfaceを搭載.

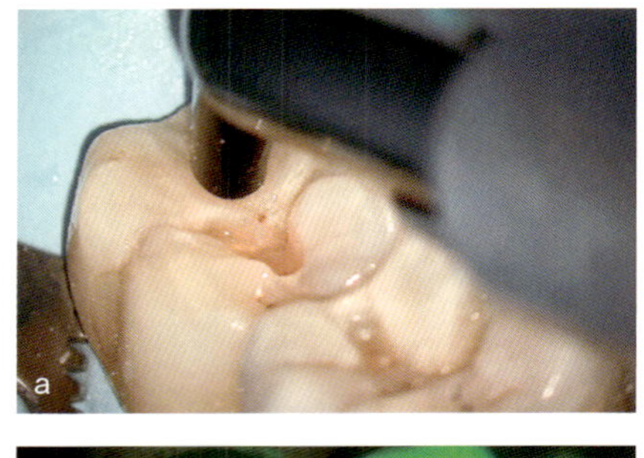
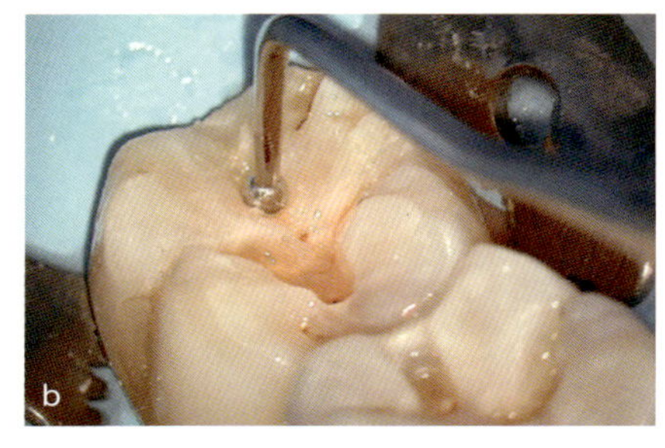
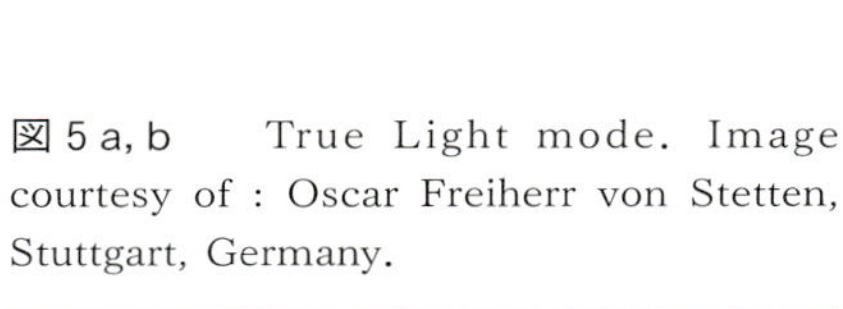

図5a, b　True Light mode. Image courtesy of : Oscar Freiherr von Stetten, Stuttgart, Germany.

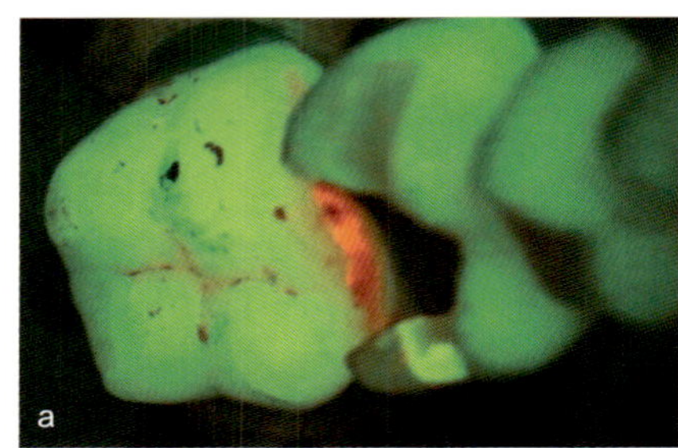
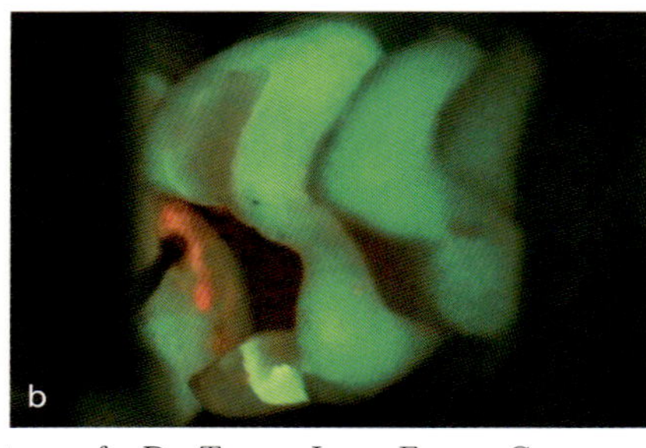
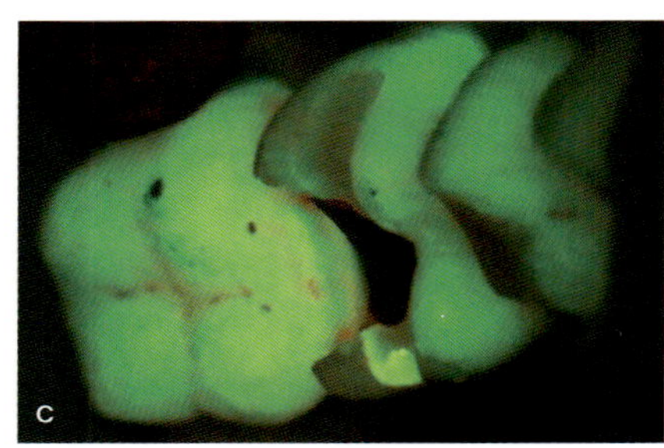

図6a〜c　Fluorescence mode. Image courtesy of : Dr. Tomas Lang Essen, Germany.

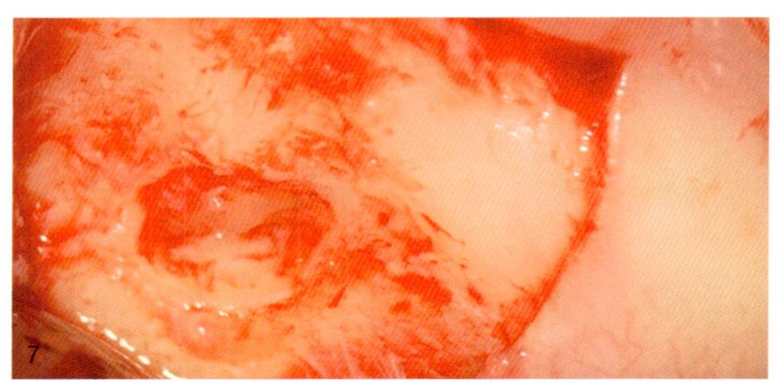
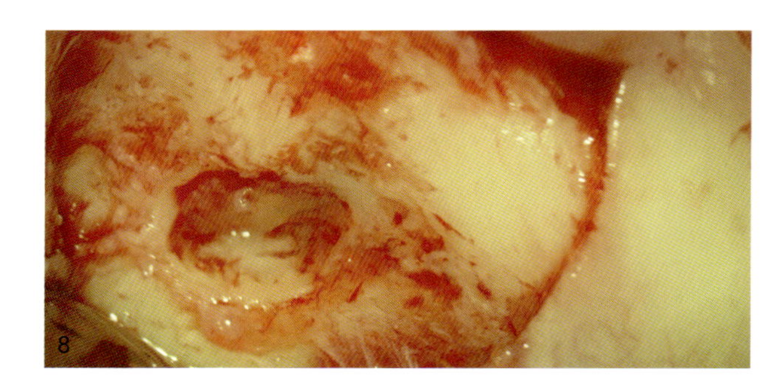

図7, 8　Green Color modeにより外科処置の精密さが向上する.

またMORA interfaceを搭載でき，顕微鏡鏡基部を左右に振っても,術者が覗いている鏡筒部分は常に鉛直方向に保つことが可能である(図4).

さらに，EXTARO 300には顕微鏡下でのコンポジットレジンの早期重合を抑制できるTrue Light mode(図5)，照明により歯の色調を正確に確認でき，歯表面からの反射を低減できるNo Glare mode，手術顕微鏡で拡大した視野下にて歯石，歯垢が付着している箇所は赤色，正常な部分は緑色となるFluorescence modeをオプションとして搭載できる(図6).

標準装備として搭載されているGreen Color modeの優位性として，赤色である血液の色相環で正反対に位置する捕色である緑色を照射することにより血液組織の判別がしやすく，外科処置の精密さが向上する(図7, 8).

ADMENIC DVP 2

プレゼンテーションシステムADMENIC DVP 2を使用することにより，術者の視野と同等の目線での診療行為を動画あるいは静止画として記録できるため，患者への説明のみならず医院内での情報共有，教育に役立てることができる(図9, 10).

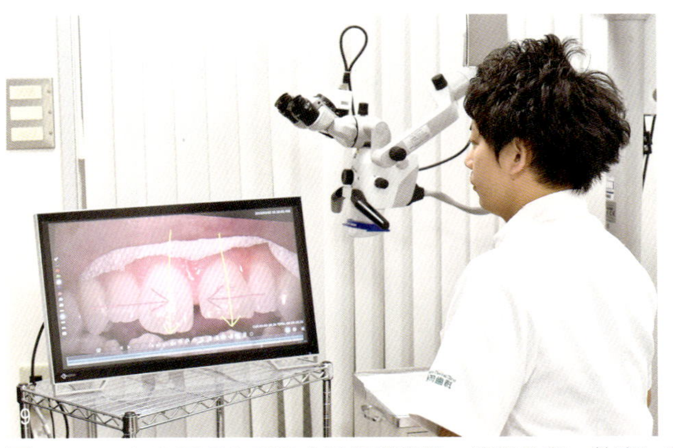

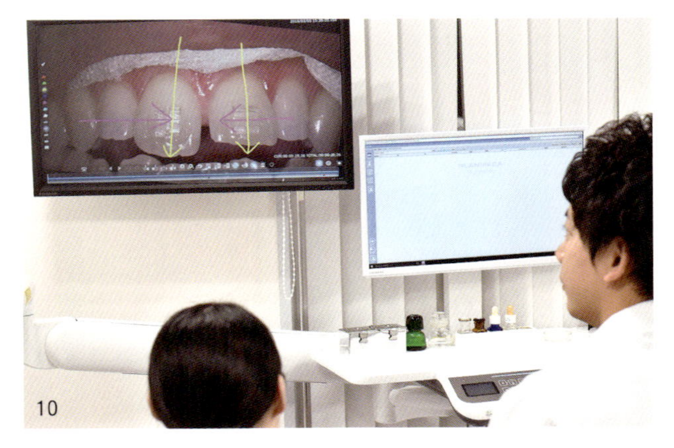

図9，10　ADMENIC DVP 2は患者説明，情報共有，教育に有用．

Case 1

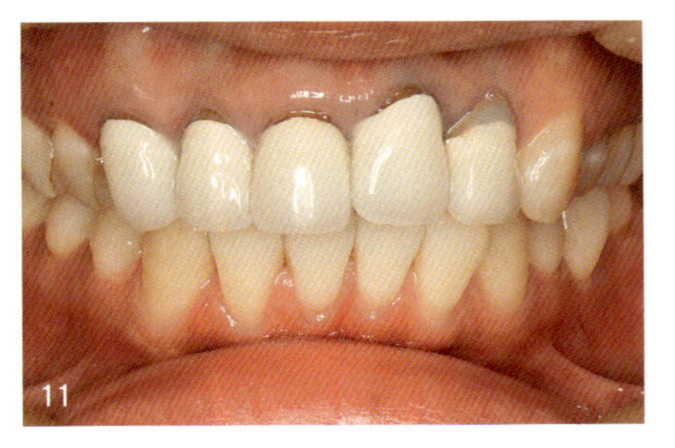

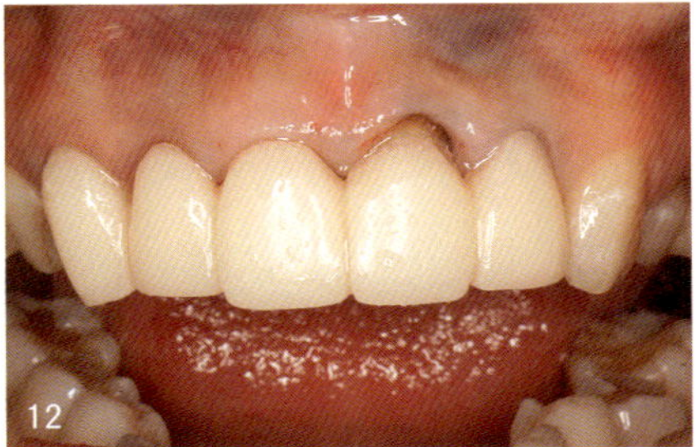

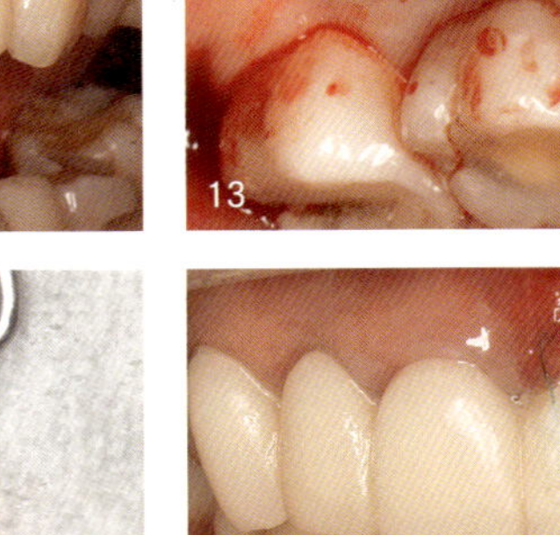

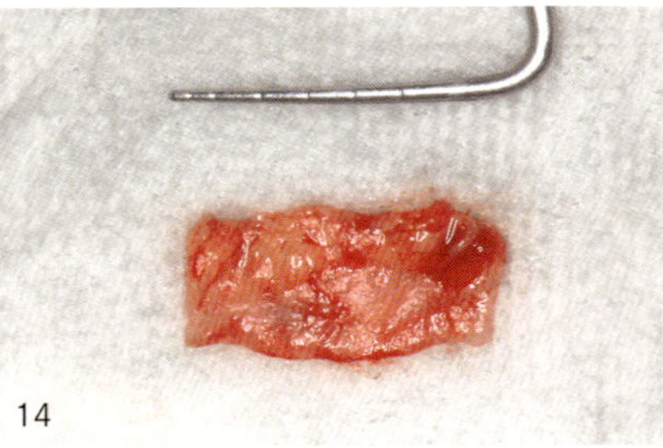

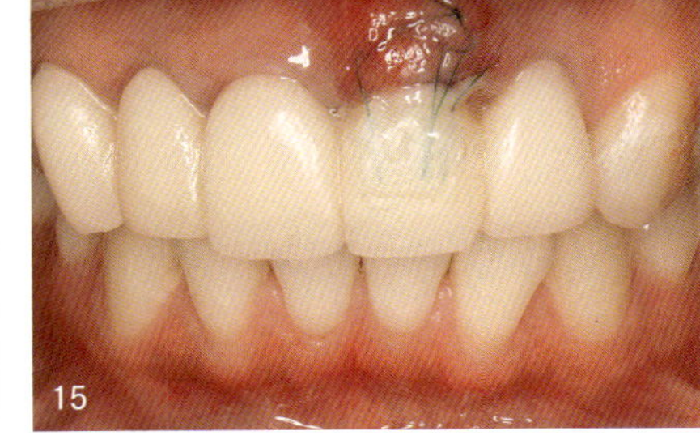

図11　初診時の正面観．
図12～15　マイクロスコープ下にて結合組織を採取し，⌊1に対して根面被覆を行った．

ケースプレゼンテーション

患者は30代女性．上顎前歯の審美障害を主訴に来院．とくに⌊1の歯肉ラインの退縮が著しく，⌊1の歯頸ラインに合わせ上顎前歯群の歯肉切除を行うか，あるいは⌊1の根面被覆術を行い修復を行っていくかを提案したところ，⌊1の根面被覆を施し歯の長軸と幅径の調和のとれた補綴を希望された（図11）．

歯頸ラインならびに切縁の不整を改善するために，再度3＋2の歯冠修復，⌊1の根面被覆を提案し，同意のもと処置を開始した．

プロビジョナルレストレーション装着後，マイクロスコープ下にて結合組織を採取し，⌊1に対して根面被覆を行った（図12～15）．結合組織採取の際，採取後に薄い上皮のみを残してしまうと術後の壊死を引き起こしてしまうリスクが高まるため，マイクロスコープ下にて0.5mm程度の結合組織を温存したままでの採取を心がけている．

咬合状態，軟組織の状態を確認した後，3か月後に最終補綴を装着した．24か月経過後も良好な経過を辿っている（図16～20）．

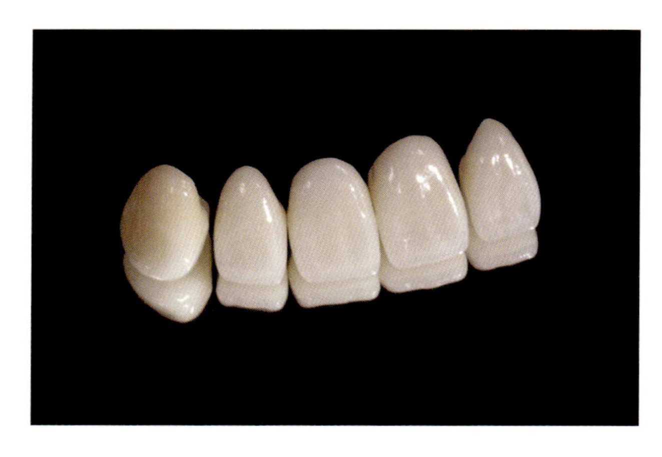

図16　最終補綴装置.

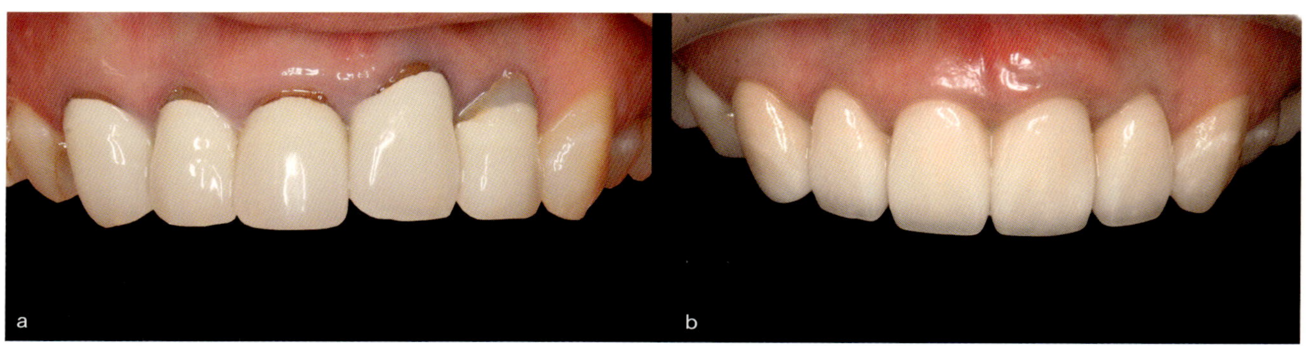

図17a, b　術前(a)・術後(b)の正面観.

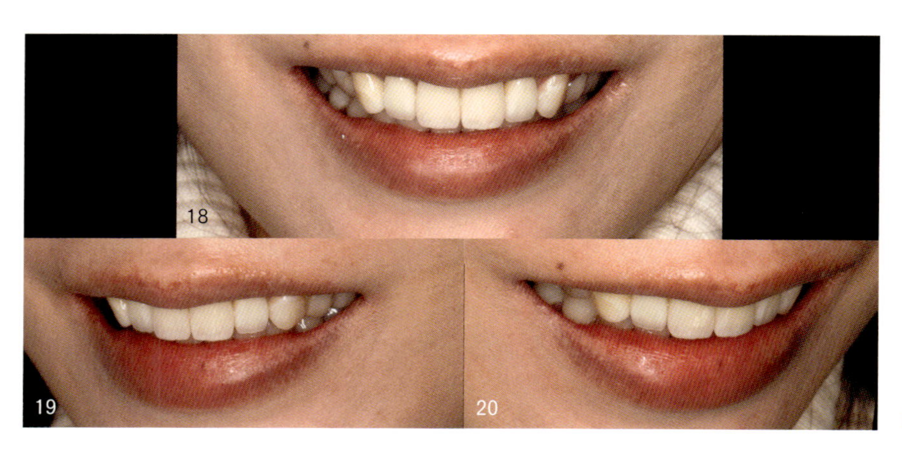

図18～20　術後のスマイル.

まとめ

高光源LED, MORA interface搭載のEXTARO 300により，直視にての臨床が格段に行いやすくなった．直視による診療の向上が達成できるからこそ，ミラーテクニックでの優位性がさらに獲得できるものと考える．EXTARO 300が自身の臨床を大きく変えたといえる．

BrightVision® 2380

高い精度と充実した機能を標準装備し，コストパフォーマンスに優れたマイクロスコープ「ブライトビジョン」シリーズに，ハイスペックモデル「ブライトビジョン2380」が新登場

クリアで明るい術野視認性を発揮するレンズシステム，シームレスなズーム式倍率変換，フォーカス調整，画像記録操作を片手でスピーディに操作できる新設計の顕微鏡ヘッド，より軽くスムーズに可動するアームシステムなどを搭載し，さまざまな場面における術者の快適な視認性・操作性を重視したマイクロスコープのご提案

本欄で紹介する製品の問合先は

ペントロン ジャパン株式会社

http://www.j-pentron.com
〒140-0014 東京都品川区大井4-13-17
Tel. 03-5746-0316

BrightVision® 2380

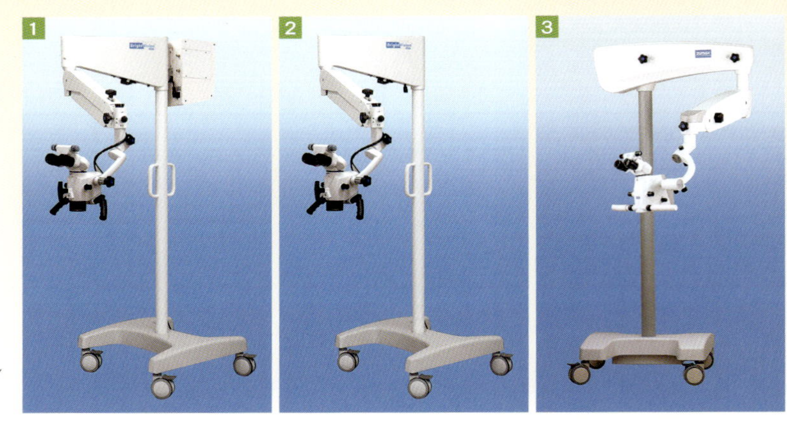

1 4000シリーズ(ハロゲン照明仕様).
2 5000シリーズ(LED照明仕様).
3 シームレスなズーム式変倍機構，画像記録システムなどを搭載した新モデル「2380シリーズ」.

BrightVision®(ブライトビジョン)シリーズ

ペントロンのBrightVision®(ブライトビジョン)シリーズは，2010年に日本国内市場に導入されて以来，その光学性能，操作性，拡張性，さらにコストパフォーマンスが高く評価され，すでに多くの歯科医院，大学，大学附属病院などの臨床，教育現場で広く活用されています．

このたび，好評のブライトビジョン「4000シリーズ」(ハロゲン照明仕様)(1)，「5000シリーズ」(LED照明仕様)(2)に，ズーム式変倍機構，新設計対物レンズシステム，高解像度画像撮影・記録システムなどを搭載したハイスペックモデル「2380シリーズ」(3)が加わり，さらに充実した製品ラインナップに進化しました．

明るく鮮明な視認性を発揮するレンズシステム

接眼・対物レンズにはドイツの医療用レンズメーカーとして優れた実績をもつ「SCHOTT」社製アポクロマティックコーティングレンズを採用し，波長毎に屈折率が異なることから生じる色収差(色ズレ)を高い精度で補正することで，術野全体をつねに明るく，鮮明に視認することができます(4)．

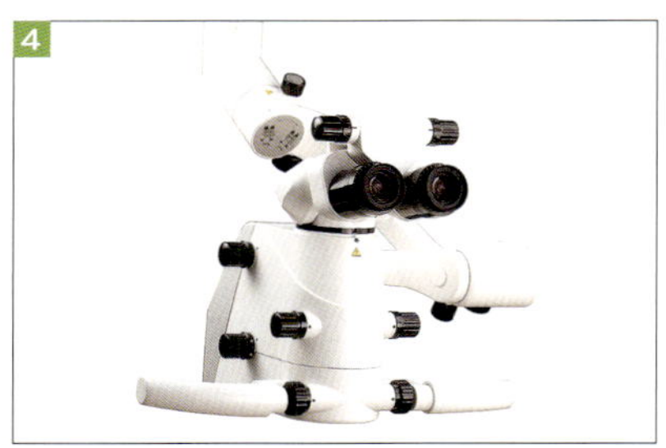

4 術野を明るく鮮明に映し出すハイスペックな光学レンズシステムを搭載した顕微鏡本体部．

無段階ズーム式変倍機構

倍率変倍機構を従来の5段階(4000シリーズ)・6段階(5000シリーズ)のドラム式変倍機構から無段階のズーム式に変更し，シームレスな倍率変換(1.8x～19.4x／作業距離200～450mmを想定)が可能です(5，6，表1)．

内蔵VarioDist(バリオディスト)[f200～450]

顕微鏡ヘッド内に焦点距離を200～450mmの範囲で調整可能な「VarioDist(バリオディスト)」を内蔵することで，術者のポジショニング

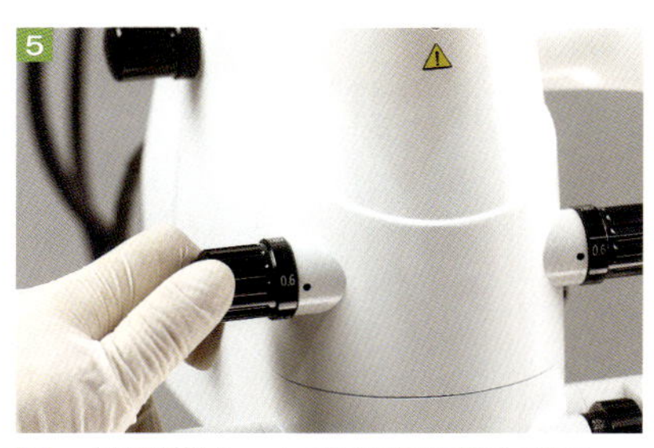

5 無段階ズーム式変倍機構を採用．

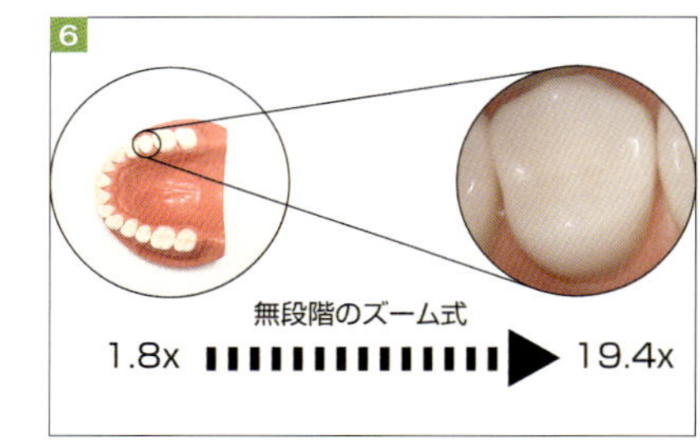

6 シームレスな倍率変換が可能．

表1 2380シリーズのレンズ倍率および視野径．

	ズーム式変倍率	作業距離(mm)		
		200	325	450
総合倍率	0.4	3.2	2.3	1.8
	0.6	4.8	3.4	2.7
	0.8	6.5	4.6	3.5
	1.2	9.7	6.8	5.3
	1.6	12.9	9.1	7.1
	2.4	19.4	13.7	10.6
視野径(mm)	0.4	67.9	96.1	123.8
	0.6	45.7	64.6	83.3
	0.8	34.1	48.3	62.2
	1.2	22.8	32.3	41.6
	1.6	17.2	24.3	31.3
	2.4	11.6	16.4	21.1

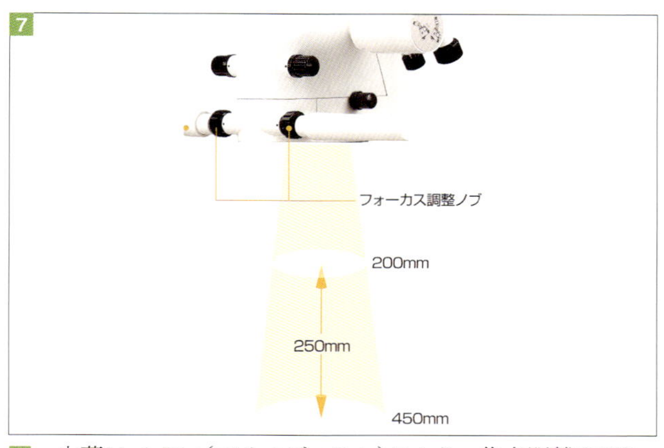

7 内蔵VarioDist(バリオディスト)により，焦点距離を200〜450mmの範囲で調整でき，フォーカス調整もクイックに行えます．

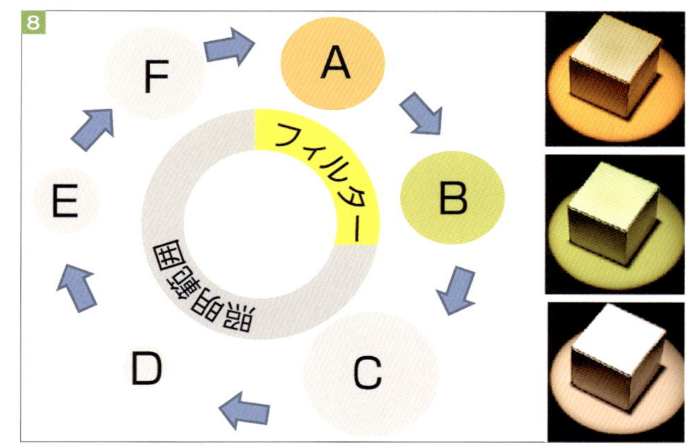

8 症例に応じてフィルター(グリーン／オレンジ)の切替や，4パターンの照明範囲セレクターを標準装備．

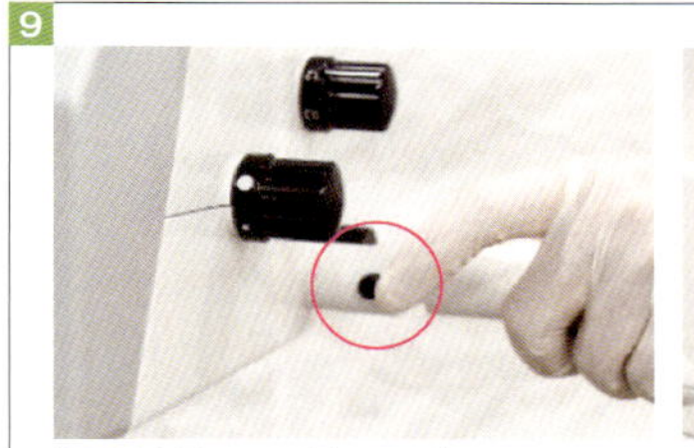
撮影(動画・静止画)

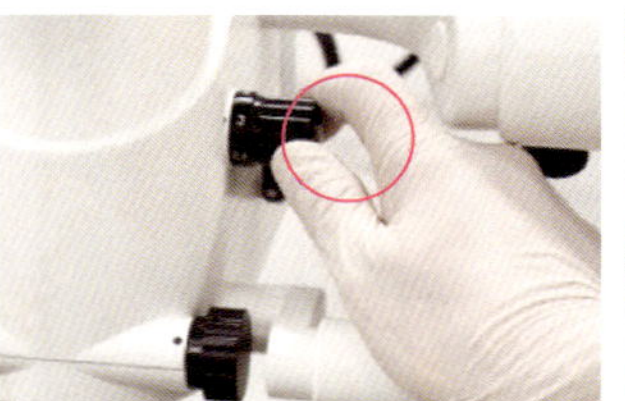
倍率切替

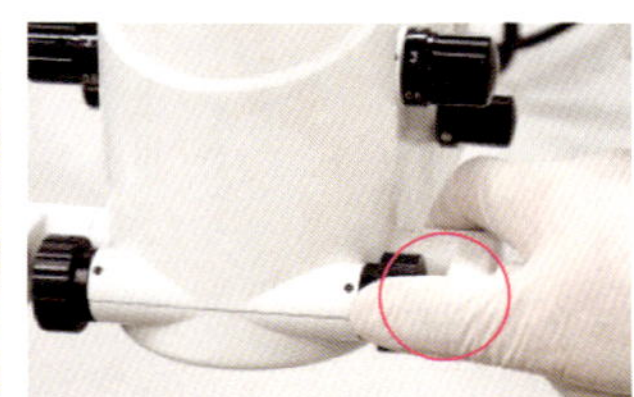
フォーカス調整

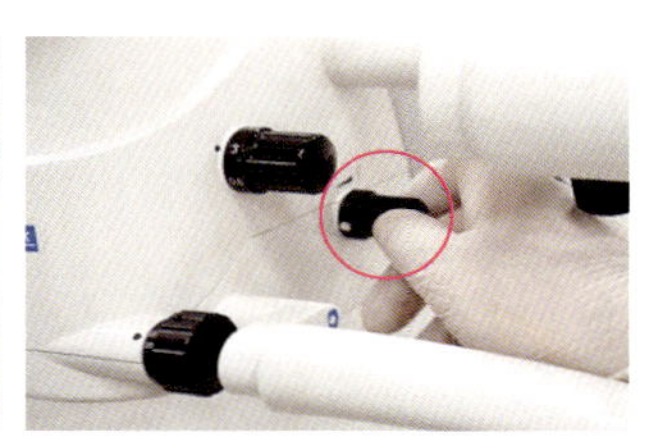
照明光量調整

9 倍率変換，フォーカス調整，照明光量調整，撮影などの操作機能を集約し，術者の操作性を向上．

の自由度が増し，さらに術中のフォーカス調整も両サイドのハンドル部に設置されたフォーカス調整ノブでクイックに行えます(7)．

明るく自然に照明するライティングシステム

ライティングシステムには最大照度73,000lux，演色再現性CRI(※1)92のLEDライトを搭載し，術野をより明るく，自然な色調に照らすことができます．また，外科手術やレジン充填作業時に使用するグリーン／オレンジフィルターの他，4パターンの照明範囲セレクターも標準装備し，アシスタントの眼への負担も低減します(8)．

※1：CRI(Color Rendering Index)：色の見え方が自然光(太陽光)下での見え方にどれだけ近いかを示す値．この数値が100に近いほど，自然な色として認識できます．

クイックオペレーション設計

2380シリーズでは，顕微鏡ヘッドのデザインを一新し，倍率変換，フォーカス調整，照明光量調整，撮影(動画・静止画)などの各操作機能を集約することで，術者が接眼レンズから眼を離すことなく，さまざまな操作を片手で簡単に行えます(9)．

スムーズなアームワーク

アームの可動部各所に高精度ベアリングを採用することで，スムーズな旋回性を実現しました．また，各種アクセサリー装着時における，顕微鏡ヘッド部の左右・前後的重量バランスを繊細に調整することができる「バランスアーム」(10)も標準装備し，各ポジション調整を滑らかに行えます．

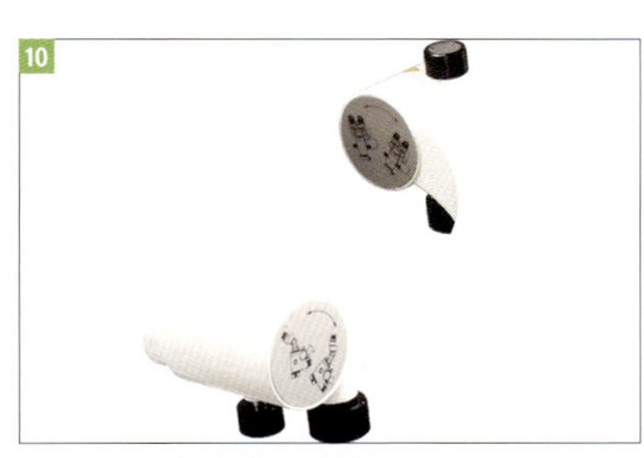

10 顕微鏡本体の前後，左右の重量バランスを自由に調整でき，滑らか動きを実現するバランスアームを標準装備．

術野の撮影と記録(動画・静止画)

顕微鏡ヘッド内には，フルハイビジョンカメラ(解像度：1920×1080)を搭載(※2)し，テレビモニターなどへリアルタイム映像を出力することで，アシスタントとの術野共有が行えます．画像記録(動画・静止画)操作は，左右の操作ハンドルに配置された撮影ボタン，または無線接続されたマウス操作で簡単に行え，撮

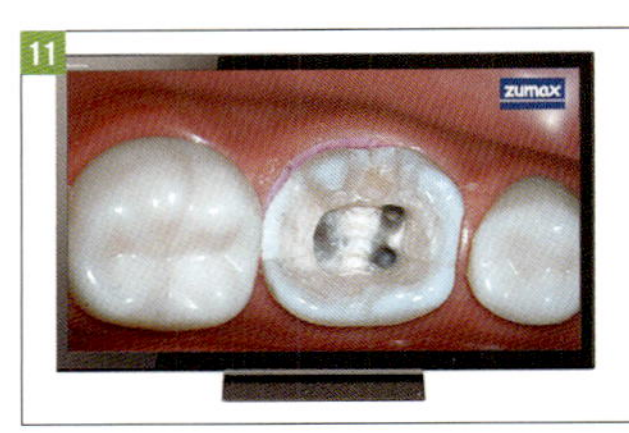
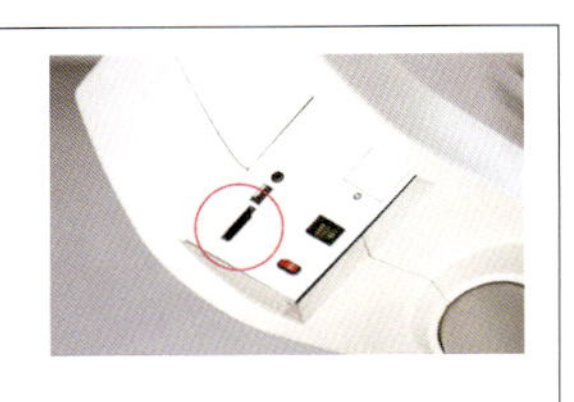

11 内蔵フルハイビジョンカメラによる高解像度の術野撮影および，画像(動画・静止画)記録により，アシスタントとの術野共有や，患者へのプレゼンテーションが可能です．マイクロスコープで記録された画像データは，第1アームのカードスロットに挿入されたSDカードに保存されます(※内蔵カメラ設定仕様のみの機能)．

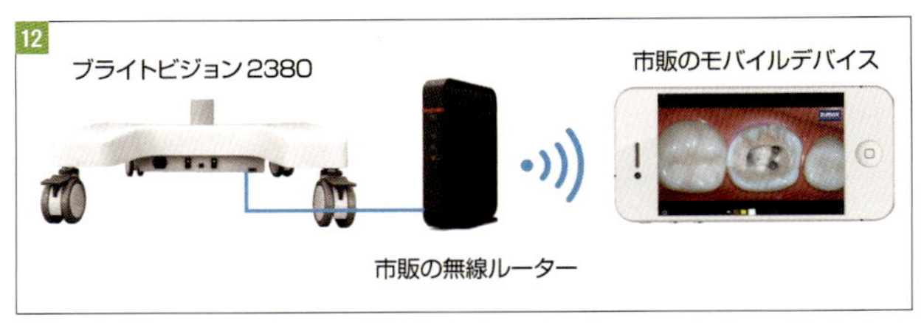

12 市販のルーターに接続することで，モバイルデバイスなどと無線接続で術野共有や画像(動画・静止画)記録も行えます(※内蔵カメラ設定仕様のみの機能)．

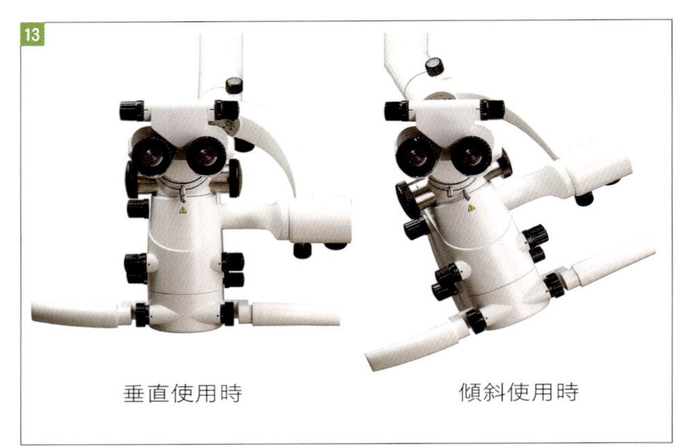

13 オプション装着例：アングルロテーション機能．顕微鏡本体部を傾斜(左右25°の範囲)させた場合でも，双眼鏡の接眼レンズを水平に保つことができます．自然な姿勢で観察することができ，術者の疲労を低減します．

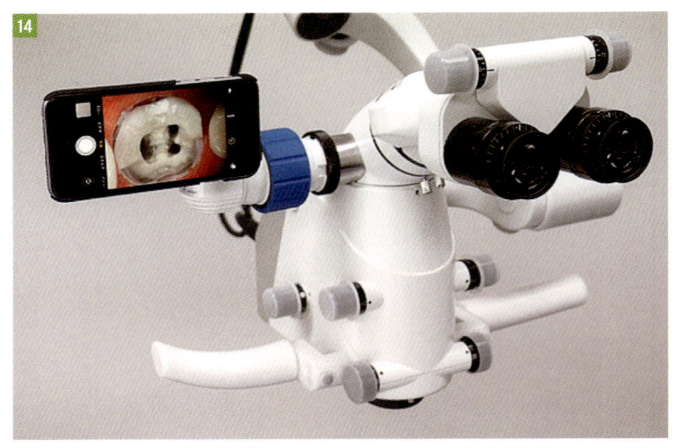

14 オプション装着例：モバイルフォン用アダプター．アップル社製iPhoneを装着し，術野の動画・静止画を記録することができます．モバイルフォンの画面ですぐに再生，そして拡大表示等もできるため，術後のプレゼンテーションなどをよりスマートに行えます．

影された画像データは第1アームのカードスロットに挿入されたSDカードに保存されます．SDカード内に記録された静止画像(※3)は，無線接続されたマウスの操作でモニターに再生することができ，患者への術後プレゼンテーションも可能です(11)．

2380シリーズでは，市販の無線ルーター(※4)に接続することで，スマートフォンなどのモバイルデバイスを用いて術野の共有や画像(動画・静止画)の記録やプレゼンテーションを行うこともできます(※5)(12)．

※2：フルハイビジョンカメラを内蔵していないモデルもご用意．

※3：マウス操作で再生できる画像データは，静止画像のみとなります．

※4：既存のネットワーク(院内ネットワーク等)へ接続すると，既存のネットワークに接続されたPC等の機器及び本機器が作動しなくなる場合があります．本機能を利用する場合は，新たに無線ルーターを用意し，専用のネットワークを構築してご利用ください．

※5：モバイルデバイスには，専用のアプリケーション(無料)をインストールする必要があります．

豊富なアクセサリーによる拡張性

2380シリーズは，従来の4000シリーズ，5000シリーズ用アクセサリーとの互換性があり，アングルロテーション機能(13)，外部カメラ接続機能(14)などのさまざまなアクセサリー類を追加装着することが可能です．

ショールームおよび，各種マイクロスコープセミナーのご案内

弊社ショールーム・研修センター(東京都品川区)では，BrightVisionシリーズの性能を実際にゆっくりとご体感いただけるよう，各種マイクロスコープおよびアクセサリー類の実機をご用意し，先生方のご来場をお待ちしております(事前ご予約制となります)．また，マイクロスコープを使用した各種セミナーを開催し，先生方の臨床にお役立ていただける情報，テクニックを習得していただけます．

詳細は，ペントロン ジャパン カスタマーデスク(TEL. 03-5746-0316)へお問い合わせください．

歯科診療における ブライトビジョンの有用性

矢ケ崎隆信

神奈川県開業　ヤガサキ歯科医院
連絡先：〒214-0001 神奈川県川崎市多摩区菅4-3-32 ベルヴィル2階

はじめに

筆者はマイクロスコープを導入するまでは拡大鏡を使用していたが，2008年に友人の歯科医師の勧めで，Carl Zeiss OPMI pico MORA を導入する機会を得た．実際使用し始めてみてすぐに，根管治療はもとより，歯科技工士との連携を図るうえで形成のチェックや，圧排，印象などで使用し，より精密な治療結果を求めるのに最適だと感じた．

当法人では本院にてBright Vision 2380 1 台，OPMI PROergo 1 台，OPMI pico MORA 2 台，Global 2 台，合計 6 台を使用し，分院でもBright Vision 2380 1 台をはじめ他機種 4 台，合計 5 台のマイクロスコープを使用し，院長だけでなく全歯科医師がマイクロスコープを使用して診療を行っている．

筆者は上記の各社マイクロスコープを使用してきているが，今回はBright Vision 2380についてレポートさせていただきたいと思う(図 1，2)．

Bright Vision 2380について

特筆すべきは，実際の映像の明るさとモニターに出力した画像に差が少なく，術者，患者にとって見やすい画像であることが挙げられる．筆者は他院にても他社製のさまざまな機種にて，実際の診療や模

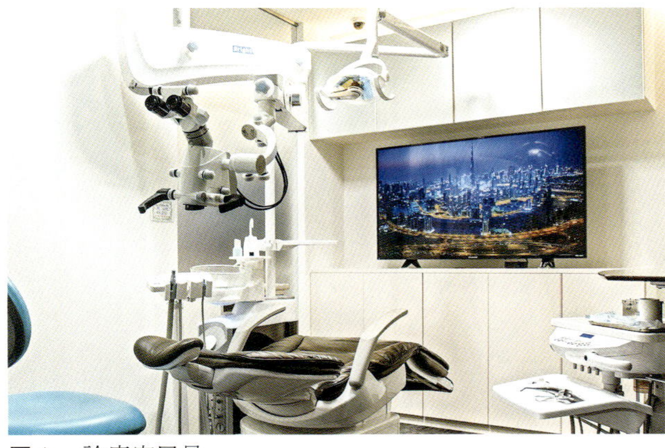

図 1　診療室風景．

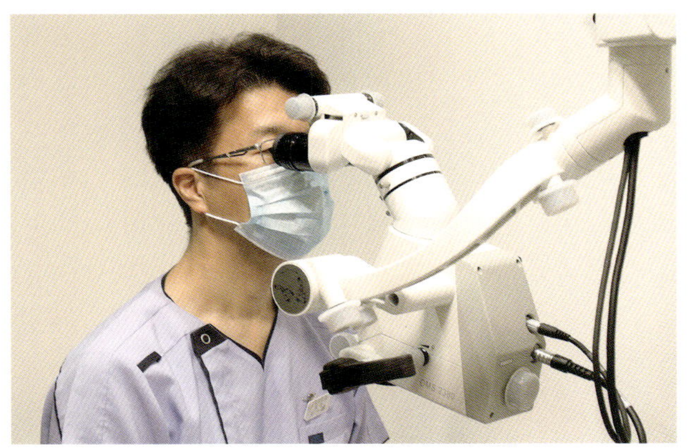

図 2　Bright Vision 2380使用時．

Case 1

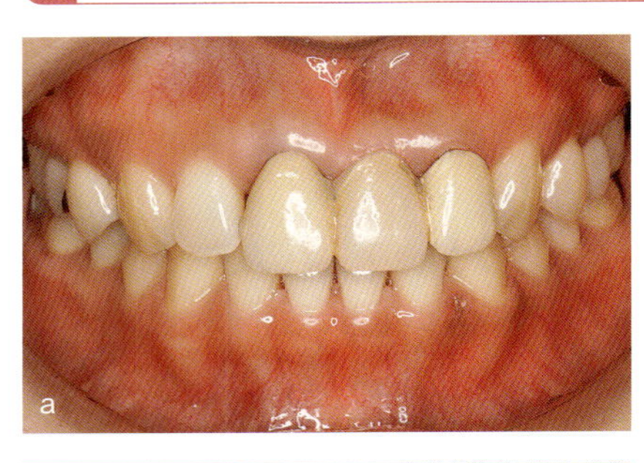

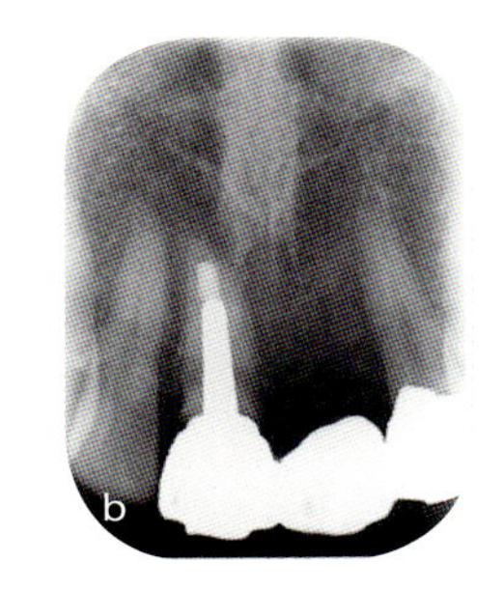

図３ａ　術前の正面観．
図３ｂ　術前のデンタルエックス線写真．

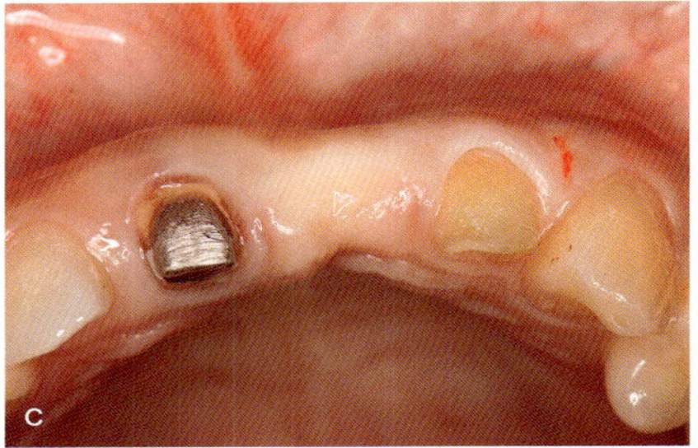

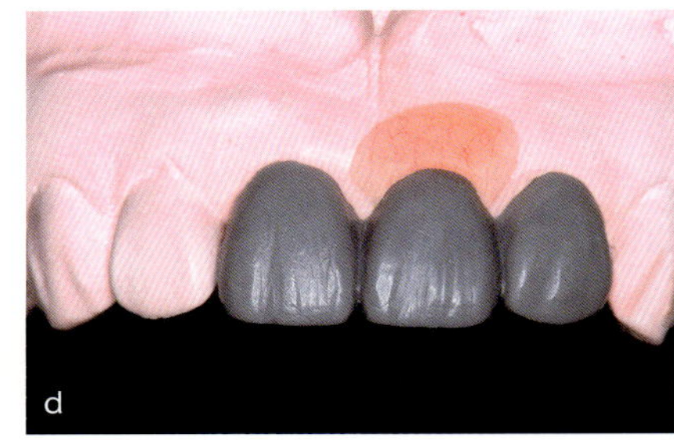

図３ｃ　術前の顎堤の状態．
図３ｄ　診断用ワックスアップ．

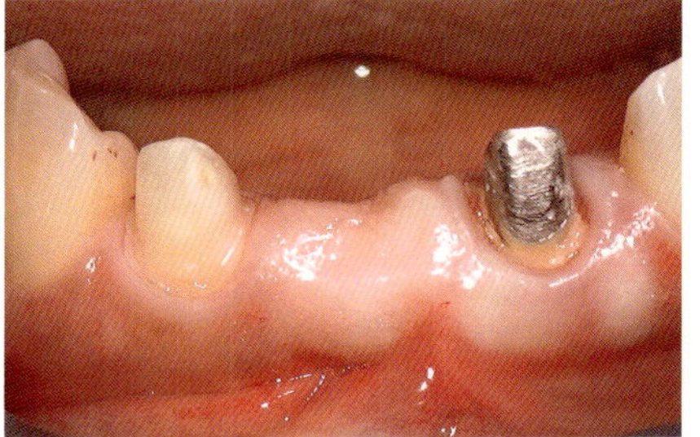

図３ｅ　オペ前の顎堤の状態．

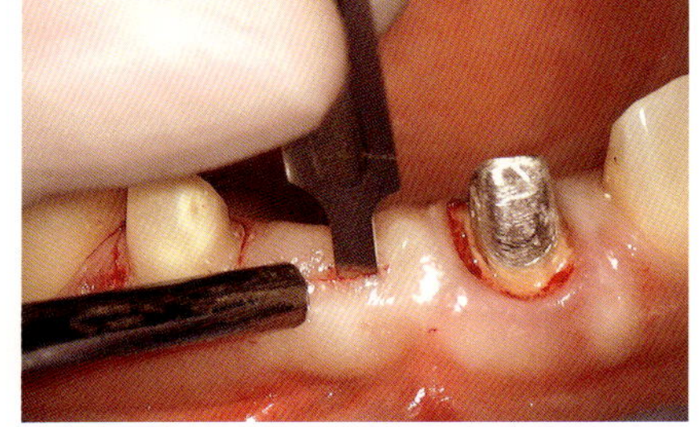

図３ｆ　クローズテクニックの切開ライン．

図３ｇ　歯槽頂部の結合組織をロールテクニックで唇側へ移動．

型での実技を行ってきた経験がある．Bright Vision 2380はそのなかでも明るさと見やすさにおいては，かなり上位に位置していると実感している．

操作時の動きについても調整を行えばスムーズであり，移動してすぐに本体が静止されるかどうかも使用上非常に重要なところだが，ピタッと静止してくれる．何より倍率が何段階かの固定でなく，術者の好みの倍率でセッティングできることは大きな利点であろう．フォーカスについても右手の指１本でスムーズに合わせることが可能である．逆に他機種よりヘッドがやや大きめであることが気になるが，他機種にないLEDのバックアップ機能を考えると致し方ないと考える．

ケースプレゼンテーション

患者は46歳女性．主訴は前歯の見た目をきれいにしたい．患者は約20年前に装着された前歯のブリッジと周囲の天然歯との審美的な不調和を訴え，再製作を希望された（図３ａ）．歯周組織検査にてプロービング値は全顎３mm以内であり，デンタルエックス線写真（図３ｂ）でも骨の透過像も見られなかった．

ブリッジを除去し（図３ｃ），プロビジョナルレストレーションにて形態などの観察を行った．診断用ワックスアップ（図３ｄ）からも|1の欠損部は顎堤のボリュームが失われ，ポンティックにて回復させる

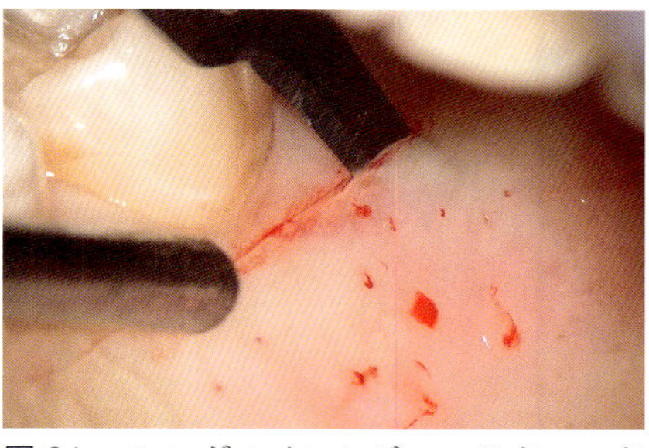

図３h　シングルインシジョンテクニックでの口蓋の切開ライン．

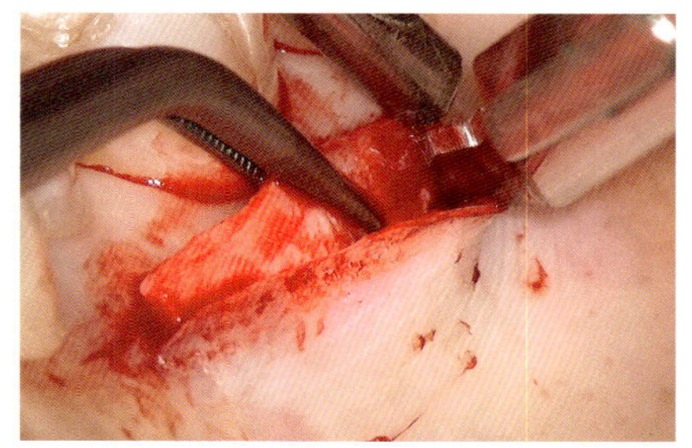

図３i　口蓋の結合組織の採得．

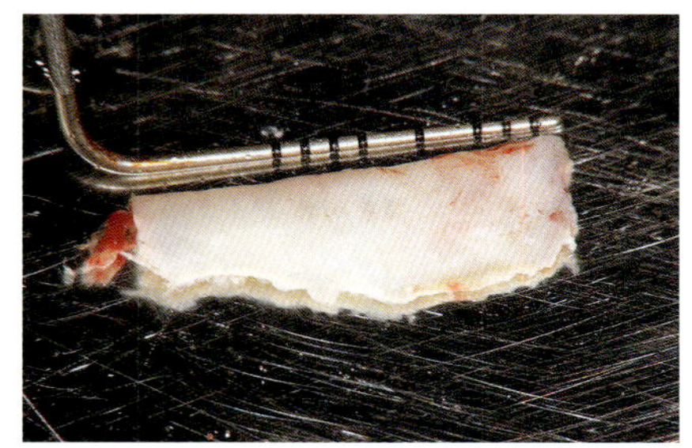

図３j　採取後にトリミングを行った結合組織．

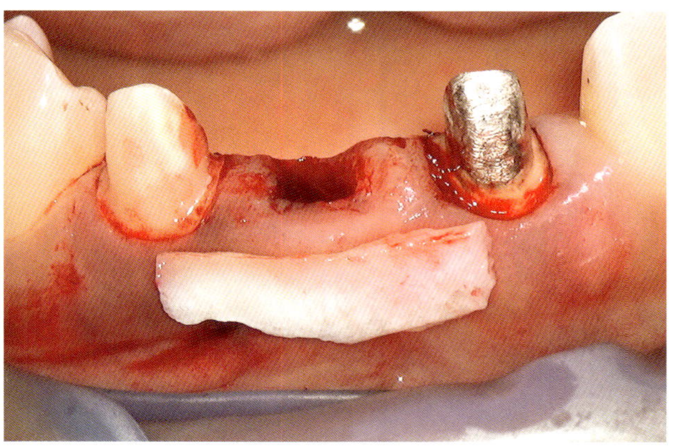

図３k　結合組織の位置の確認．

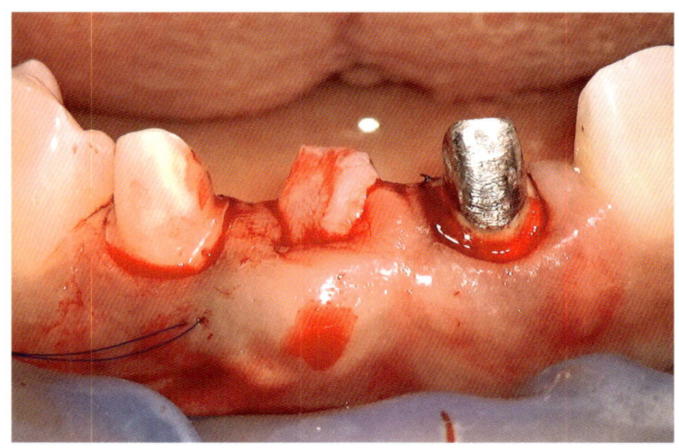

図３l　結合組織の挿入と固定．

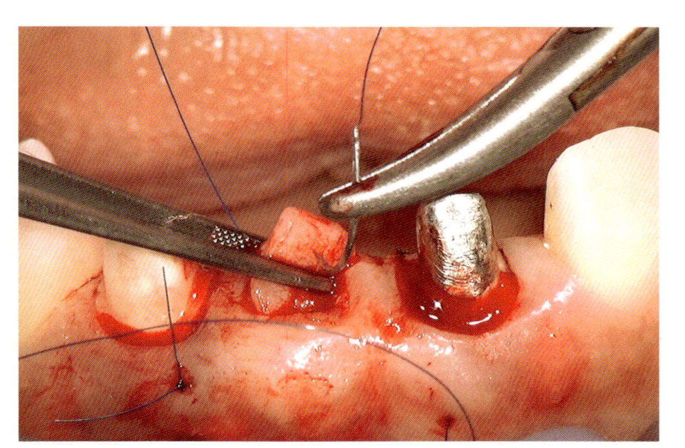

図３m　反対側の固定のための縫合．

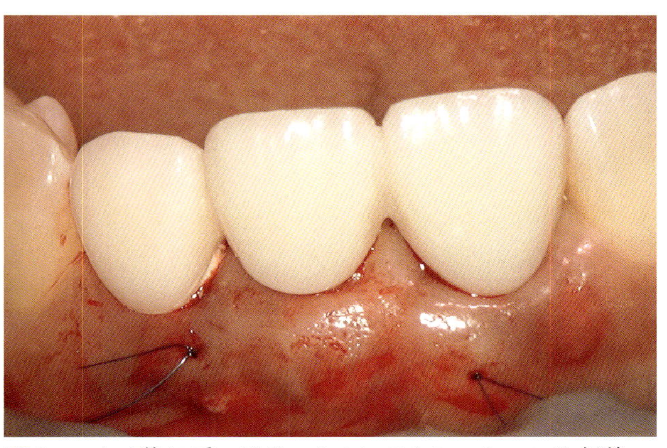

図３n　オペ後にプロビジョナルレストレーションを仮着．

のに1|と歯冠長や形態，また歯肉ラインの不調和が予想されるため，リッジオギュメンテーションにて歯肉のボリュームを増し(図３e～m)，オベイトポンティック(図３n)にて審美性を向上させた．

歯肉の外科手術を繊細に行うにはマイクロブレードを使用したほうがより細かい処置ができるが，その際にもマイクロスコープを使用したほうが，肉眼に比べて良く見ることが可能である．図３hのように歯肉にブレードが透けて見えるからそれがわかる．このように歯肉の状態をよく観察した処置が，より良い結果にも結び付きやすいと思われる．結果として歯肉のボリュームも回復され，患者の満足する結果が得られた(図３o～t)．

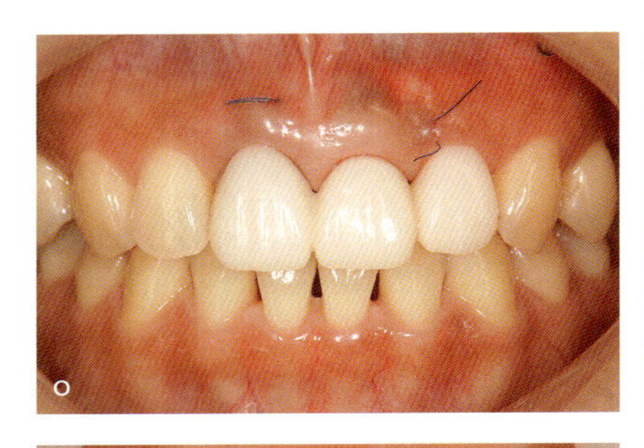

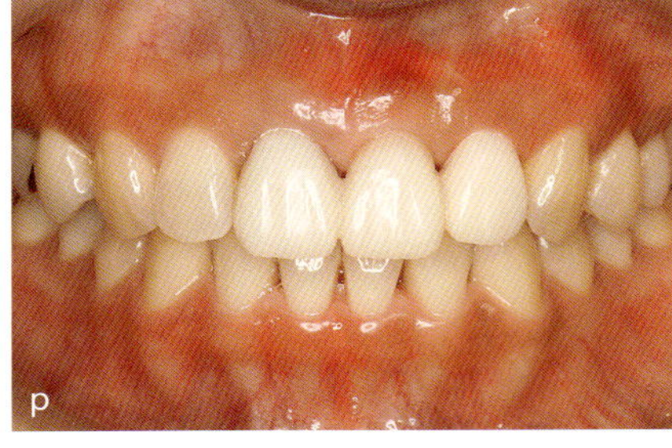

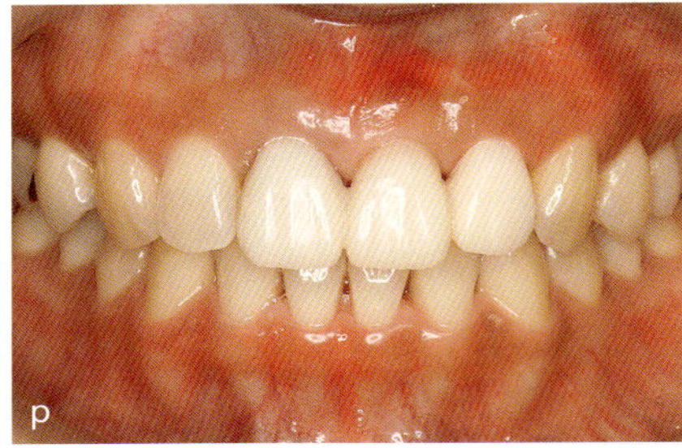

図３ｏ　オペ後10日後の正面観．
図３ｐ　術後３か月後のプロビジョナルレストレーション．

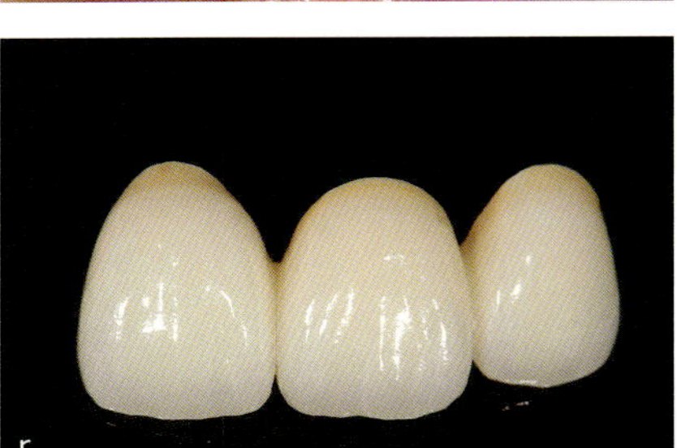

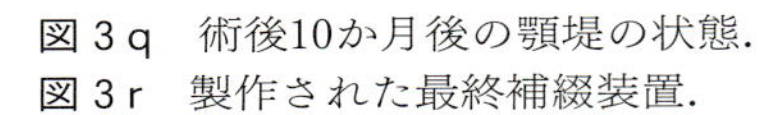

図３ｑ　術後10か月後の顎堤の状態．
図３ｒ　製作された最終補綴装置．

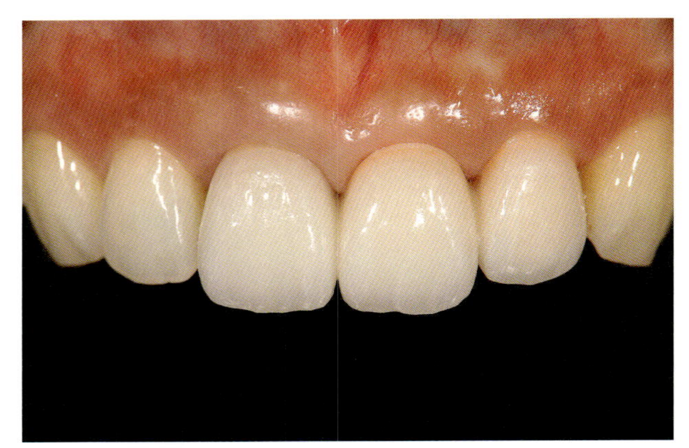

図３ｓ　最終補綴装置装着時の正面観．

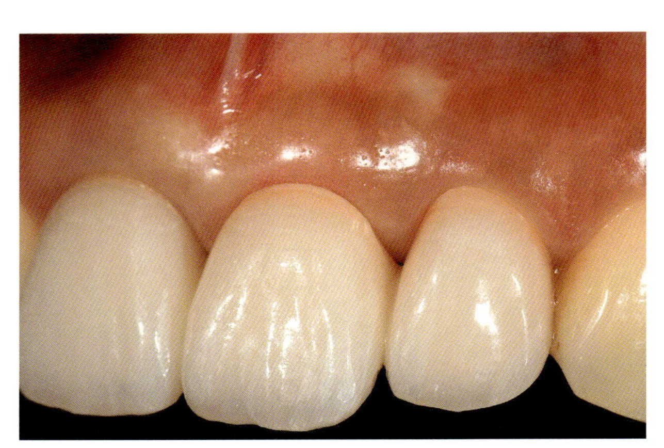

図３ｔ　最終補綴装置装着時の歯肉の状態．

まとめ

マイクロスコープに限らず，拡大視野下での治療に慣れていない先生は，拡大鏡の使用も最初のワンステップだと思う．まずは拡大して「見える」を実感することが，その後使用するモチベーションになると思う．また，マイクロスコープを使用するメリットとして「拡大鏡より倍率が高い」「光源と視軸がほぼ同軸のため明るい」「倍率が可変」「記録が残せて説明にも有効」など大きなアドバンテージがある．自分で使いやすい症例を選び，１日何回見ると決めて使用していけば，必ず使えるようになる．これからの治療には欠かせない道具だと思うので，ぜひ使用することをお勧めする．

また，機種についてはどれを選んでも慣れれば使いやすくはなると思うが，金額がネックで高い機種を買うのに抵抗がある方は，ブライトビジョンは性能およびコストパフォーマンスが非常に高いと思われるので，ぜひ検討されてみてはいかがであろうか．

プロスペクト・コンパクト2シリーズ

優れた術野・視認性，ユニットサイドに設置しやすい診療スペースにマッチする洗練されたコンパクトデザインの歯科用マイクロスコープ

明るく，かつ鮮明な術野を伝達する優れた光学性能はもちろんのこと
豊富なアクセサリーを取り揃え，術者のニーズにマッチさせることのできる
拡張性を備えたマイクロスコープのご提案

PART 1
PART 2
PART 3
PART 4

本欄で紹介する製品の問合先は

株式会社 白 鵬
http://www.hakuho-d.com
本社：〒102-0083 東京都千代田区麹町1-3-23
支社：〒102-0083 東京都千代田区麹町2-3-3 FDC麹町ビル2F
Tel. 03-3265-6252

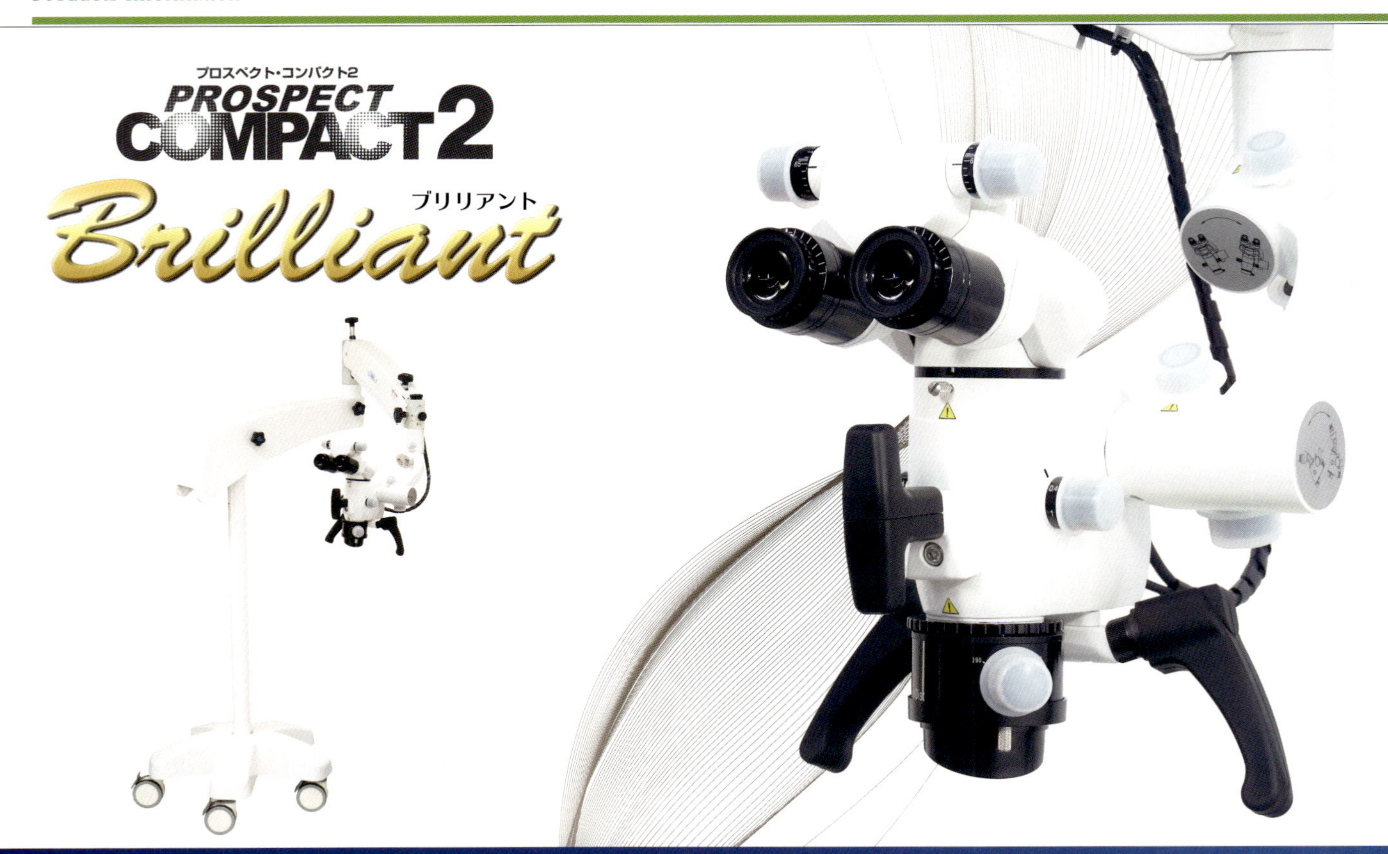

プロスペクト・コンパクト 2　- Brilliant -

明るく鮮明な術野視認性とコストパフォーマンス性に優れたプロスペクト・コンパクト2にハイスペックバージョンの「Brilliant - ブリリアント -」が新登場。より繊細かつスムーズなアームワークを実現する「バランスアーム」や、内蔵フルハイビジョンカメラを標準装備し、術者の操作快適性、患者さまとのコミュニケーションがさらに向上。

明るく鮮明な術野を伝達するハイスペックな光学システム

優れた光学性能をもつ高性能医療用レンズを搭載

接眼、対物レンズには、医療用レンズとして定評のあるドイツSCHOTT 社製レンズを採用。その優れた光学的特性により、視野径の広いクリアで明るい術野を術者に伝達します。

にじみのない鮮明な術野「アポクロマティックレンズ」

対物レンズには、波長毎に屈折率が異なることで生じる色収差（色ズレ）を高い精度で補正する、アポクロマティックレンズを採用。にじみのない鮮明な術野を視認できます。

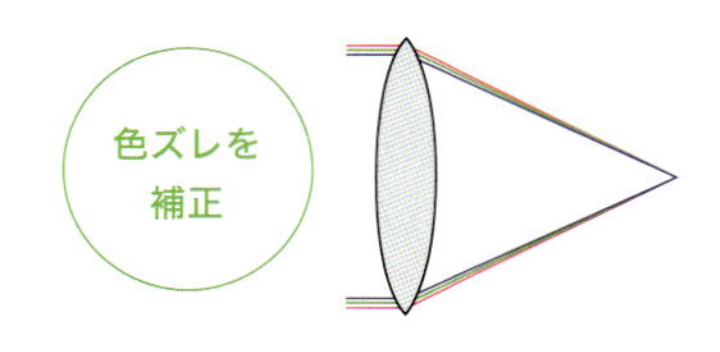

アポクロマティックレンズ
赤・緑・青などの三波長の色収差を補正

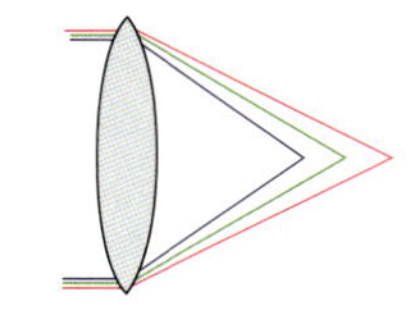

通常のレンズ
像面の前後的なズレが発生

5 段階のドラム式変倍機構。焦点距離は施術に適した 250mm

顕微鏡本体の両側に倍率切替ノブを配置し、接眼レンズから視線を逸らさずに、容易に観察倍率を変更できます。

対物レンズ倍率	0.4X	0.6X	1.0X	1.6X	2.5X
総合倍率	3.44X	5.36X	8.48X	13.6X	21.2X
視野径 (mm)	64.9	41.6	26.0	16.3	10.4

対物レンズ	12.5X
対物レンズ焦曲距離	250mm

※作業距離 250mm に設定した場合

術野を的確に照らすライティングシステム

根管内部まで十分に照射

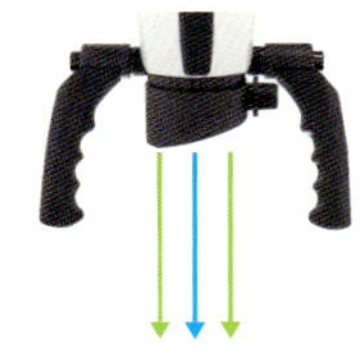

最大照度（<50,000lx）の LED 照明を標準装備。さらに照射部を対物レンズに近接した位置に設置し、術者の視線と同軸に光を照射することで根管内部の視認性も向上します。

照明野調整機能

ワイド照明　スポット照明

40mm ←→ 10mm

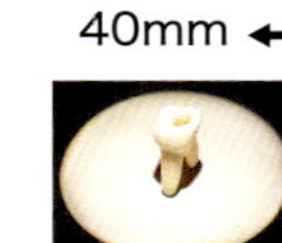

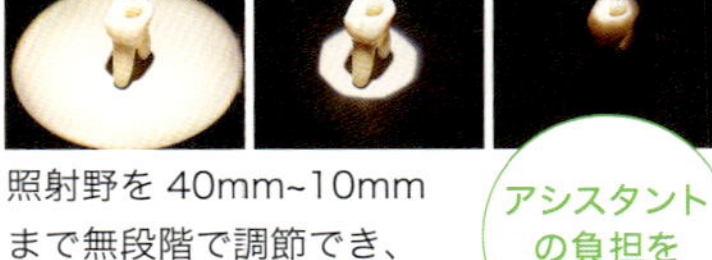

照射野を 40mm~10mm まで無段階で調節でき、術者の観察野のみを照射することも可能です。

※作業距離 250mm に設定した場合

アシスタントの負担を軽減

オレンジとグリーンのフィルターを装備

フィルターなし　グリーン　オレンジ

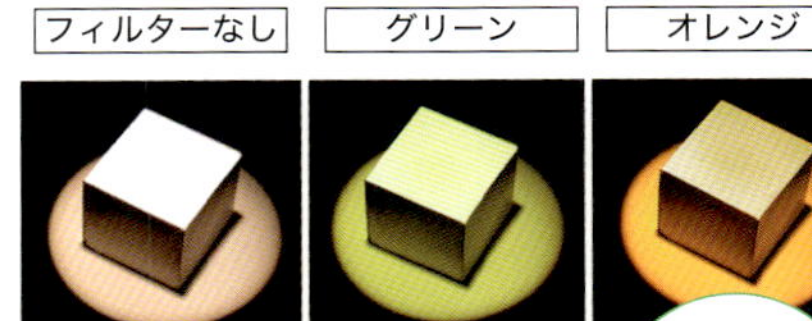

照明によるレジンの硬化反応を抑制するオレンジフィルターと、血流組織などの視認性を向上するグリーンフィルターの2種類を内蔵しています。

レジンの硬化反応を抑制

コンパクトなフロアスタンド

ユニットサイドに設置しやすいコンパクトさ、高い安定性を兼ね備えたフロアスタンドを装備。（全ローラーロック機能付）

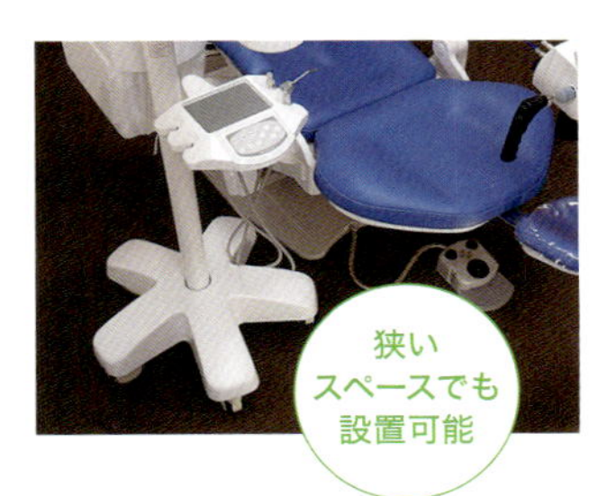

ビデオ出力機能を本体内に標準装備

本体内にカメラを内蔵し、外部モニターへ術野の映像を出力することができます。アシスタントとの術野共有はもちろんのこと、市販のキャプチャーシステムで画像を記録し、患者さまとのコミュニケーションや施術記録としても活用できます。

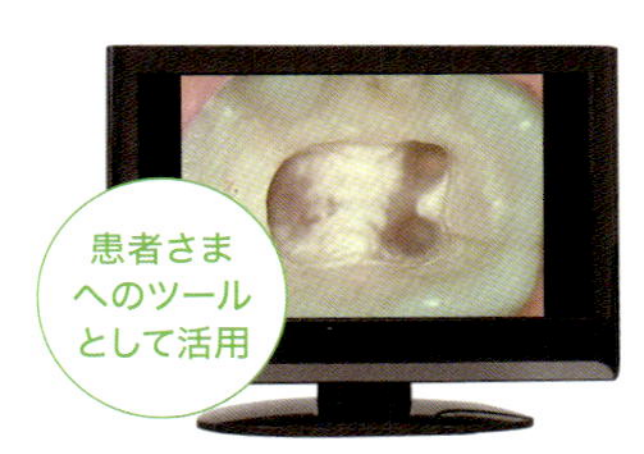

プロスペクト・コンパクト 2
アナログ出力 RCA ビデオケーブル「2 ポート」
プロスペクト・コンパクト 2 Brilliant
デジタル出力 HDMI ケーブル「1 ポート」

バリオディスト

バリオディストを標準装備しているため、対物レンズの焦点距離を 190mm～300mm（距離：110mm）の範囲で調整することができ、術中のクイックなフォーカシングが可能となります。

バリオディストを装備していない場合

マイクロスコープの高さを変えずに、根尖から根管口まで焦点を変更できます。

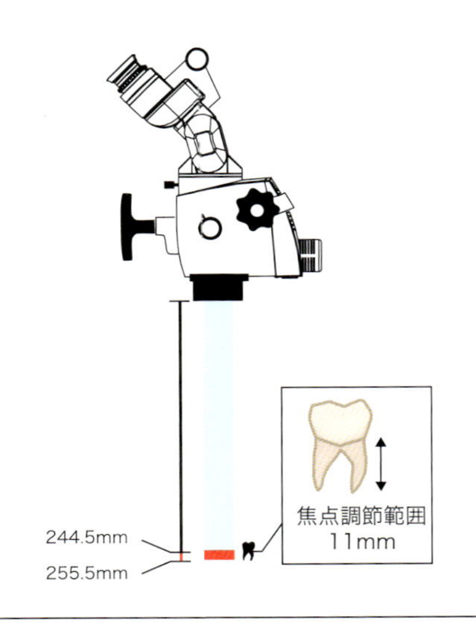

バリオディストを装備している場合

マイクロスコープの高さを変えずに、前歯から臼歯まで焦点を変更できます。

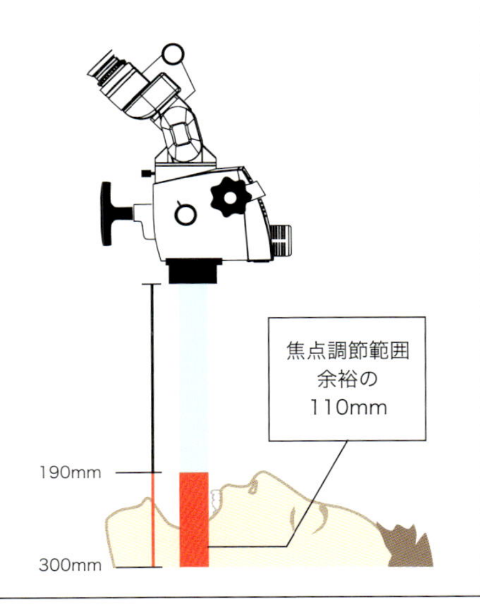

PART 1
PART 2
PART 3
PART 4

長時間にわたる繊細な治療を支える快適な操作性

スムーズな位置決定を可能にするアームシステム

高品質なベアリングとガススプリングを採用し、スムーズなアームコントロールが可能です。顕微鏡ヘッド部の前後、左右の可動範囲も広く、直視による観察スタイルにも対応できます。

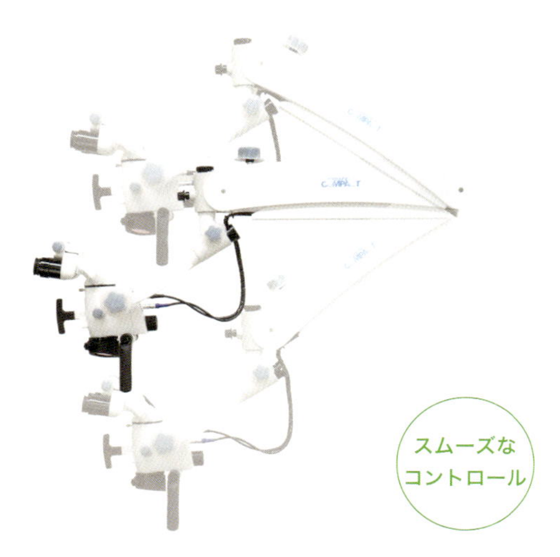

オートライト ON/OFF 機能

第 2 アームを最上位に移動すると、LED 照明が自動で消灯します。

瞳孔間距離調整と視度調整

無段階式の瞳孔間距離調節機構と視度調整機構を採用し、術者に適した設定ができます。

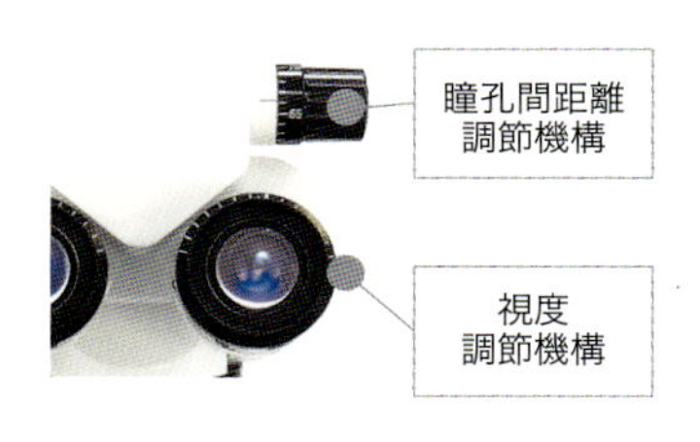

180°双眼可変鏡筒を標準装備

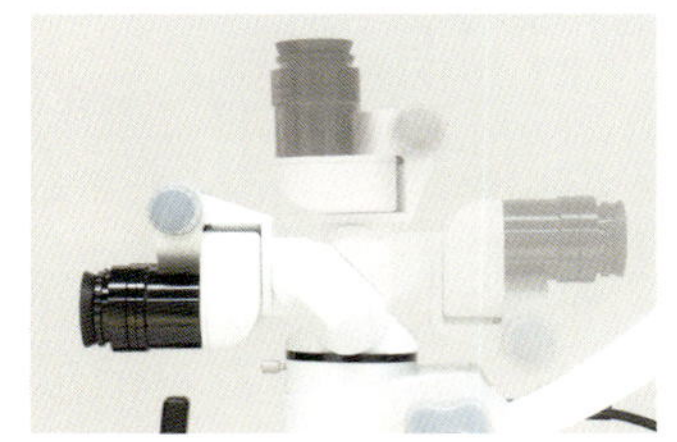

鏡筒角度を 180°の範囲で変更可能です。施術に適した姿勢をとれ、長時間にわたる繊細な治療による疲労感を軽減できます。

2 種類のハンドルを標準装備

顕微鏡本体には、両手でしっかりホールドできる角度可変式の操作ハンドルと、片手で操作できる T 型ハンドルの 2 種類を装備しています。

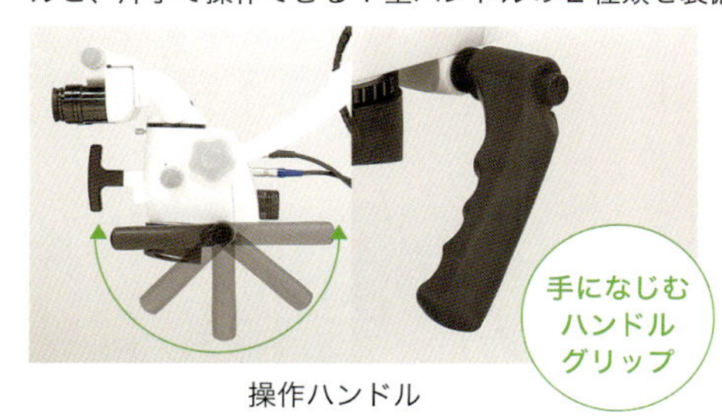

操作ハンドル

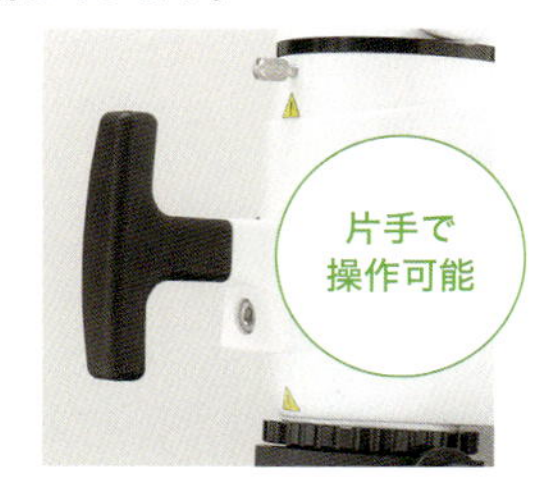

T 型ハンドル

オプション機能が充実

アングルローテーション機能

顕微鏡本体を傾斜させた場合でも、接眼レンズ部を独立して水平に保ち、自然な姿勢での観察が可能となり、術者の疲労を軽減します。

（傾斜可能範囲：左右 25 度）

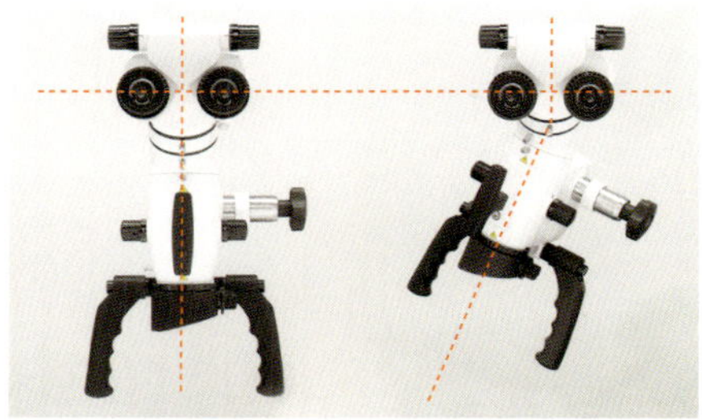

垂直使用時　　傾斜使用時

ビームスプリッター ＋各種カメラアダプター

ビームスプリッターと各種カメラアダプターにより、市販のデジタルカメラを接続できます。デジタルカメラアダプタには、ニコン F マウント用、キャノン EF/EF-5 マウント用、ソニー A/E マウント用、iPhone 用の 6 種類をご用意しております。

活用例
・iPhone
・デジタルカメラアダプター 2
・ビームスプリッター
iPhone のカメラ機能を用いて、よりスマートな動画や静止画の記録およびプレゼンテーションが可能です。また AppleTV と iPhone を「画面ミラーリング」することで、iPhone で撮影している画像、記録された動画、静止画を大型モニターなどへ表示することもできます。

デュアルアイリス

180°双眼可変鏡筒の下に装着し、無段階で絞り値を調整するアクセサリーです。絞り値を大きくすると、奥行きのある術野でもフォーカスの合う範囲を広くすることができます。

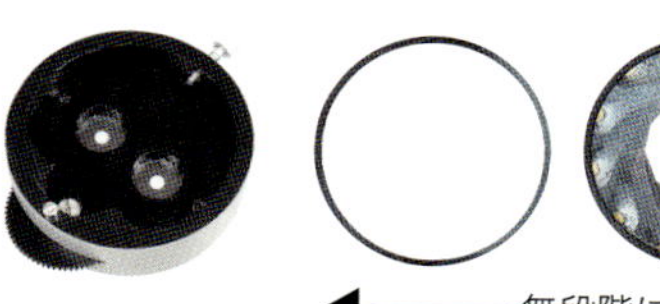

無段階に絞り値を調節

マイクロスコープを用いた低侵襲の智歯抜歯を考える

塩田　太

栃木県開業　医療法人博信会 スマイル歯科
連絡先：〒321-0532 栃木県那須烏山市藤田1477

PART 1 PART 2 PART 3 PART 4

はじめに

筆者が歯科用マイクロスコープを初めて使った(というよりは初めて触ったといったほうが正確であるが)のは今から約20年前のことである．研修医時代の歯内療法の先生が「私が使っていないときは自由に使っていいよ」と総合診療室に顕微鏡をおろしてくれたのがきっかけである．その時から，マイクロスコープは今後の歯科治療において必ず「マストアイテムになる！」ということを確信していた．

筆者の医院でのマイクロスコープの使用率は，稀に義歯なども含めて診療のほとんどに用いているのではないかというくらい頻度が高い．結果として4ユニット中3台のマイクロスコープでは追いつかずに，4台目となる白鵬の「プロスペクトブリリアント」を導入した．価格が手頃でありながら，高級機種に引けを取らない取り回しのスムーズさがあり，操作性は良好である(図1a)．今回，一般開業医でも比較的容易なケースにおけるマイクロスコープを用いた低侵襲の智歯抜歯について考えていきたい．

マイクロスコープによるコロネクトミー

筆者がなぜマイクロスコープによる智歯の歯冠スライスカット抜歯を試みようと思ったのか？　それはスタディグループの先生がとても興味深い話をしてくれたのがきっかけであった．その話とは，「埋伏智歯の歯冠だけカットして歯肉弁を閉鎖すると炎症が止まる．後に歯根が挺出してきた場合は比較的簡単に抜歯できるよ」という一言からである．

①coronectomy(歯冠切断法)[1]とは

Rentonらが2005年にランダム化比較試験で有用性を報告してから，一気に世界的に普及した方法である．近年では，modified coronectomy，grafted coronectomyなども提唱されている[Kumar 2013]，基本的には歯冠部のみを切断除去し，歯根はそのままの位置で残す方法である(図1b, c)．本邦では，栗田らが研究を行っている．

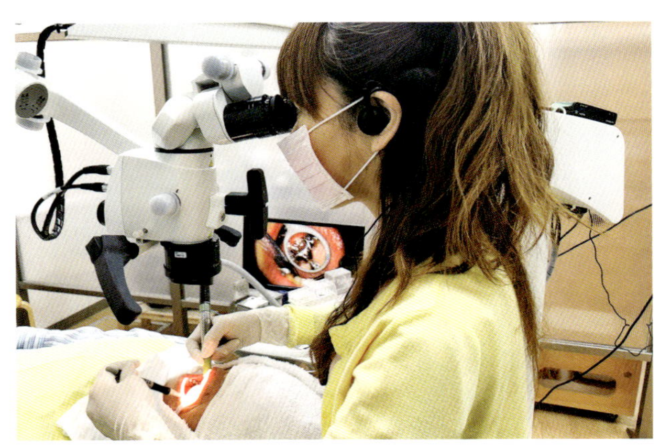

図1a　歯科衛生士による口腔内清掃．

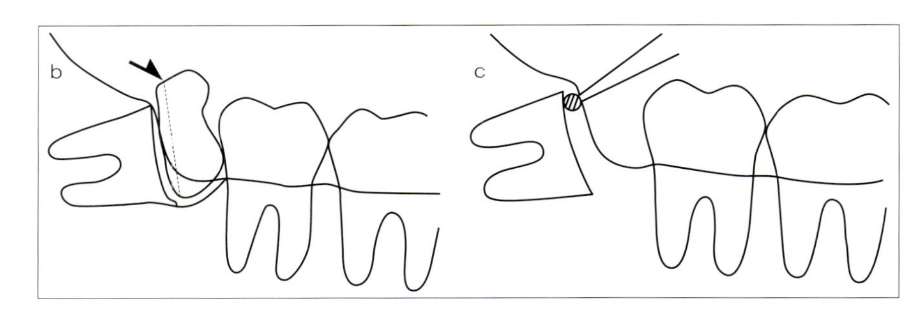

図 1 b, c　二回法抜歯．参考文献 1 より引用改変．

Case 1

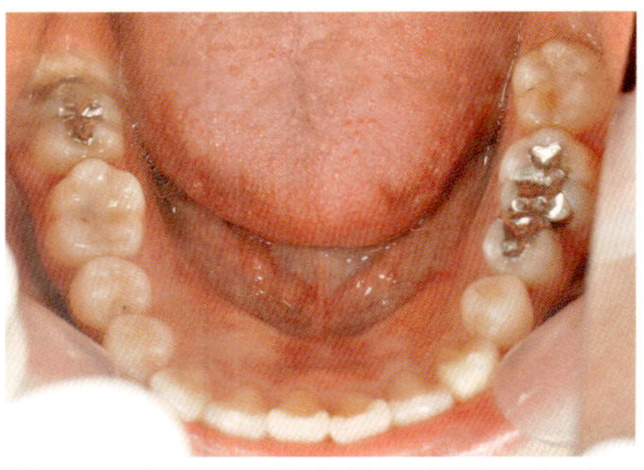

図 2 a　患者は28歳女性．主訴は右下の親知らずのあたりの鈍痛．

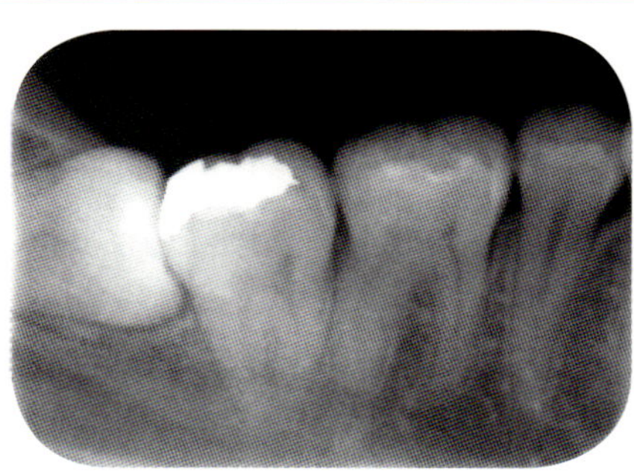

図 2 b　処置前のデンタルエックス線写真．

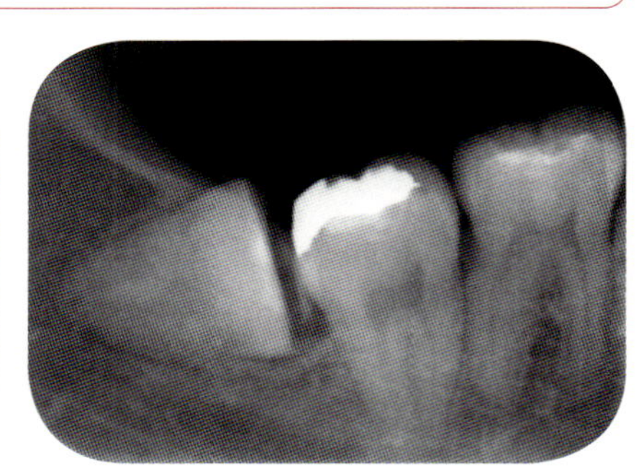

図 2 c　スライスカットの確認．フラップレス，無麻酔で行うのがポイント．

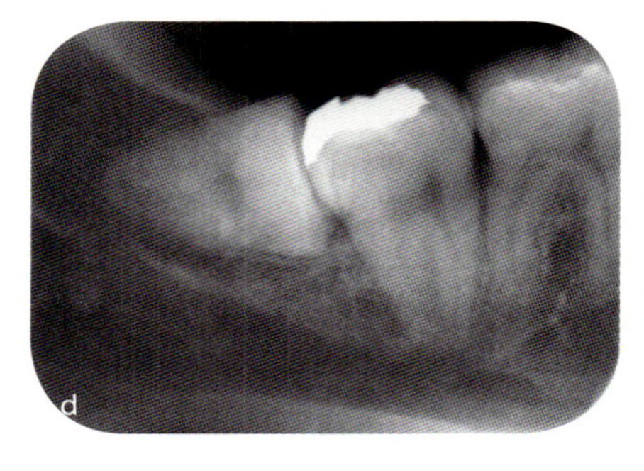

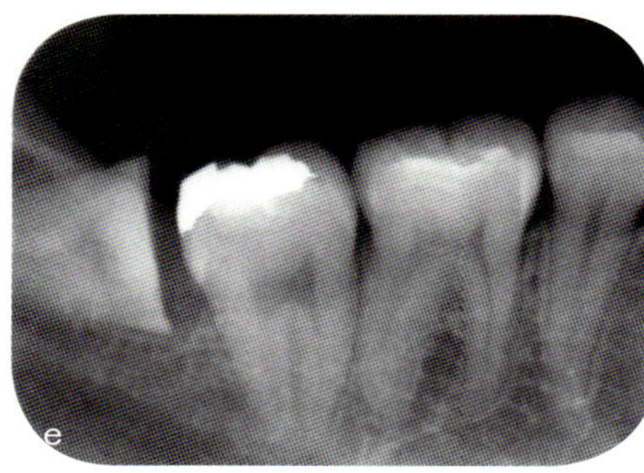

図 2 d　1 年 4 か月後のデンタルエックス線写真で智歯の挺出を認める．
図 2 e　さらにスライスして挺出を待ち抜歯する．埋伏歯間部の歯科衛生士によるプロフェッショナルクリーニングは必須．

②二回法抜歯[1]

本邦ではかなり以前から行われていたが，2014年に『口腔外科ハンドマニュアル'14』[2]（クインテッセンス出版）にも掲載され普及が促進されると思われる．

上記の術式を参考にして，わずかでも歯肉から歯冠が見えている智歯に対して，マイクロスコープを用いてフラップレスで複数回法抜歯を試みた．以下に症例を用いて解説する．

Case 1

患者は28歳女性．主訴は右下の親知らずのあたりの鈍痛（図 2 a）．処置前のデンタルエックス線写真（図 2 b）．スライスカットの確認．ポイントはフラップレス，無麻酔で行う（図 2 c）．1 年 4 か月後のデンタルエックス線写真で智歯の挺出を認める．患者都合で期間が開いたが通常 2 ～ 3 か月後のチェックが適当である（図 2 d）．さらにスライスして挺出を待ち抜歯する．歯科衛生士による埋伏歯間部のプロフェッショナルクリーニングは必須である（図 2 e）．

Case 2

患者は40歳男性．彎曲根のスライスカット（図 3 a），

Case 2

図３ａ　患者は40歳男性．彎曲根のスライスカット．
図３ｂ　根は近心方向に彎曲しているが，挺出を試みた．

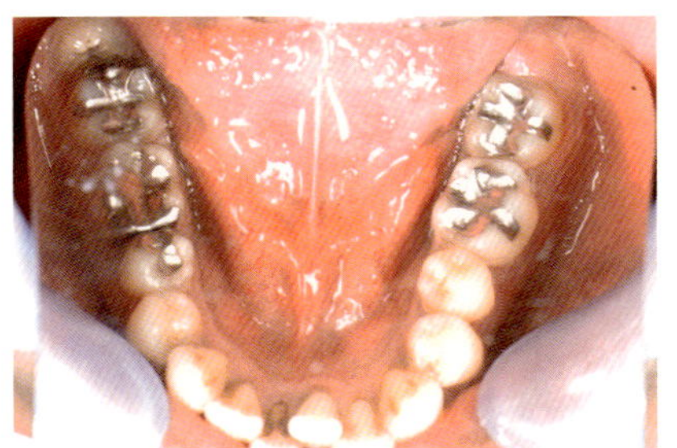

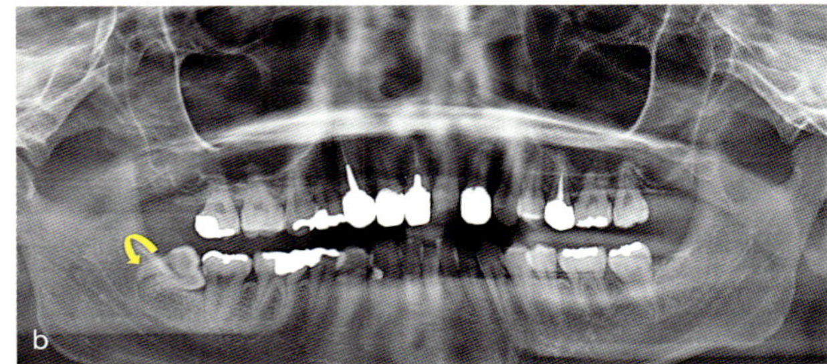

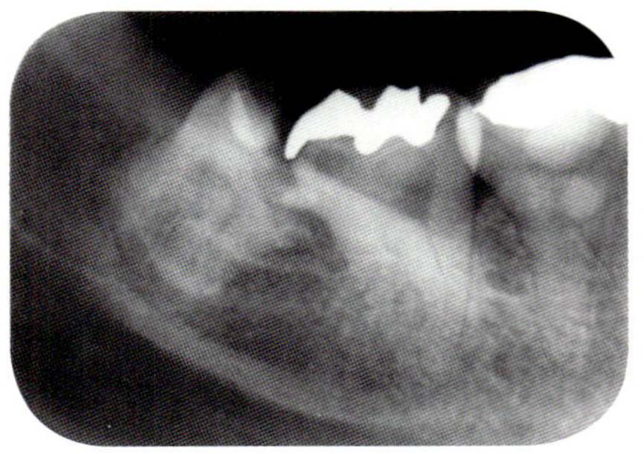

図３ｃ　スライスカット後，挺出．

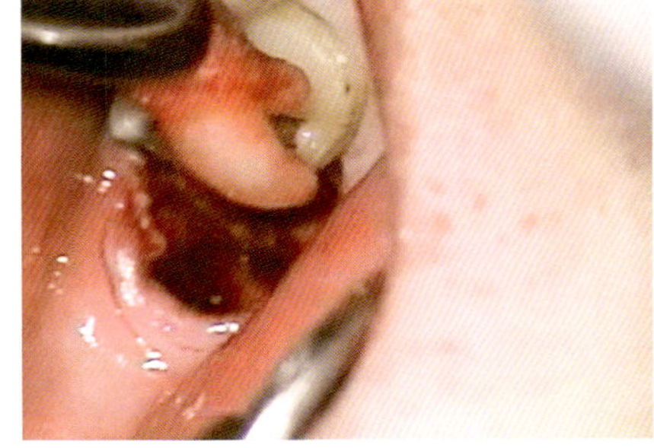

図３ｄ　分岐部より根分割し，脱臼方向を見定めて遠心根を抜歯．

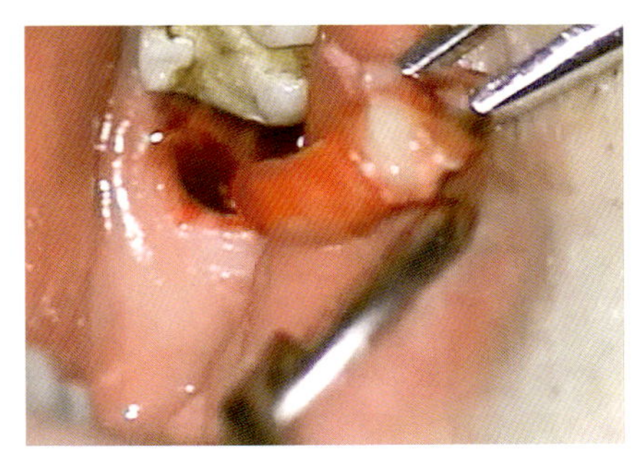

図３ｅ　近心根も同様に抜歯．

Case 3

図４ａ　7⏋の遠心にう蝕を認める．
図４ｂ　マイクロスコープ下にてスライスカット．

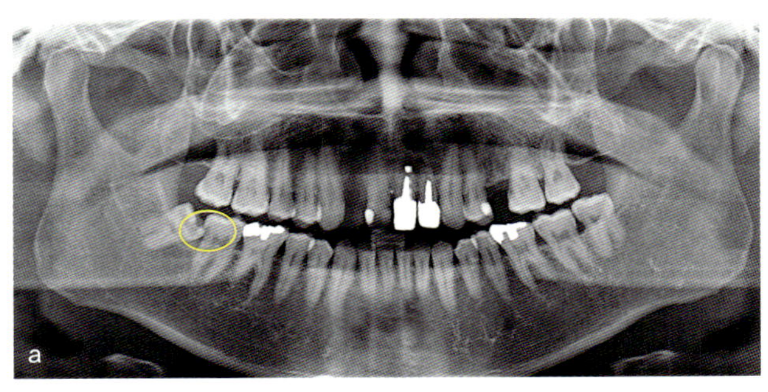

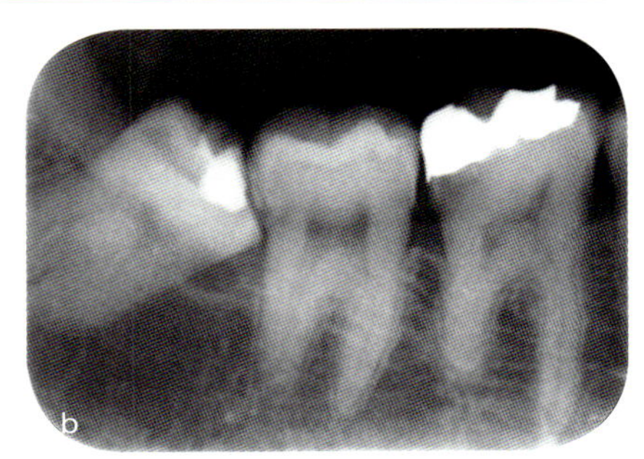

図４ｃ　ラウンドバーが入るだけスライスカットし，ミラーにて軟化象牙質を確認し除去後，7⏋遠心をCR充填．
図４ｄ　抜歯前にう蝕処置を行い，その後抜歯．

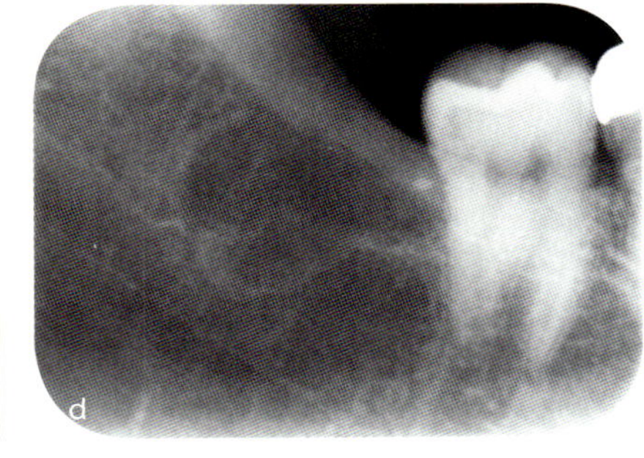

根は近心方向に彎曲しているが，挺出を試みた(図３b)．スライスカット後，挺出(図３c)．分岐部より根分割し，脱臼方向を見定めて遠心根を抜歯(図３d)．続いて近心根も同様に抜歯した(図３e)．

Case 3

7⏋の遠心にう蝕を認めるケース．このようなケー

Case 4

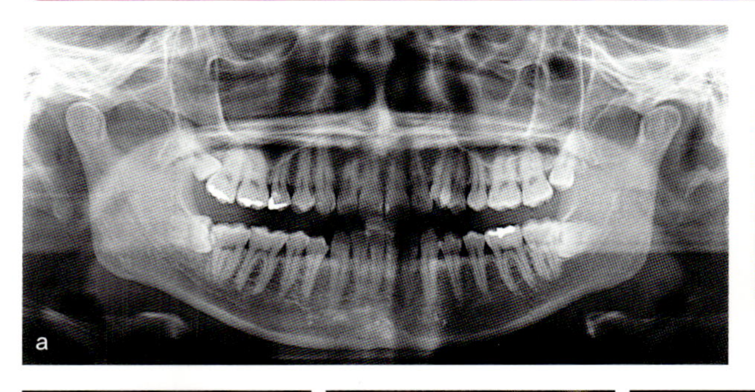

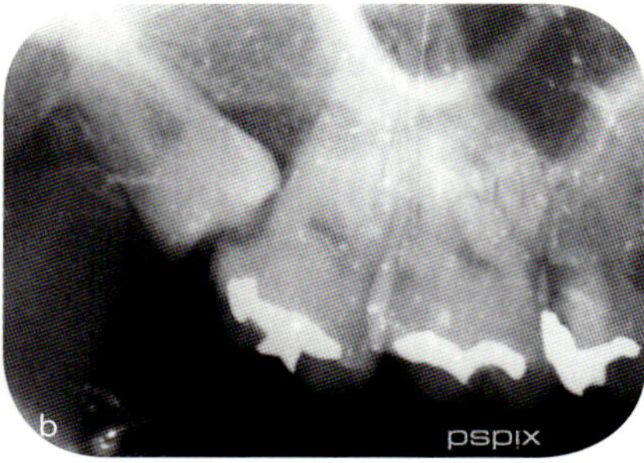

図5a　3年前のパノラマエックス線写真．
図5b　1年前より冷水痛の症状が出たためデンタルエックス線写真を撮影．

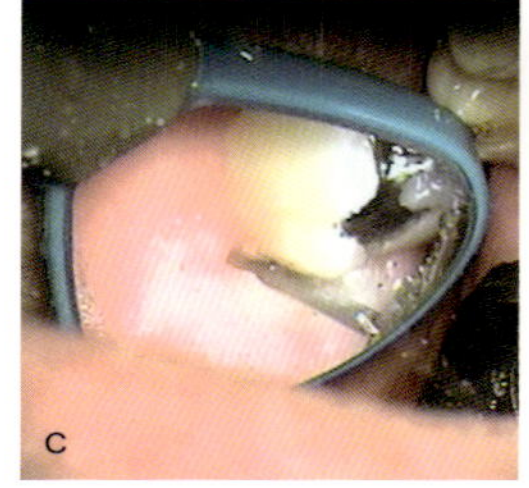

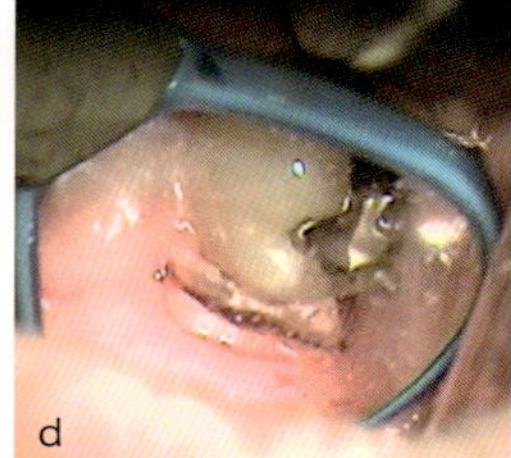

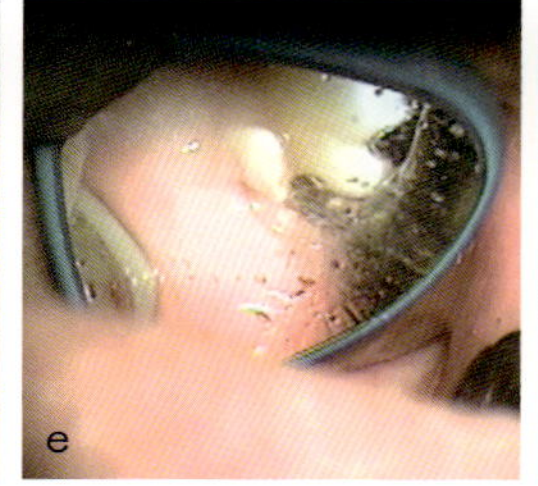

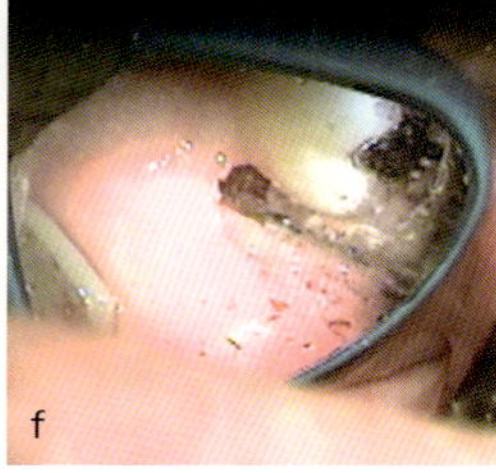

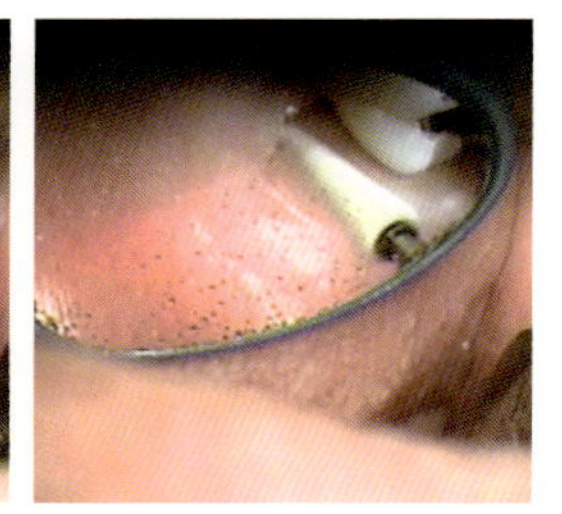

図5c〜f　c, d：約5mm程度歯冠が見えていたので智歯をスライスカット．e, f：さらに細かくカットして摘出する．

図5g　研磨して挺出を待つ．

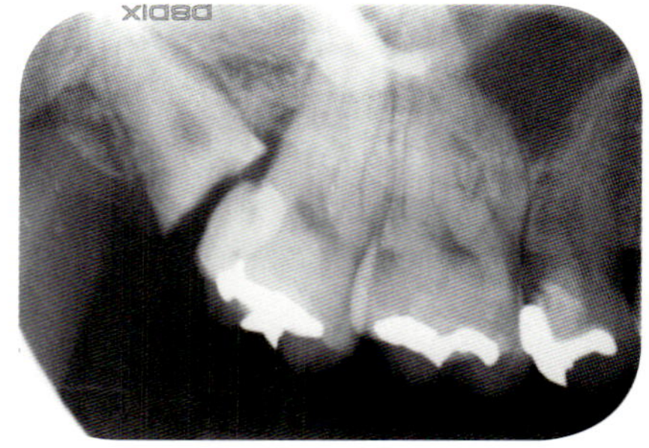

図5h　歯髄保護をして仮封．

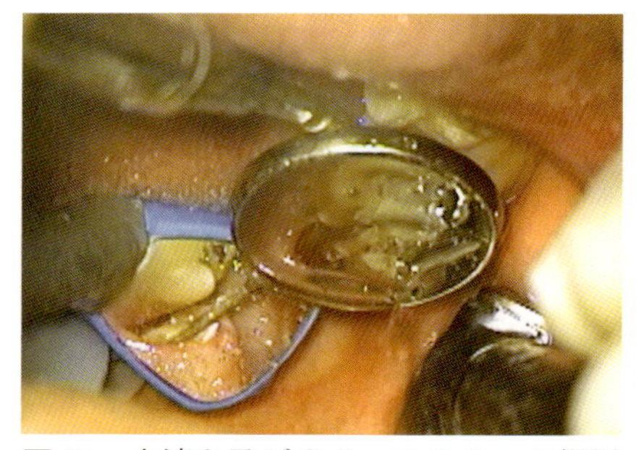

図5i　水滴を飛ばすイーロミラーの視界の良さがわかる．

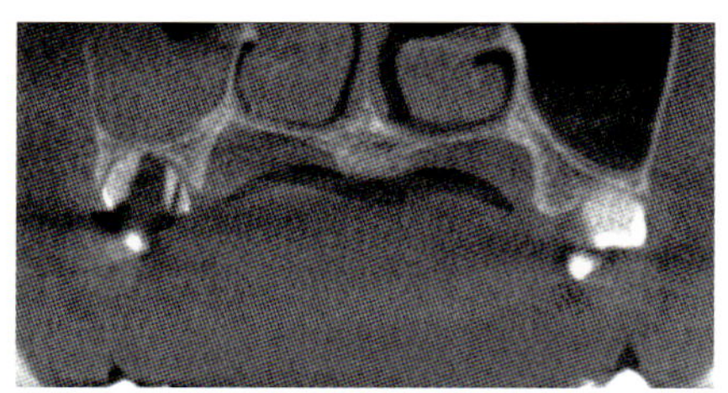

図5j　CTでの確認．デンタルエックス線写真では上顎洞まで距離があると思ったがCTではかなり近接しているのがわかる．

スも少なくない(図4a)．通常どおりマイクロスコープにてスライスカット(図4b)．ラウンドバーが入るだけスライスカットし，ミラーにて軟化象牙質を確認し除去後，7|遠心をCR充填(図4c)．感染象牙質を抜歯窩に入れないために，抜歯前にう蝕処置を行い，その後抜歯(図4d)．

Case 4

主訴は右上の奥歯がしみるようになった．3年前のパノラマエックス線写真(図5a)．1年前より冷水痛の症状が出たためデンタルエックス線写真を撮影(図5b)．約5mm程度歯冠が見えていたので智歯をスライスカットした(図5c, d)．輪切りにしたカット部位は大きすぎて開口部より単体で除去できないため，さらに細かくカットして摘出する(図5e,f)．

カットした歯冠辺縁を研磨してさらなる挺出を待つ．歯科衛生士による歯間部のプロフェッショナルケアは必須である(図5g)．

7|遠心の軟化象牙質が予想以上に歯髄腔に近接していたため，歯髄保護をして仮封(図5h)．根元から出るエアーで水滴を飛ばし視界を保つイーロミラーと市販の表面反射ミラーとの比較．同一部位を写して注水してみた．水滴を飛ばすイーロミラーの視界

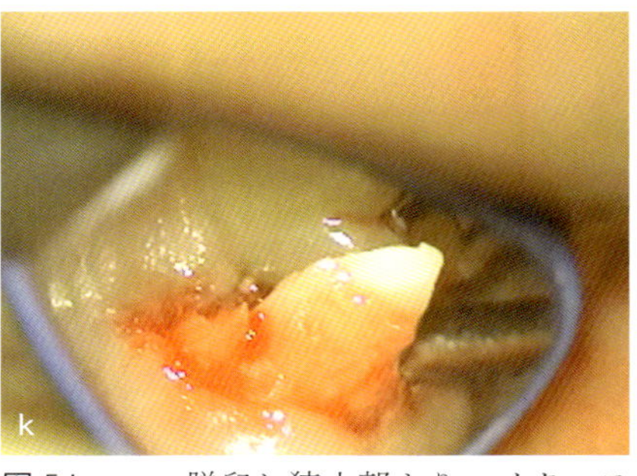
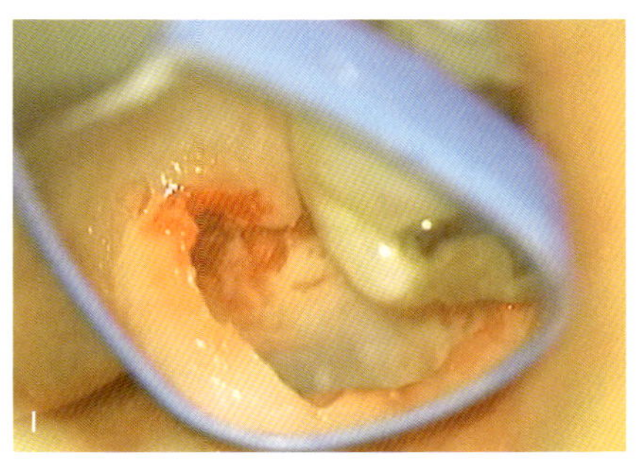
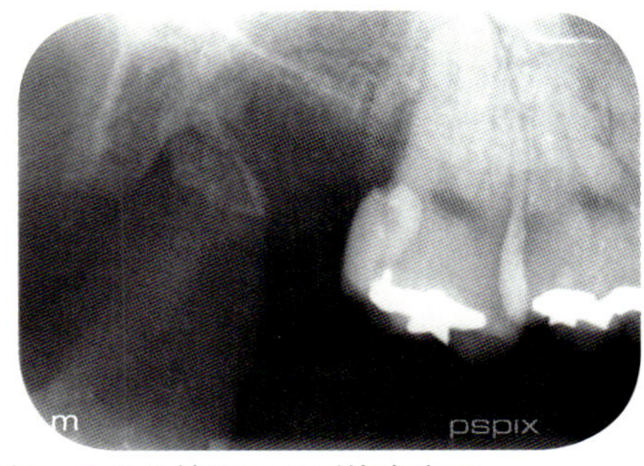

図５k〜m　脱臼し狭小部よりマイクロスコープ視野にてさらに細かくした智歯の根尖部．これを摘出すれば抜歯完了．

Case 5

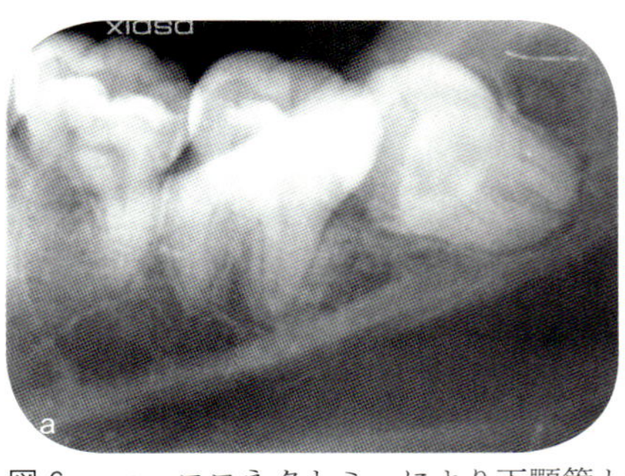
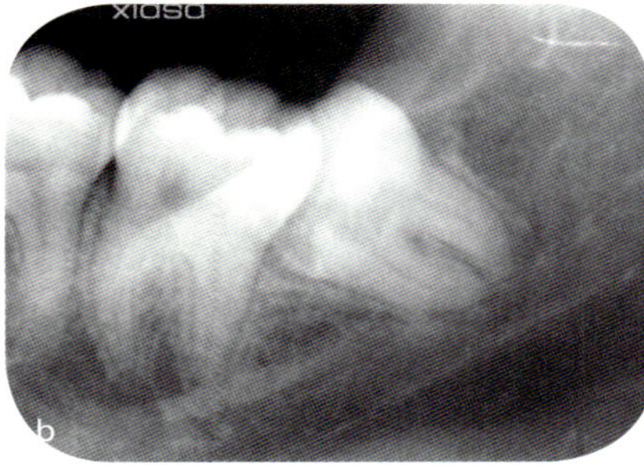
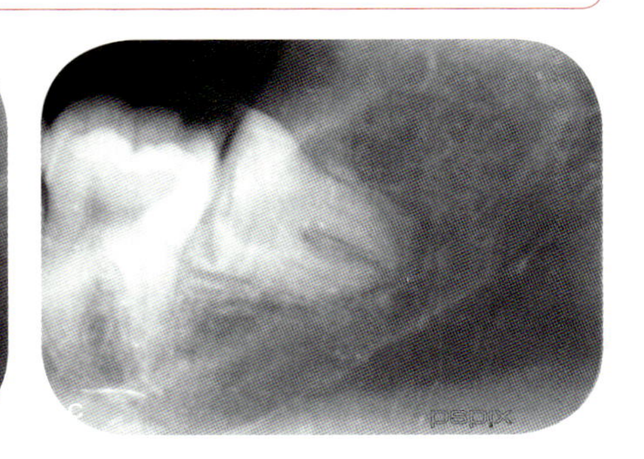

図６a〜c　コロネクトミーにより下顎管と根尖との移動が確認できる．

の良さがわかる（図５i）．CTでの確認．デンタルエックス線写真では上顎洞まで距離があると思ったが，CTではかなり近接しているのがわかる．骨を損傷せず歯冠歯根のみをカット．これも最深部を確実に視野に収めることのできるマイクロスコープの成せる技である（上顎洞に粘液貯留嚢胞と思われる不透過像を認め，抜歯後経過観察）（図５j）．

脱臼し狭小部よりマイクロスコープ視野にてさらに細かくした智歯の根尖部．これを摘出すれば抜歯完了（図５k〜m）．

Case 5

下顎管の上壁下壁が明瞭でリスクは少ないと思われる症例のデンタルエックス線写真であるが，挺出の評価として見ていただきたい．コロネクトミーにより下顎管と根尖との移動が確認できる（図６a〜c）．

まとめ

筆者の診療室ではこの術式で智歯抜歯を100ケース以上行ってきた．この方法は智歯抜歯に強い恐怖心をもつ患者や医科的疾病をもつ患者に有効であると思われる．その際，口腔衛生状態の保持は必須である．リスクの高い症例は口腔外科の先生のお力をお借りしなければならないが，この方法はホームドクター的アプローチとして有効な手段であると考える．今後さらに精進し，精度を上げていきたい．

参考文献

1．宮下裕志，長尾徹，大儀和彦（著），湯浅秀道，安藤彰啓（編著）．抜歯・小手術・顎関節症・粘膜疾患の迷信と真実．東京：クインテッセンス出版，2015；32-35.

2．野添悦郎，中村典史．下顎智歯２回法抜歯の実際．別冊the Quintessence 口腔外科YEARBOOK一般臨床家，口腔外科医のための口腔外科ハンドマニュアル'14．東京：クインテッセンス出版，2014：86-95.

TAKARA BELMONT

歯科用手術顕微鏡

GLOBAL A Series

グローバル A シリーズ

More intuitively, more smoothly

より直感的に、
よりスムーズに

▲製品ページ

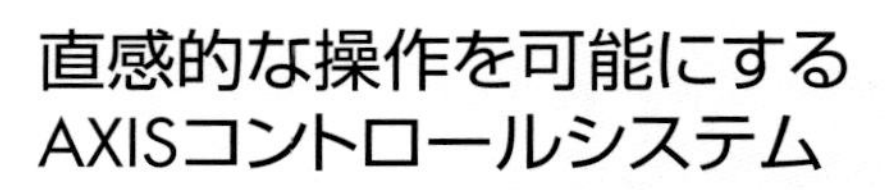

直感的な操作を可能にする AXISコントロールシステム

倍率選択ノブが操作ハンドル部に搭載されたことにより、ハンドルをつかみながら倍率変更が可能です。

自在に動く2関節アーム仕様

スプリングアームの関節部が2箇所あることで、スコープヘッド部の移動が容易に行えます。

リーチの延長が可能

（天吊り・床固定・壁掛けモデル）

マクドナルドサポートエクステンションアーム
【 オプション 】

顕微鏡取付位置からご使用頂ける範囲が広がります。
コストパフォーマンスをさらに高める「チェア2台使い」も可能になります。

床移動モデル

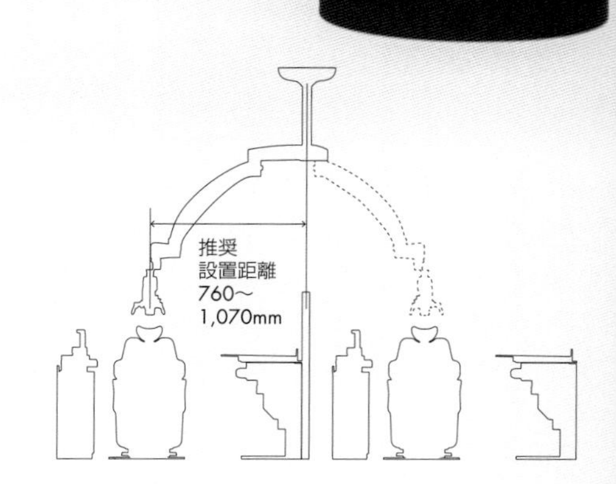

販売名	一般的名称	届出番号	クラス分類	特定保守	設置管理	製造販売元
Aシリーズ マイクロスコープ 固定型	手術用顕微鏡	23B2X10023000282	一般	該当	該当	名南歯科貿易株式会社
Aシリーズ マイクロスコープ 可搬型	可搬型手術用顕微鏡	23B2X10023000281	一般	該当	非該当	名南歯科貿易株式会社

名南歯科貿易株式会社 〒454-0805 名古屋市中川区舟戸町2-26

タカラベルモント株式会社 https://www.takara-dental.jp

［大阪本社］〒542-0083 大阪市中央区東心斎橋2-1-1　［東京本社］〒107-0052 東京都港区赤坂7-1-19

札　幌 (011)863-2007　盛　岡 (019)652-9744　仙　台 (022)232-4480　郡　山 (024)925-0742
新　潟 (025)268-0333　さいたま (048)640-5900　千　葉 (043)302-0267　東　京 (03)3405-6877
横　浜 (045)681-6241　名古屋 (052)932-6251　金　沢 (076)221-8412　京　都 (075)241-3425
大　阪 (06)6212-3602　神　戸 (078)231-6751　岡　山 (086)233-8825　広　島 (082)278-2411
高　松 (087)862-3480　福　岡 (092)411-2746　鹿児島 (099)226-9481　沖　縄 (098)897-6656

修理および点検受付窓口

コールセンター
TEL(0120)194-222 [フリーダイヤル]
FAX(072)344-7985

※コールセンターはタカラベルモント株式会社が修理および点検を委託するベルモントコミュニケーションズ株式会社の受付窓口で

AMED会長来日記念鼎談

三橋 純×William Linger×鈴木真名

日本と米国のマイクロスコープ事情と今後の展望

企画趣旨

2019年４月に開催された第16回日本顕微鏡歯科学会（JAMD）学術大会において，来日講演されたAMED会長のDr. William Linger（米国開業）とJAMD新会長の三橋純先生（東京都開業），YEARBOOK新編集委員長の鈴木真名先生（東京都開業）の３名により，本別冊の読者向けに特別鼎談が行われた．そこで，日本と米国のマイクロスコープの事情，今後のJAMDとAMEDとの協力体制など，将来展望について行われた当日のディスカッションの模様をお伝えする．

（編集部）

PART 1
PART 2
PART 3
PART 4

なぜマイクロスコープが日本で普及し続けているのか？

三橋●今回，AMED会長であるWilliam Linger先生が来日されたのを記念して，JAMDとAMEDが今後どのような連携をしていけるかについて考えてみたいと思います．

Linger，鈴木●よろしくお願いします．

三橋●まず，JAMDが学術大会をスタートさせたのは2004年です．AMEDのミーティングがスタートさせた1～2年後だと思います．第1回大会当初の参加者は約150名でしたが，会員は年々増え，現在は1,600名を超えるまでになっています．

Linger●それは大変すばらしい発展だと思います．今回われわれAMEDのメンバーが日本に来た理由の1つが，その成功モデルを教えてほしいからです．会員増の理由はどこにあるのでしょうか？

三橋●1つは，もともと日本人が細かいことに適しているという国民性があると思います．日本ではよく“匠の技”などが取り上げられますが，そういった細部にこだわる国民性が関連していると感じています．

鈴木●また，日本人が手先が器用なのは，日本が箸の文化というのも影響しているかもしれません．

Linger●なるほど．

三橋●もう1つの普及の理由としては，5年ほど前，日本の国民皆保険制度のなかに，顕微鏡を用いた歯科治療の一部が組み込まれたことも影響していると思います．

Linger●日本人の国民性と，保険制度が影響していると．日本と米国では土壌が大きく異なりますね．

三橋●そうですね．さらにもう1つの要素としては，われわれJAMDの存在があると自負しています．いま，日本の歯科医師は海外志向よりも内向きな先生が多いと感じます．しかしJAMDにおいてはそれが逆に良い方向に影響しているのだと思います．JAMDは，“マイクロスコープ”という共通アイテムのもと，開業医も大学人も垣根を越えて交流し合う，他にはあまりない“フレンドリーな学会”といえるでしょう．それが口コミとして拡がり，どんどん仲間が増えているのが現状です．

しかし，これからはもっと外向きに発信していく重要性を感じており，今後はAMEDとも連携しながら普及を促進していきたいと思っています．

鈴木●たとえば，以前にAMED学術大会を東京で開催したことがありましたね．またそういった共同開催ができたらと思っています．

米国におけるマイクロスコープ事情とは？

鈴木●Linger先生に質問ですが，米国ではマイクロスコープの普及において何か障壁や課題などはありますか？

Linger●問題としては，メーカーが競争をしたがらないところでしょうか．

鈴木●競争したがらない，と．私の記憶では，以前のAMEDはもっと競合していた記憶がありますが，いまは違うのですね．何かAMEDとしての新しいビジョンなどはあるのでしょうか？

Linger●米国でマイクロスコープを使用している歯科医師のほとんど歯内療法専門医です．しがしながら，お二人はよくご存じのように，マイクロスコープを臨床で有効活用できるのは何も歯内療法の分野に限ったことではありません．私自身，歯内療法だけでなく歯周外科やインプラント，補綴治療など，あらゆる場面でマイクロスコープを活用しています．そのためにも，マイクロスコープの学会としていろいろとプロモートしていく必要性を感じており，目をつけているのが学生教育です．

鈴木●なるほど．日本の大学でのマイクロスコープ

▶2019年に米国で開催されたAMED学術大会では，JAMDを代表して辻本恭久先生，小林平先生，三橋純先生の３名が登壇した．左から，AMED理事の大河原純也先生，Dr. B.J.Chen，三橋先生，小林先生，辻本先生，AMED会長のDr. William Linger．今後もJAMDとAMEDの交流が期待される．

教育はまだまだ少ないですが，米国で学生教育にマイクロスコープを広めていく際に，どういう形がよいと思いますか？

Linger●教育機関である大学にマイクロスコープの価値を伝える必要があると思っています．大学の歯内療法講座の歯科医師はマイクロスコープを使用していますが，他の分野ではまだまだ普及していません．やはり歯科医師のスタート地点からマイクロスコープを診療に取り入れることで，歯科医療のクオリティはまちがいなく向上していくと思いますし，マイクロスコープが普及することでメーカーも潤えば，さらに新製品開発への投資にもつながり，歯科界全体がWin-Winになるでしょう．

JAMDとAMEDの今後の連携について

鈴木●将来，JAMDとAMEDが連携していくとしたら，どういう形があると思いますか？

Linger●まず思い浮かぶのが，ジョイントミーティングですね．

三橋●JAMDとしては，まずは両者の人材交流が第一歩だと思います．お互いが行き来して，情報交換・共有をすることが重要かと思います．たとえば今回（JAMD2019年学術大会）にAMEDの方々が来日され，講演いただくとともにこのようなディスカッションができました．そして，この11月（AMED2019年大会）には，私と辻本恭久先生，小林平先生の３名がAMEDに招聘いただき講演します．そういったことの発展形として，将来的にジョイントミーティングがあると思います．

Linger●そうですね．ぜひ今後，マイクロデンティストリーの先端をいくJAMDと連携しながら，世界のマイクロデンティストリーの発展をめざして協力し合えればと思います．

鈴木●今日はありがとうございました．

医療機器認証番号：301ABBZX00035000
管理医療機器　一般的名称：電動式歯科用ファイル
販売名　マニー®NiTi ファイル

a master of endo.

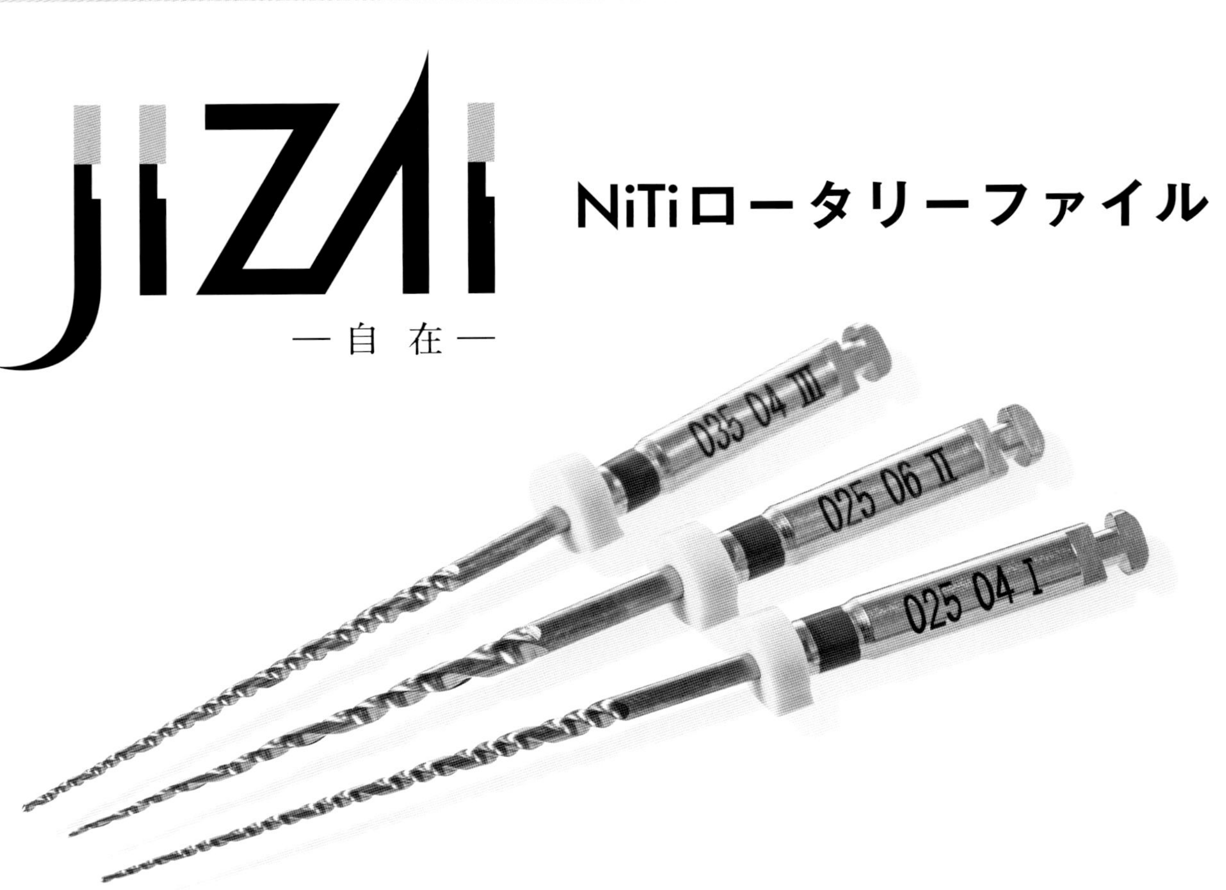

製造販売 MANI®
MANI, INC. マニー株式会社
〒321-3231　栃木県宇都宮市清原工業団地8番3
【国内営業課】 Tel: 028-667-8591 / Fax: 028-667-8593
Exp.Sec./Phone: 028-667-8592　Telefax: 028-667-8596　URL: http://www.mani.c

発売　株式会社モリタ
大阪本社 ■ 〒564-8650　大阪府吹田市垂水町3丁目33番18号　Tel: 06-6380-252
東京本社 ■ 〒110-8513　東京都台東区上野2丁目11番15号　Tel: 03-3834-616

第16回日本顕微鏡歯科学会学術大会

第16回学術大会・総会を開催して

古澤成博／山田雅司

東京歯科大学歯内療法学講座
連絡先：〒101-0061 東京都千代田区神田三崎町2-9-18

はじめに

2019年4月27日(土)から29日(月)の3日間にわたり，一橋講堂と如水会館(ともに東京都)において，日本顕微鏡歯科学会第16回学術大会・総会が開催された(1～3)．本大会のテーマは「精密歯科治療を極める Perfection of Clinical Dentistry」として，筆者を大会長に海外からの約30名の参加者を含めて710名を超える会員が参集し，盛大な大会となった．

1日目

初日は，午前と午後で2回のハンズオンコースが行われた．モリタ社，ペントロンジャパン社の協賛の下，モリタ社は歯科医師向けに「はじめよう！　マイクロスコープ根管治療！！」(伊澤真人先生)，ペントロンジャパン社は歯科衛生士向けに「歯科衛生士こそ顕微鏡！」(増田佳子先生)が行われた．そのほか，一橋講堂会議室において，認定審査会，各種委員会，理事会が開催された．

2日目

2日目は，まず三橋純会長(東京都開業)と山田雅司実行委員長による開会宣言が行われた(4)．つづいて大会長である筆者が基調講演「精密歯科治療を極める」を行った(5)．その後，一般口演8題が続いた．また，一般口演と並行して，如水会館においてシンポジウムC(前半)「認定歯科衛生士はどのように顕微鏡歯科を学んでいるか？」が藤井理絵先生(東歯大)，淺井知宏先生(東京都勤務)の座長のもと行われた．大河原純也先生(茨城県開業)と水野美穂先生による「認定歯科衛生士が長く活躍できる環境とは」，樋口敬洋先生(福岡県開業)，米　可那先生，森田佳子先生による「昨日の自分よりも成長したい！」がそれぞれ行われた(6，7)．

また，ランチタイムには企業フォーラムが行われ，北村和夫先生による「根管治療のパラダイムシフト HyFlexEDMによる根管拡大形成と

1 大会看板の前にて(筆者)．
2 日本顕微鏡歯科学会第16回学術大会・総会のポスター．

3 一橋講堂正面入り口．

4 開会宣言を行う三橋純先生と山田雅司実行委員長．

5 基調講演を行う筆者．

6 シンポジウムC（前半）の登壇者ら．

7 シンポジウムC（前半）の様子．

8 特別講演に登壇した笹井啓史先生．

9 特別講演後に壇上にて記念撮影．左から筆者，鳥山佳則先生，笹井啓史先生，辻本恭久前学会長．

GuttaFlow 2を用いた根管充填」（コルテンジャパン社主催），佐藤暢也先生による「OPMIを使用した歯内療法の発想から歯科衛生士によるSPTやメインテナンスへの適用」（カールツァイスビジョンジャパン社主催）が大盛況であった．

◆特別講演「臨床研究法について」

笹井啓史先生（日大松戸），鳥山佳則先生（東歯大）からは，現在さまざまな学会で問題となっている「臨床研究法」の詳細について解説していただき，学会発表時の注意事項などを再度考える機会となった（8，9）．

10 シンポジウムAの登壇者ら．の活用１」．

11 シンポジウムAの終了後に壇上にて記念撮影．

12 如水会館で行われた懇親会の様子．

13 東京歯科大学ビッグバンドの演奏．

◆シンポジウムA「補綴処置の精密歯科治療を極める」

菅原佳広先生（日歯大新潟），小林平先生（日大松戸）の座長のもと，尾上正治先生（東京都開業）による「インターディシプリナリーアプローチにおける手術用顕微鏡の活用」，佐氏英介先生（東京都開業）による「補綴処置の精密歯科治療とマイクロスコープの活用方法について」，青木啓高先生（静岡県開業，歯科技工士）による「補綴処置の精密歯科治療を極める：技工サイドからの提言」が行われ，エンドから補綴まで一連の流れでどのようにマイクロスコープが有用となるかを，歯内，補綴，技工のスペシャリストの方からご講演いただいた（10，11）．顕微鏡はあくまで一機材であり，コンベンショナルな診査，診断，治療がいかに大切かを再認識できたすばらしいご講演であった．

シンポジウムAの後には，ブックフェア，ポスター討論６演題と，認定医申請用症例編集相談会が同時進行で行われた．同時進行にもかかわらず，いずれも大盛況であった．

懇親会は如水会館において行われた（12）．余興として東京歯科大学ビッグバンドジャズ部リトルサウンズオーケストラよりすばらしい演奏を披露していただいた（13）．

3日目

最終日は，前回の第15回大会で大会長賞を受賞した三浦千晶先生（日大松戸）による大会長受賞記念口演「歯根構造の解析による歯根破折の解明」が行われた．続いて，一般講演５題が行われた．

同時刻には如水会館において，シンポジウムC（後半）「認定歯科衛生士はどのように顕微鏡歯科を学んでいるか？」が藤井理絵先生（東歯大），淺井知宏先生（東京都勤務）のもと行われ，鈴木龍先生（静岡県開業）による「マイクロスコープは歯科衛生士と歯科医師とのインターフェイス」，増田梢先生による「マイクロスコープから広がる可能性とその価値」の講演があった．

最後に，両日の総合ディスカッションが催された（14～16）．また，AMEDから講師をお招きし，辻本恭久先生（日大松戸）の座長のもと招待講演が行われた（17）．まず，Mr.Todd Goldmanが総括を述べ，つづいて

14 シンポジウムC（後半）の登壇者ら．

15 シンポジウムC（後半）の総合ディスカッションの様子．

16 シンポジウムC終了後に壇上にて記念撮影．

17 AMED講演の登壇者ら．

18 シンポジウムBの登壇者ら．

19 シンポジウムBの様子．

Dr.Randolph K. Shoupより“A New Paradigm in Preparation Design Based on a Microscopic Analysis of CAD/CAM Capabilities and Limitations”，Dr.William Lingerによる“Multidisciplinary Dentistry Done 100% Through the Microscope”が行われた．今後のAMEDと本学会との交流が期待される．

企業フォーラムは，磯崎裕騎先生（香川県開業）による「精密診療のための視覚強化についての考察：見落としなくスピーディーなシステマティックビューを中心に」（モリタ社主催），櫻井善明先生（東京都開業）による「見せなきゃ始まらない！　顕微鏡歯科治療！！」（カリーナシステム社主催）がそれぞれ開催され，前

20総会・代議員会の様子.

21大会長賞を受賞した三橋純先生.

22最優秀ポスター賞に選出された鈴木誠先生.

232020年福岡大会の大会長である和田尚久先生の挨拶.

日に引き続きランチタイムの開催にもかかわらず大盛況であった.

◆シンポジウムB「歯内-歯周疾患の精密歯科治療を極める」

高橋慶壮先生(奥羽大)の座長のもと，牛窪敏博先生(大阪府開業)による「エンドから診た歯内-歯周疾患の精密歯科治療を極める」，石川亮先生(大阪府開業)による「歯内 － 歯周病変への挑戦」がそれぞれ行われた．一般臨床においても非常に難しい領域である歯内-歯周疾患に関し，各々の分野の著名な方より双方の見解をお話ししていただき，疾患のタイプを診断して介入することがいかに重要であるか，再度認識する機会となった(18，19)．

3日目最後には，総会，代議委員会，表彰式などが行われた(20)．大会長賞には驚きの，学会長である三橋純先生が選出され(21)，最優秀ポスター賞には鈴木誠先生が選出された(22)．

そして今年の福岡大会の大会長である和田尚久先生(九大)に最後のご挨拶と来年の抱負を述べていただき，無事閉会となった(23)．

おわりに

平成最後の大型連休中にもかかわらず，多くの方に参加していただき，有意義な時間を過ごすことができた．参加者，学会役員，学会事務局，協賛いただいた企業，そして東京歯科大学歯内療法学講座の諸氏，お手伝いいただいた多くの方々に感謝を申し上げて大会報告とさせていただく．

マイクロスコープ関連セミナー・コース一覧（2020年３月〜）

※なお，ここに掲載した情報は，本別冊の編集委員・執筆者に関連したもののみを取り上げております

SJCDマイクロエンドコースII 〜マイクロエンドアドバンス〜

日　程 第１回：2020年３月７日（土），８日（日）
第２回：2020年９月26日（土），27日（日）
第３回：2020年12月12日（土），13日（日）
会　場 原宿デンタルオフィス（東京）
講　師 岡口守雄，髙山祐輔ほか
問合先 岡口歯科クリニック
Tel. 03-3239-5139

Rubber Dam Isolation Technique Hands on Seminar

日　程 2020年３月８日（日）
会　場 UKデンタル福岡店３F　UKホール
講　師 辻本真規
問合先 UKデンタル福岡店
Tel. 092-874-2811

はじめてのマイクロスコープ診療：変わる日常臨床

日　程 2020年３月12日（木）
会　場 株式会社ヨシダ本社３F（東京）
講　師 髙山祐輔
問合先 株式会社ヨシダ横浜営業所
Tel. 045-712-9411

一日完結 顕微鏡歯科衛生士育成ハンズオンコース

日　程 2020年４月12日（日）
会　場 デンタルアーツアカデミー（神奈川）
講　師 髙山祐輔，杉山幸菜
問合先 デンタルアーツアカデミー
E-mail：dentalartsacademyjp@gmail.com

ミラーテクニック道場ハンズオンコース

日　程 2020年４月16日（木）
会　場 デンタルアーツアカデミー
講　師 三橋　純
問合先 デンタルアーツアカデミー
E-mail：dentalartsacademyjp@gmail.com

顕微鏡歯科治療エキスパートが指導するマイクロスコープ実践セミナー ２日間コース

日　程 第９期：2020年５月23日（土），24日（日）
会　場 ペントロン ジャパン研修センター（東京）
講　師 菅原佳広，櫻井善明，林　智恵子，宮川雄志，戸田成紀，水川　悟，下山泰明，中村慎介
問合先 Professional Microscopist Club
E-mail：mizu1969@yahoo.co.jp

マイクロスコープ診療に欠かせない確実な多数歯露出によるラバーダム防湿法ハンズオンセミナー

日　程 第５期：2020年５月31日（日）
会　場 田中歯科器械店（東京）
講　師 菅原佳広
問合先 Professional Microscopist Club
E-mail：mizu1969@yahoo.co.jp

SJCDマイクロデンティストリーペリオアドバンスコースIII〜Flapデザイン〜

日　程 2020年６月13日（土），14日（日）
会　場 株式会社ヨシダタロー研修室（東京）
講　師 鈴木真名ほか
問合先 鈴木歯科医院
Tel. 03-5699-1147

SJCDマイクロデンティストリー ベーシックコース

日　程　2020年７月４日（土），５日（日）
会　場　原宿デンタルオフィス（東京）
講　師　鈴木真名ほか
問合先　鈴木歯科医院
Tel. 03-5699-1147

SJCDマイクロデンティストリー マイクロベニアコース

日　程　第１回：2020年９月19日（土），20日（日）
第２回：2020年10月24日（土），25日（日）
第３回：2020年11月28日（土），29日（日）
会　場　原宿デンタルオフィス（東京）
講　師　大河雅之ほか
問合先　代官山アドレス歯科クリニック
Tel. 03-5428-1148

SJCDマイクロデンティストリーペリオアドバンスコースⅡ～CTGの応用テクニック②～

日　程　2020年10月10日（土），11日（日）
会　場　株式会社ヨシダタロー研修室（東京）
講　師　鈴木真名ほか
問合先　鈴木歯科医院
Tel. 03-5699-1147

World Young Dental Innovators' Meeting 2020「DHでもできるマイクロ」

日　程　2020年10月17日（土），18日（日）
会　場　パシフィコ横浜ノース
講　師　鈴木真名，髙田光彦，塙　真樹子
問合先　クインテッセンス出版株式会社
Tel. 03-5842-2270

SJCDマイクロエンドコースⅠ ～マイクロエンドベーシック～

日　程　第３回：2020年11月７日（土），８日（日）
会　場　原宿デンタルオフィス（東京）
講　師　岡口守雄，髙山祐輔ほか
問合先　岡口歯科クリニック
Tel. 03-3239-5139

マメロン構造を再現したマイクロスコープ下前歯部ダイレクトボンディングハンズオンセミナー

日　程　第15期：2020年11月15日（日）
（2020年４月募集）
会　場　ペントロン ジャパン研修センター（東京）
講　師　菅原佳広
問合先　Professional Microscopist Club
E-mail：mizu1969@yahoo.co.jp

日本顕微鏡歯科学会第17回学術大会・総会

テーマ　顕微鏡歯科のネクストステージ
会　期　2020年４月24日（金）～26日（日）
会　場　アクロス福岡
〒812-8582 福岡県福岡市中央区天神１-１-１　Tel. 092-725-9111
大会長　和田尚久（九州大学病院口腔総合診療科）
実行委員長　原口　晃（九州大学病院口腔総合診療科）

羨望の操作性と日本製の信頼がある。

名称については：
エルタニン（Eltanin：りゅう座で最も明るい恒星で、唯一の2等星）からの造語です。今回の顕微鏡のフォルムから、白い竜を想像して名付けました。

可搬型手術用顕微鏡

歯科用マイクロスコープ

エルタニス

Dental Microscope Eltanis

日本の医療用マイクロスコープ製造メーカーの三鷹光器（株）が
歯科用として開発した「エルタニス」。
高い操作性、信頼の光学系はそのままに歯科用としてダウンサイズしました。
歯科用で初の優れたカウンターバランス機構による
6箇所の回転軸の滑らかな動きが、
治療導入前の大きな動きから、微細な位置調整に至るまで、
まるで浮いているかのようにスムーズな動きで対応できます。

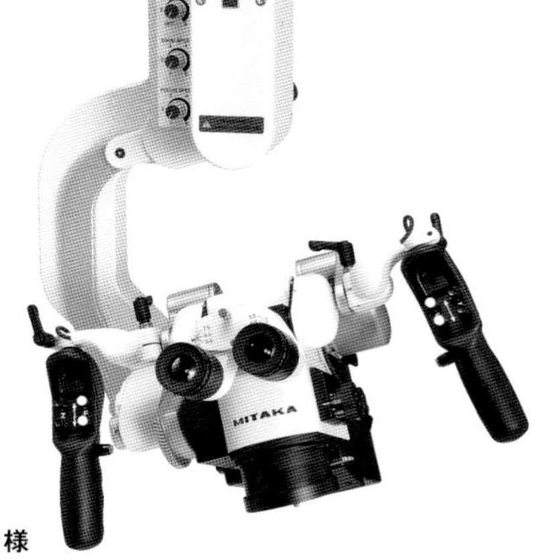

一般医療機器　特定保守管理医療機器
医療機器製造販売届出番号：13B2X10366000031

● 製品仕様

総合倍率：1.4～21.6倍（10倍アイピース）／ズーム比：8倍（電動ズーム機能付）
対物レンズ：f＝200～600mm（電動フォーカス機能付）／照度：160,000Lux
（WD＝300mmのとき）／アーム：カウンターバランス式 6関節電磁ブレーキ・
オプションでフットコントローラー（フォーカス、ズーム）使用可

株式会社 東京歯材社　お問い合わせ先：商品センター　〒110-0004　東京都台東区下谷3-13-5 TY センター ビル 4階
TEL：03-3874-5077　FAX：03-3874-5091　EMAIL：info-web@shizaisha.co.jp　**www.shizaisha.co.jp**

精密治療に安定したサポートを

BQE

エルゴダイナミック
オペレーター

エルゴダイナミックオペレーターは、治療中の術者の姿勢を正しくサポートします。

椅子に深く座ると、背中側の座面が沈み込み、同時にバックサポートが前方に出て、術者の腰の位置を押さえます。これにより、骨盤が立った良い姿勢を自然にとることができ、体への負担を軽減します。

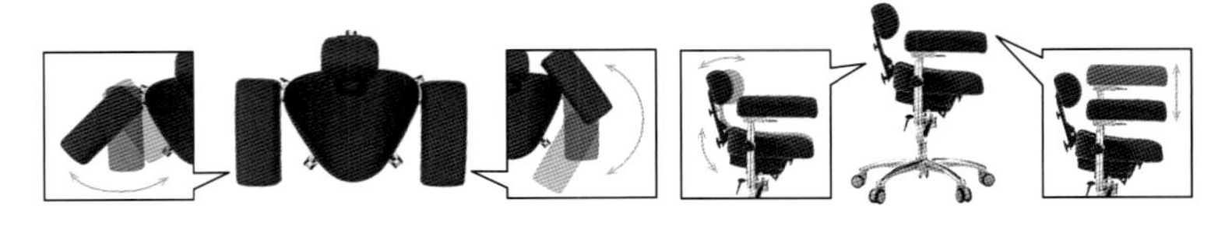

株式会社 東京歯材社　お問い合わせ先：商品センター 〒110-0004　東京都台東区下谷 3-13-5 TY センタービル４階

TEL：03-3874-5077　FAX：03-3874-5091　EMAIL: info-web@shizaisha.co.jp　www.shizaisha.co.jp

MAPD
チタンマイクロインスツルメント

軽量、バランスの良い設計、しかも、納得価格。

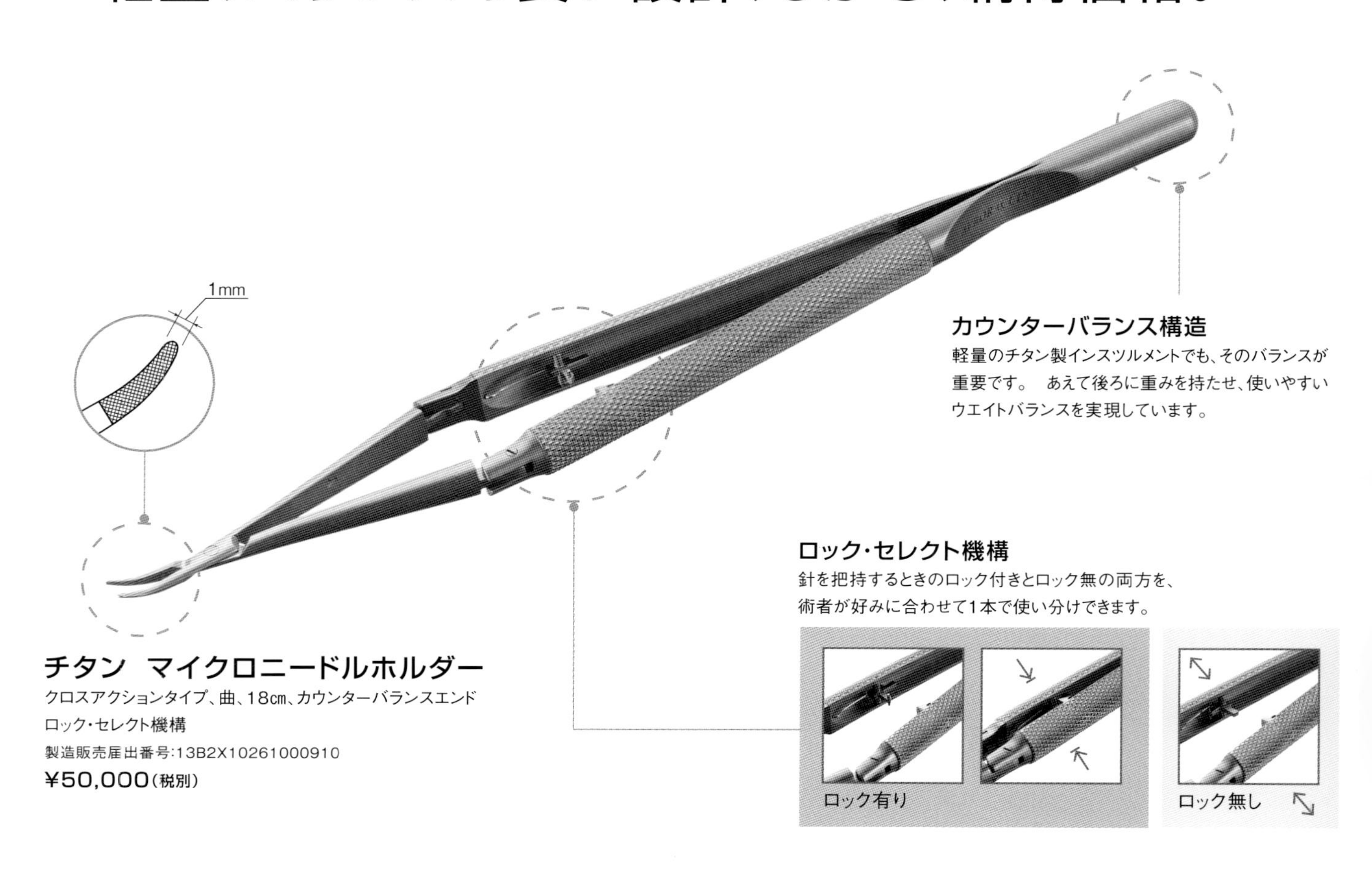

チタンマイクロインスツルメントシリーズ

MADE IN RUSSIA

チタン素材は磁性を帯びず錆びない為、マイクロサージェリーの分野では高いニーズがあります。しかし加工が難しいこともあり、これまでは非常に高価な器具でした。当社のチタン・マイクロインスツルメントはお求めやすい価格で、高精度なインスツルメントです。マイクロサージェリー上級者から初心者まで、幅広いユーザーにお薦めできる製品です。

株式会社 東京歯材社

お問い合わせ先:商品センター 〒110-0004 東京都台東区下谷 3-13-5 TYセンタービル4階

TEL:03-3874-5077 FAX:03-3874-5091 EMAIL:info-web@shizaisha.co.jp

www.shizaisha.co.jp

Ultradent Endo System

ウルトラデントの根管治療製品群

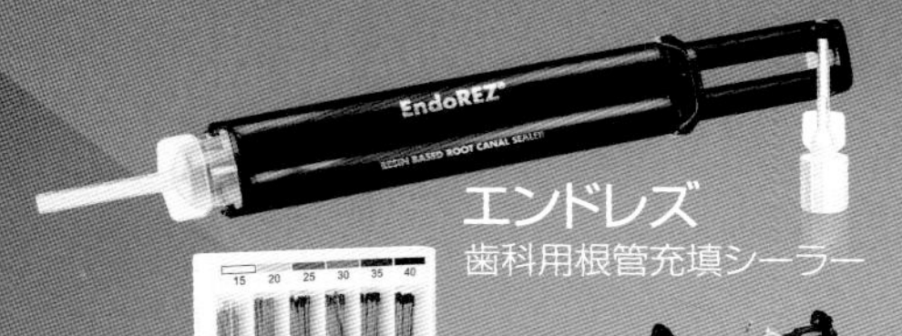

エンドレズ
歯科用根管充填シーラー

オラシールJ
歯科用ラバーダム
防湿キット

ダーマダム
歯科用ラバーダム

クエン酸 20%
水酸化カルシウム溶解材

ファイリーズJ（ジェル）
根管拡大に最適

充填　防湿　拡大　洗浄　乾燥　貼薬　除去

クロルシッドJ
根管洗浄材

ウルトラカル XSJ
水酸化カルシウムペースト

EDTA 18%
根管洗浄材

バキュームアダプター
& キャピラリーチップ
単回使用歯科用吸引カニューレ

ナビチップ
29G

キャピラリーチップ

SSTチップ

ナビチップ
サイドポート 31G

歯科重合用光照射器

- 従来のコードレスレンズから サイズを 150% 拡張した新レンズを搭載
- 背面に新たに追加された照射ボタン
- 3 つの照射モード
  - スタンダード　1,000mW/㎠
  - ハイパワープラス　1,600mW/㎠（※従来のコードレスは 1,400mW/㎠）
  - エキストラパワー　3,200mW/㎠
- 3 種類の LED パネルを搭載することにより、395nm-480nm の広範囲の波長域をカバー
- 丈夫でスリムなアルミ一体型のボディで、届きにくい箇所にも照射可能
- 熱がこもりにくいボディ設計
- コストパフォーマンスに優れたバッテリーを採用

販売名:オラシール J／一般的名称:歯科用ラバーダム防湿キット／一般医療機器／医療機器届出番号:13B1X10086000029
販売名:ダーマダム／一般的名称:歯科用ラバーダム／一般医療機器／医療機器届出番号:13B1X10086000070
販売名:ダーマダム ノンラテックス／一般的名称:歯科用ラバーダム／一般医療機器／医療機器届出番号:13B1X10086000071
販売名:ホワイトマックチップ／一般的名称:歯科用注入器具／一般医療機器／医療機器届出番号:13B1X10086000032
販売名:ファイリーズJ／一般的名称:医薬品含有歯科根管切削補助材／高度管理医療機器／医療機器承認番号:21900BZG00004000
販売名:ウルトラデント EDTA18%／一般的名称:歯科根管切削補助材／一般医療機器／医療機器届出番号:13B1X10086000006
販売名:キャピラリーチップ／一般的名称:洗浄針／一般医療機器／医療機器届出番号:13B1X10086000018
販売名:SST チップ／一般的名称:洗浄針／一般医療機器／医療機器届出番号:13B1X10086000060
販売名:エンドレズ／一般的名称 :歯科用根管充填シーラ／管理医療機器／医療機器認証番号:225AKBZX00084000／冷蔵保存
販売名:エンドレズポイント／一般的名称 :歯科用根管充填ガッタパーチャポイント／管理医療機器／医療機器認証番号:226AKBXZ00019000
販売名:スキニシリンジ0.5mL／一般的名称 :歯科用注入器具／一般医療機器／医療機器届出番号:13B1X10086000012
販売名:ミキシングチップ／一般的名称 :歯科用練成器具／一般医療機器／医療機器届出番号:13B1X10086000040
販売名:バキュームアダプター／一般的名称:単回使用歯科用吸引カニューレ／一般医療機器／医療機器届出番号:13B1X10086000026
販売名:ナビチップ 29G／一般的名称:歯科用注入器具／一般医療機器／医療機器届出番号:13B1X10086000001
販売名:ウルトラカルXSJ／一般的名称:水酸化カルシウム系歯科根管充填材料／高度管理医療機器／医療機器承認番号:21700BZG00025000
販売名:ウルトラデント クエン酸20%／一般的名称:歯科根管切削補助材／一般医療機器／医療機器届出番号:13B1X10086000003
販売名:ナビチップ FX／一般的名称:歯科用注入器具／一般医療機器／医療機器届出番号:13B1X10086000035
販売名:VALO GRANDコードレス／一般的名称：歯科重合用光照射器／一般医療機器／特定保守管理医療機器／医療機器届出番号:13B1X10086000069

携帯・PHS OK 0120-060-751　ULTRADENTJAPAN.COM

本　　社　〒151-0071 東京都渋谷区本町1-7-5 初台村上ビル4F　TEL(03)5365-1760 FAX(03)5365-1759
大阪営業所　〒532-0003 大阪府大阪市淀川区宮原2-14-4 MF新大阪ビル4F　TEL(06)6151-3251 FAX(06)6151-3252
第一種医療機器製造販売業　許可番号:13B1X10086　©2019 Ultradent Products, Inc. All Rights Reserved.

知っておきたい知識編 ⑥

明日から使える!
歯科衛生士のマイクロスコープ活用法

編著：辻本恭久／三橋　純
著：上田こころ／大野真美／林　智恵子
増田佳子／安田美奈／和田莉那

歯科衛生士向けの初のマイクロスコープ教本がついに完成!

多数の写真とともに役立つヒントが満載で、ビギナーからベテランまでマイクロスコープユーザー必読の書!

ここ数年で急速に普及が進むマイクロスコープ。本書は、初の歯科衛生士向けのマイクロスコープ教本として、日本顕微鏡歯科学会認定歯科衛生士である著者陣が、知っておきたい基礎知識から、診療介補、ブラッシング指導、歯石除去、PMTC、患者への情報提供・指導など、臨床での活用法のポイントを網羅。

QUINTESSENCE PUBLISHING 日本　●サイズ:A4判変型　●132ページ　●定価　本体4,000円（税別）

クインテッセンス出版株式会社
〒113-0033　東京都文京区本郷3丁目2番6号　クイントハウスビル
TEL 03-5842-2272（営業）　FAX 03-5800-7592　https://www.quint-j.co.jp/　e-mail mb@quint-j.co.jp

日常臨床におけるマイクロスコープの活用法を解説！

別冊 the Quintessence ザ・クインテッセンス

マイクロデンティストリー YEARBOOK 2019

一般診療へのマイクロスコープの活用

～ハイジーンワークから歯内療法・歯周治療・修復治療・補綴治療・インプラント治療まで～

日本顕微鏡歯科学会／編

初のリニューアルでデザイン一新！　より見やすく、わかりやすく！

マイクロスコープに特化した別冊として刊行以来、第８弾となる本別冊では、ハイジーンワークから歯内療法・歯周治療・修復治療・補綴治療・インプラント治療まで、いわゆる一般診療へのマイクロスコープの活用にフォーカスを当てて解説。また、医院の記録システム・患者説明方法・経営スタイルなどを公開する人気シリーズ「マイスタイル顕微鏡」も掲載。医院と患者を幸せにするマイクロスコープ活用法が満載である。

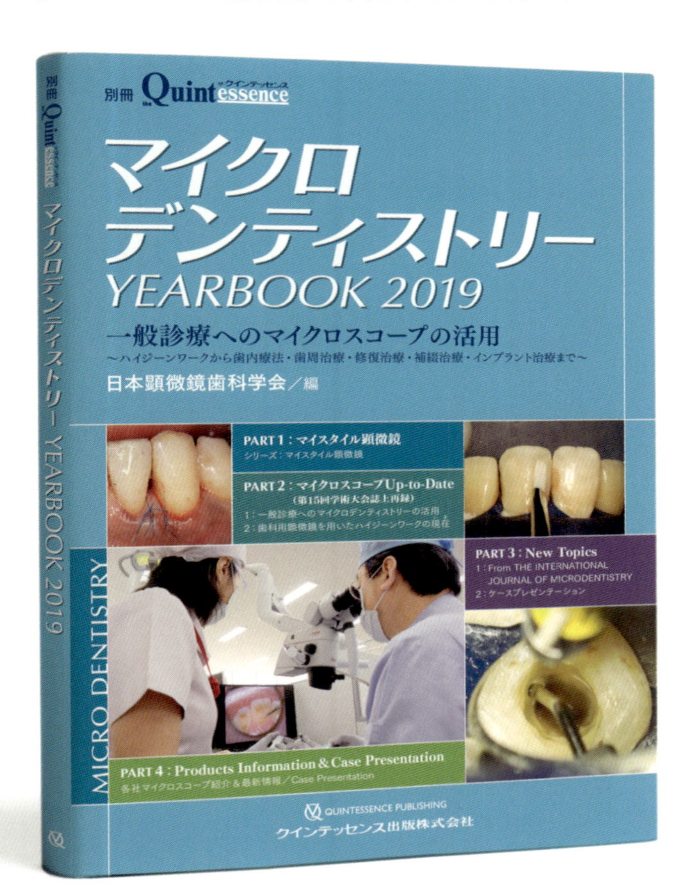

contents

PART 1 マイスタイル顕微鏡

吉田　格／長尾大輔

PART 2 マイクロスコープUp-to-Date（第15回学術大会誌上再録）

1：一般診療へのマイクロデンティストリーの活用
　菅原佳広／泉　英之／松永健嗣／田中利典／
　小林　実／阿部　修／勝部義明／松川敏久／柴原清隆

2：歯科用顕微鏡を用いたハイジーンワークの現在
　髙橋規子／大野真美／片山奈美

PART 3 New Topics

1：From THE INTERNATIONAL JOURNAL OF MICRODENTISTRY
　吉田（和田）陽子ほか／小林　平ほか

2：ケースプレゼンテーション
　三橋　晃

PART 4 Products Information&Case Presentation

各社マイクロスコープ紹介＆最新情報／Case Presentation

- ライカ マイクロシステムズ株式会社／株式会社モリタ
  岩泉理沙
- 株式会社ジーシー
  内山徹哉
- 白水貿易株式会社
  柴原清隆

学会レポート：第15回日本顕微鏡歯科学会学術大会
木ノ本喜史／稲本雄之

QUINTESSENCE PUBLISHING 日本

●サイズ：A4判変型　●166ページ　●定価　本体5,500円（税別）

クインテッセンス出版株式会社

〒113-0033　東京都文京区本郷3丁目2番6号　クイントハウスビル

TEL. 03-5842-2272（営業）　FAX. 03-5800-7592　https://www.quint-j.co.jp/　e-mail mb@quint-j.co.jp

クインテッセンス出版の書籍・雑誌は，歯学書専用
通販サイト『**歯学書 .COM**』にてご購入いただけます．

PCからのアクセスは…

歯学書　検索

携帯電話からのアクセスは…

QRコードからモバイルサイトへ

別冊 the Quintessence マイクロデンティストリー YEARBOOK 2020
チームで取り組む令和時代のマイクロスコープ活用法
〜ハイジーン＆アシスタントワークから精密補綴治療まで〜

2020年３月10日　第１版第１刷発行

編　　集　日本顕微鏡歯科学会（にほんけんびきょうしかがっかい）

発 行 人　北峯康充

発 行 所　クインテッセンス出版株式会社
東京都文京区本郷３丁目２番６号　〒113-0033
クイントハウスビル　電話(03)5842-2270(代表)
(03)5842-2272(営業部)
(03)5842-2275(編集部)
web page address　https://www.quint-j.co.jp/

印刷・製本　サン美術印刷株式会社

©2020　クインテッセンス出版株式会社
禁無断転載・複写
Printed in Japan
落丁本・乱丁本はお取り替えします
ISBN978-4-7812-0736-0 C3047
定価は表紙に表示してあります